2025
年度版

中小企業診断士

最速合格
のための
第1次試験
過去問題集

③ 運営管理

TAC中小企業診断士講座

JN024086

TAC出版

TAC PUBLISHING Group

は じ め に

　日本中小企業診断士協会連合会の発表によれば、令和6年度までの過去5年間の第1次試験の各科目の「科目合格者」等の平均値は次のようになっています。

	科目受験者数(①)	科目合格者数(②)	科目合格率(①／②)
経済学・経済政策	15,086	2,371	15.7%
財務・会計	15,251	2,352	15.4%
企業経営理論	14,884	3,993	26.8%
運営管理(オペレーション・マネジメント)	15,033	2,484	16.5%
経営法務	14,959	2,786	18.6%
経営情報システム	14,704	2,373	16.1%
中小企業経営・中小企業政策	15,761	1,910	12.1%

　科目ごとに、科目合格者数および科目合格率は異なりますが、いずれにしても、「科目合格者」の存在は、同時に「科目不合格者」を生じさせる結果となっています。

　初学者はもちろんのこと、不合格科目を残した受験経験者にとって、第1次試験の合格を果たすには、各科目の出題傾向を把握し、その対策を立てるということが必要となります。

　受験生の皆さんは、次の言葉を一度は耳にしたことがあると思います。

> 知彼知己者　百戦不殆（彼を知り己を知れば、百戦して殆からず）

　これは「孫子（謀攻篇）」にある名文句ですが、前段の「彼を知（り）る」ためには、これまでの受験生が戦ってきた「過去問」を活用することが必要です。

　戦う相手を研究して熟知することは、スポーツや企業活動などの「戦いの場」では当然必要だ、ということはよくご理解いただけると思います。これは試験においても同様で、戦う相手である「試験委員」が作成した「問題」の研究は、勝つためには必要不可欠な作業だと考えてください。

　また、「過去問」の活用目的として「己を知る」ということがあります。本試験の出題傾向や内容は極端に変化するものではありません。ですから、受験生の皆さんが常日頃取り組まれている学習の成果を測定するためのひとつの手段として「過去問」

を活用し、その成果をさらなる実力向上につなげていくことが必要であると理解してください。

　先程引用した「孫子」の名文句の後には「不知彼不知己　毎戰必殆（彼を知らず己を知らざれば、戦う毎に必ず殆し）」という文が続いています。受験生の皆さんが取り組む戦いでこのような事態にならないように、相手である「本試験（過去問）」をよく研究し、さらに、普段の学習成果の目安として「過去問」を役立てていただければ、本試験での「勝利」は間違いないと確信しています。

2024 年 10 月
ＴＡＣ中小企業診断士講座
講師室、事務局スタッフ一同

本書の利用方法

　本書には、過去 5 年分の第 1 次試験の問題と詳細な解説を収載しています。

1．本書の問題には、学習における目安として、以下のマークを付していますので、参考としてください。

　★重要★　基本的な論点だったり、過去に繰り返し出題されたりするなど、重要度の高い問題です。過去問はひと通り解くことが望ましいですが、時間的に余裕のない方は、このマークのある問題を優先的に解くとよいでしょう。

　参考問題　出題年度以降に法律や制度改正があり、正解肢が変わったり、なくなったりした問題等を示しています。これらの問題は、今年度の第 1 次試験対策としてふさわしくない問題となりますので、出題形式や出題論点を確認する程度の利用にとどめていただければよいでしょう。

2．各年度の解説の冒頭に、解答・配点・TAC データリサーチによる正答率の一覧表を載せています。学習の際の参考としてください。

3．巻末に、「出題傾向分析表」を載せています。出題領域の区分は、弊社刊の「最速合格のためのスピードテキスト」の章立てに対応しているので、復習する際に便利です。

中小企業診断士
第1次試験
運営管理

▶ 目 次 ◀

令和 6 年度 問題

uestions

令和 6 年度 問題

第1問　　★ 重要 ★

生産形態に関する記述と用語の組み合わせとして、最も適切なものを下記の解答群から選べ。

a　多様な顧客ニーズに合わせた製品を効率的かつ低価格で大量に生産する。

b　製品を品種ごとにまとめて、複数の品種を交互に生産する。

c　あらかじめ用意した複数種類の部品を組み合わせて、受注後に多様な製品を生産する。

d　発注元のブランドとして販売される製品の製造機能を請け負って生産する。

```
［解答群］
ア　a：OEM              b：マスカスタマイゼーション
     c：モジュール生産        d：ロット生産
イ　a：マスカスタマイゼーション   b：モジュール生産
     c：ロット生産           d：OEM
ウ　a：マスカスタマイゼーション   b：ロット生産
     c：モジュール生産        d：OEM
エ　a：モジュール生産         b：OEM
     c：マスカスタマイゼーション   d：ロット生産
オ　a：モジュール生産         b：ロット生産
     c：OEM              d：マスカスタマイゼーション
```

第2問　　★ 重要 ★

下図は、あるプロジェクトにおけるPERT図の一部を切り出した図である。作業Aの作業時間は3日であり、作業Aはクリティカルパス上にある。PERT計算に関する記述の正誤の組み合わせとして、最も適切なものを下記の解答群から選べ。

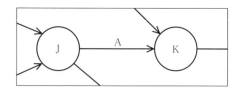

a 作業Aの作業時間が2日増えると、クリティカルパスは変わることがある。

b 作業Aの作業時間が2日減ると、クリティカルパスは変わることがある。

c 結合点Jの最早結合点時刻が2日遅れると、全体のプロジェクト完了までの期間が必ず2日長くなる。

d 結合点Jの最早結合点時刻が2日早まると、全体のプロジェクト完了までの期間が必ず2日短くなる。

e 結合点Kの最遅結合点時刻が2日遅れると、全体のプロジェクト完了までの期間が必ず2日長くなる。

[解答群]

	a	b	c	d	e
ア	a:正	b:正	c:正	d:誤	e:誤
イ	a:正	b:正	c:誤	d:正	e:誤
ウ	a:正	b:誤	c:正	d:誤	e:誤
エ	a:誤	b:正	c:正	d:誤	e:正
オ	a:誤	b:誤	c:誤	d:正	e:正

第3問　★重要★

進捗管理や現品管理に関する記述の正誤の組み合わせとして、最も適切なものを下記の解答群から選べ。

a 製品のトレーサビリティを高めるために、材料の調達から製品の廃棄までのサプライチェーンにおいて情報共有の仕組みを用いた。

b 後工程引き取り方式による生産を、「運搬指示かんばん」と「引き取りかんばん」を用いて実現した。

c 作業者や管理者が工程の状況を把握するために、目で見る管理として「あんどん」を用いた。

d 仕掛品の流れを管理するために、製造番号、品名、納期などが登録されたRFIDを用いた。

[解答群]

ア　a：正　　b：正　　c：誤　　d：正

イ　a：正　　b：正　　c：誤　　d：誤

ウ　a：正　　b：誤　　c：正　　d：正

エ　a：誤　　b：正　　c：誤　　d：正

オ　a：誤　　b：誤　　c：正　　d：誤

第4問　　★重要★

　　3工程直列型生産ラインにおけるライン編成を下記に示す。この編成に関する記述として、最も適切なものを下記の解答群から選べ。ただし、ライン生産は、最も効率が良い状態で運用されるものとする。

【ライン編成】

・第1工程は、作業時間4分の作業Aと、作業時間6分の作業Bで構成されている。

・第2工程は、作業時間3分の作業Cと、作業時間4分の作業Dで構成されている。

・第3工程は、作業時間2分の作業Eと、作業時間7分の作業Fで構成されている。

[解答群]

ア　サイクルタイムは、26分である。

イ　作業Cの作業時間が2分長くなると、生産ラインのスループットは減少する。

ウ　作業Fの作業時間が6分になると、サイクルタイムは短縮される。

エ　生産ラインの編成効率は、80％である。

オ　第1工程と第2工程で作業Aと作業Cが交換できれば、サイクルタイムは短縮される。

第5問　　★重要★

　　下図は、最終製品XとYの部品表であり、（　）内は親品目1個に対して必要な部品の個数である。製品XとYを2個ずつ生産するときの必要部品数量に関する記述として、最も適切なものを下記の解答群から選べ。

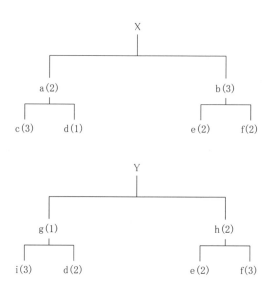

[解答群]

ア　部品aは2個必要である。

イ　部品dは6個必要である。

ウ　部品iは8個必要である。

エ　部品共通化により部品hが部品bで代替された場合、部品bは10個必要である。

オ　部品共通化により部品iが部品cで代替された場合、部品cは15個必要である。

第6問　★重要★

標準時間の設定に関する記述として、最も適切なものはどれか。

ア　MTM法では、移動動作と終局動作を組み合わせた1つのモジュールとして作業者の動作を分析し、標準時間を設定する。

イ　経験見積り法では、精度を高めるために、作業経験が豊富な熟練者を観測対象として標準時間を設定する。

ウ　実績資料法では、作業の実績記録を基にした時間資料を用い、作業の難易度を考慮して標準時間を設定する。

エ　標準時間資料法では、作業時間と変動要因との関係を、数式、図、表などにまと

めたものを用いて標準時間を設定する。

オ　標準時間を設定する際に考慮される余裕は、作業余裕と用達余裕からなる管理余裕と、職場余裕と疲労余裕からなる人的余裕によって構成される。

第7問　　★重要★

次の文章を読んで、下記の設問に答えよ。

　ある工場では、長さの規格の上限値が11.80mm、下限値が10.00mmの部品を製造しているが、製造工程の工程能力指数Cp（両側規格の場合の工程能力指数）を計算したところ、1.0であることが分かった。工場では、この部品を利用する製品の性能を安定させるために、長さの規格の上限値を11.60mm、下限値を10.16mmに変更したいと考えている。

設問1 ●●●

　現在の工程能力（部品の長さの標準偏差）の下で、長さの規格の上限値と下限値を変更したときの工程能力指数Cpの値として、最も適切なものはどれか。

ア　0.6　　イ　0.7　　ウ　0.8　　エ　0.9　　オ　1.0

設問2 ●●●

　長さの規格の上限値と下限値を変更したとき、工程能力指数Cpを1.2に向上させるための施策として、最も適切なものはどれか。

ア　部品の長さの平均値 μ を10.52mmに調整する。

イ　部品の長さの平均値 μ を10.88mmに調整する。

ウ　部品の長さの標準偏差 σ を0.20に改善する。

エ　部品の長さの標準偏差 σ を0.25に改善する。

第8問　　★重要★

設備管理に関する記述の正誤の組み合わせとして、最も適切なものを下記の解答群から選べ。

a　設備の故障は、①設備が規定の機能を失った状態と、②設備による産出物または

作用が規定の品質レベルに達しなくなった状態、の2つに分類される。

b　設備総合効率は、時間稼働率、故障強度率、良品率の積として計算される。

c　保全活動は、予防保全と事後保全からなる維持活動と、改良保全と保全予防からなる改善活動から構成される。

d　設備の7大ロスには、設備の段取・調整ロスと刃具交換ロスが含まれる。

e　設備の可用率は、MTTRをMTBFとMTTRの和で除した値として求められる。

[解答群]

ア　a：正　　b：正　　c：誤　　d：誤　　e：正

イ　a：正　　b：誤　　c：正　　d：誤　　e：誤

ウ　a：誤　　b：正　　c：誤　　d：正　　e：正

エ　a：誤　　b：誤　　c：正　　d：正　　e：誤

オ　a：誤　　b：誤　　c：誤　　d：正　　e：誤

第9問

　ある製品を製造するための設備の候補として、生産能力が異なる設備AとBがある。それぞれの設備の生産能力、製造固定費、製造変動費単価は下表のとおりである。この2つの設備の製品需要量に関する優劣分岐点Q_{AB}（個／年）として、最も適切なものを下記の解答群から選べ。

　ただし、製品の販売単価は500円／個とする。解答に際しては、製品の需要量が生産能力を超えた場合には売り逃しが生じることに注意すること。

	生産能力	年間の製造固定費	製造変動費単価
設備A	26,000個／年	500万円／年	250円／個
設備B	35,000個／年	950万円／年	100円／個

[解答群]

ア　$Q_{AB} < 25,000$

イ　$25,000 \leqq Q_{AB} < 30,000$

ウ　$30,000 \leqq Q_{AB} < 35,000$

エ　$35,000 \leqq Q_{AB} < 40,000$

オ　$40,000 \leqq Q_{AB}$

第10問 ★重要★

　生産システムの管理方式に関する記述の正誤の組み合わせとして、最も適切なものを下記の解答群から選べ。

a　オーダエントリー方式では、顧客が要求した納期どおりに生産するために、受注したオーダを製造設備の使用日程や資材の所要予定などに割り付けて生産する。

b　JIT生産方式では、全ての工程があらかじめ作成された生産計画に従って、必要な物を、必要なときに、必要な量だけ生産する。

c　生産座席予約方式では、生産工程において生産中の製品に顧客のオーダを引き当て、顧客の要求に応じて生産中の製品仕様の選択や変更を行う。

d　製番管理方式では、製造命令書において、対象製品に関する全ての加工および組み立ての指示書を準備し、同一の製造番号を付けて管理する。

e　VMI（Vender Managed Inventory）では、顧客の在庫、出荷、販売などの情報を納入業者と共有することで、納入業者が供給して顧客の資産となった在庫を管理する。

```
［解答群］
ア　a：正　　b：正　　c：誤　　d：誤　　e：正
イ　a：正　　b：誤　　c：正　　d：誤　　e：誤
ウ　a：誤　　b：正　　c：正　　d：正　　e：誤
エ　a：誤　　b：誤　　c：誤　　d：正　　e：正
オ　a：誤　　b：誤　　c：誤　　d：正　　e：誤
```

第11問 ★重要★

設備レイアウトに関する記述として、最も適切なものはどれか。

ア　工程別レイアウトでは、各製品はそれぞれの加工順序に従って工程を移動するので、一般に各製品の進捗管理が容易である。

イ　製品別レイアウトでは、製品を製造する流れに沿って設備を配置し、各設備は一定期間同じ製品を加工するので、一般に自動化が容易である。

ウ　製品別レイアウトを採用すると、工程別レイアウトを採用する場合に比べて、一般に製品が完成するまでに必要な運搬距離が長くなる。

エ　多品種を扱う職場において工程別レイアウトを採用すると、製品別レイアウトを

採用する場合に比べて、一般に各設備の稼働率は低くなる。

　ある職場のDI分析を行った結果を下図に示す。この図から読み取ることができる改善施策として、最も適切なものを下記の解答群から選べ。

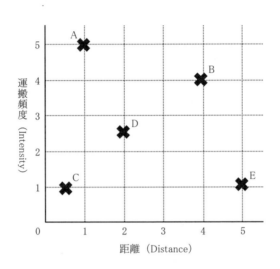

[解答群]

ア　優先的に改善すべき対象は運搬工程Ａであり、巡回経路を決めて定期的に運搬するといった間接運搬システムの導入を検討する。

イ　優先的に改善すべき対象は運搬工程Ｂであり、運搬頻度を少なくするか、または運搬距離が短くなるようにレイアウトの改善を検討する。

ウ　優先的に改善すべき対象は運搬工程Ｃであり、運搬頻度を少なくするか、または運搬距離が短くなるようにレイアウトの改善を検討する。

エ　優先的に改善すべき対象は運搬工程Ｅであり、コンベアで結ぶといった直接運搬システムの導入を検討する。

　資材管理に関する記述の正誤の組み合わせとして、最も適切なものを下記の解答群から選べ。

a MRPを活用すれば、調達すべき部品の仕様の検討や変更を効果的に行うことができる。

b 資材管理は、必要な資材の量・質などを定めた製品情報と生産計画を基に行われる。

c 資材管理を適切に行った結果として資材の在庫量が減ると、資材の棚卸資産回転率が高くなり、運転資金が増えてキャッシュフローが改善される。

d 資材の納品が納入予定に対して早過ぎる場合には問題は発生しないが、遅れた場合にはライン停止などの大きな損害が発生する。

[解答群]
ア a:正　　b:正　　c:正　　d:誤
イ a:正　　b:正　　c:誤　　d:正
ウ a:正　　b:誤　　c:正　　d:誤
エ a:誤　　b:正　　c:正　　d:誤
オ a:誤　　b:誤　　c:誤　　d:正

第14問

外注管理に関する記述の正誤の組み合わせとして、最も適切なものを下記の解答群から選べ。

a 外注依存度の高い企業は、一般的に広範囲にわたって高い技術力を持つ企業であり、自社の技術力が不足気味の企業では、外注依存度は必然的に低くなる。

b 外注部品の納期遅れ対策としては、自社のMES（Manufacturing Execution System）を外注先にも組み込むことが望ましいが、それが難しい場合には納期日別に納期確認するカムアップシステムの適用が有効である。

c 外注先に対して、どのような長期的方針の下に外注を依頼しているかを明確にすることによって、積極的な連携が可能となり、外注先の品質の向上やコストの低減が期待できる。

d 自社が特殊な生産技術を持っている部品については、その優位性を維持するために、コスト削減が期待できる外注先を選択することが望まれる。

[解答群]

ア a：正　b：正　c：誤　d：正

イ a：正　b：誤　c：正　d：誤

ウ a：正　b：誤　c：誤　d：正

エ a：誤　b：正　c：正　d：誤

オ a：誤　b：正　c：誤　d：正

第15問　★重要★

　在庫管理に関する記述として、最も適切なものはどれか。

ア　ABC分析の結果としてCに分類された部品に定期発注方式を導入することによって、発注の手間を省いた。

イ　原材料の在庫を多くすることによって、製造工程における突発的な設備故障による製品の納期遅れを回避した。

ウ　作業時間の変動が大きい工程の前で生産ラインを前後に分割して、工程間在庫を置くことによって、ライン全体の稼働率を改善した。

エ　調達リードタイムが不安定な部品を発注点方式で管理する場合に、発注点を小さくすることで欠品の発生頻度を削減した。

第16問　★重要★

　ある製品について工程分析を行った結果を下図に示す。この図から読み取ることができる改善施策として、最も適切なものを下記の解答群から選べ。

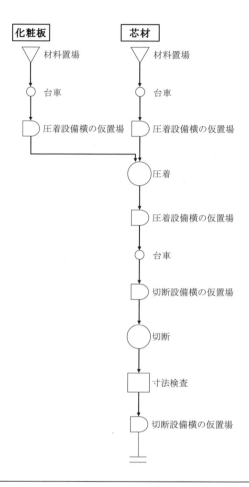

[解答群]

ア　圧着設備横と切断設備横の仮置場に置く部品量を減らすために、圧着設備と切断設備を近づけるようにレイアウトを変更する。

イ　圧着と切断の間に停滞する部品量を減らすために、切断設備の処理能力を上げる。

ウ　材料置場から圧着設備までの運搬をなくすために、自動搬送車を導入する。

エ　寸法検査後の停滞をなくすために、検査時間を短縮する。

13

マテリアルハンドリングに関する記述として、最も適切なものはどれか。

ア　運搬活性分析を行うことにより、各工程への材料供給の際に生じる空運搬を顕在化することができる。

イ　製品をユニットロードにすると、運搬や保管の効率化を図ることが期待できる。

ウ　パレット積みされているものを車上置きにする場合より、バラ置きされているものを箱入りにする場合の方が活性示数の増加幅が大きく、改善効果が高い。

エ　流通過程の倉庫や物流センターにおいて行う、製品の値札付けや電子機器のセッティングの作業は荷役作業である。

第18問

ある工程では月間1,000個の部品を加工しているが、そのうち5％が不適合品として廃棄されている。この部品の販売価格は2,000円、変動費率60％で、不適合品1個当たりの廃棄費用は700円かかっている。

この部品には十分な需要があり、不適合品は全て手直しを行って良品として販売できることが分かったので、新たに手直しをする作業者を雇うことを検討している。新たに雇う作業者の月間の人件費がいくら未満であれば採算的に見合うか。以下の選択肢から最も適切なものを選べ。ただし、不適合品の手直しにおける追加費用は新たに雇う作業者の人件費のみで、材料費などのその他の費用は発生しないものとする。

ア　60,000円　　イ　75,000円　　ウ　95,000円　　エ　135,000円

第19問

ある設備の加工速度を向上させるために設備改良を行った。改良後、100個加工を行って1個当たりの平均速度を求めると9.75、標準偏差1.0であった。改良前の平均速度は10、標準偏差1.0であったとき、加工速度が向上したかどうかを統計的に検定する際の記述として、最も適切なものはどれか。

ア　帰無仮説：$\mu = 9.75$、対立仮説：$\mu \neq 9.75$として、t検定を用いる。

イ　帰無仮説：$\mu = 9.75$、対立仮説：$\mu \neq 9.75$として、z検定を用いる。

ウ　帰無仮説：$\mu = 10$、対立仮説：$\mu < 10$として、χ^2検定を用いる。

エ　帰無仮説：$\mu = 10$、対立仮説：$\mu < 10$として、z検定を用いる。

第20問　　★重要★

　環境配慮型生産に関する記述の正誤の組み合わせとして、最も適切なものを下記の解答群から選べ。

a　1つの製品が原材料から生産されて誕生し、使用され、廃棄されるまでの製品のライフサイクルを把握した。

b　製品の原材料の採取から、製造、使用及び処分に至るまでの環境負荷を総合的に評価するためにサーキュラーエコノミーを行った。

c　温室効果ガスの排出量と吸収量を均衡させたライフサイクルアセスメントを実施した。

d　製品の原材料調達から廃棄、リサイクルに至るまでに排出された温室効果ガス排出量をCO_2排出量に換算して、カーボンフットプリントを算定した。

```
[解答群]
ア　a：正　　b：正　　c：誤　　d：誤

イ　a：正　　b：誤　　c：正　　d：誤

ウ　a：正　　b：誤　　c：誤　　d：正

エ　a：誤　　b：正　　c：誤　　d：正

オ　a：誤　　b：誤　　c：正　　d：正
```

第21問

　「廃棄物の処理及び清掃に関する法律」に基づく産業廃棄物に関する記述として、最も適切なものはどれか。

ア　産業廃棄物は20種類が定義されているが、排出量が基準値以下の場合は、この法律が適用されない。

イ　事業者が排出した産業廃棄物の運搬または処分を別の業者に委託する場合には、産業廃棄物管理票を委託する業者に交付することが義務付けられている。

ウ　製紙工場から排出される紙くずと飲食店などから排出される紙くずは、同じ一般廃棄物である。

エ　排出した産業廃棄物を排出事業者自らが適切に処理できる場所まで運搬する場合でも、管轄の都道府県に申し出て専用の許可を得なければならない。

以下のグラフは、経済産業省の商業動態統計における小売業の業態別の年間販売額推移を示している。グラフ内の空欄A～Cに入る語句の組み合わせとして、最も適切なものを下記の解答群から選べ。

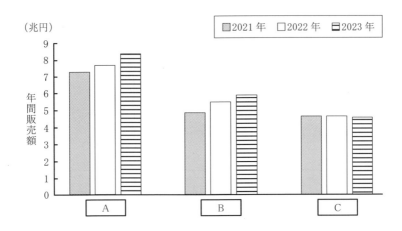

[解答群]

ア	A：スーパー	B：コンビニエンスストア	C：百貨店
イ	A：スーパー	B：百貨店	C：ドラッグストア
ウ	A：ドラッグストア	B：コンビニエンスストア	C：百貨店
エ	A：ドラッグストア	B：スーパー	C：家電大型専門店
オ	A：ドラッグストア	B：百貨店	C：家電大型専門店

第23問　★重要★

都市計画法に関する記述として、最も適切なものはどれか。

ア　市街化区域とは、すでに市街地を形成している区域およびおおむね10年以内に優先的かつ計画的に市街化を図るべき区域である。

イ　市街化調整区域とは、いわゆる白地地域内で用途地域が定められていない区域である。

ウ　特定用途制限地域は、区域区分が定められていない都市計画区域内に定めることができない。

エ　特別用途地区は、商業地域の地区内に定めることができない。

オ　都市計画区域は、都道府県都市計画審議会の意見に基づいて、市区町村が指定することができる。

第24問

　屋外広告物法に関する記述の正誤の組み合わせとして、最も適切なものを下記の解答群から選べ。

a　都道府県は条例で定めることによって、第一種低層住居専用地域における屋外広告物の設置を禁止することができる。

b　条例に違反している立看板が、管理されずに放置されていることが明らかなときであっても、設置者の許可がなければ都道府県知事はその立看板を撤去することはできない。

c　常時屋外で公衆に表示されたはり紙は、屋外広告物に該当しない。

```
［解答群］
ア　a：正　　b：正　　c：誤
イ　a：正　　b：誤　　c：正
ウ　a：正　　b：誤　　c：誤
エ　a：誤　　b：正　　c：正
オ　a：誤　　b：誤　　c：正
```

第25問

　食品リサイクル法およびその基本方針に関する記述として、最も適切なものはどれか。

ア　飲食店において食用に供されずに廃棄された食品は、食品廃棄物等に該当しない。

イ　食品循環資源の再生利用等は、飼料化よりも肥料化が優先される。

ウ　食品の製造、加工または調理の過程において副次的に得られた物品のうち食用に供することができないものは、食品廃棄物等に該当する。

エ　食品廃棄物等の再生利用等は、肥料化よりも熱回収が優先される。

オ　食品リサイクル法は食品関連事業者を対象とした取り組みを定めたものであり、基本方針において消費者の役割は明記されていない。

近年、さまざまな業界において電子商取引（EC）市場の重要性は高まっている。経済産業省が公表している「令和４年度電子商取引に関する市場調査報告書」における2022年の日本のEC市場に関する記述として、最も適切なものはどれか。

ア　BtoC-EC市場における市場規模は、物販系分野よりもサービス系分野の方が大きい。

イ　CtoC-EC市場規模はBtoC-EC市場規模よりも大きい。

ウ　物販系分野のBtoC-EC市場におけるEC化率は、「衣類・服飾雑貨等」よりも「書籍、映像・音楽ソフト」の方が高い。

エ　物販系分野のBtoC-EC市場における市場規模は、「食品、飲料、酒類」よりも「化粧品、医薬品」の方が大きい。

　★ 重要 ★

下表は、４つの店舗における、ある期間の売上高、粗利高、従業員数、総作業時間をまとめたものである。各店舗で作業を効率化するためのシステムを導入し、１人当たりの作業時間を変えずに従業員を１人ずつ減らした場合、売上高と粗利高が変わらないとすると、システム導入前と比べて人時生産性で最も改善額が大きい店舗を下記の解答群から選べ。なお、ここで人時生産性は粗利高で算出するものとする。

	店舗A	店舗B	店舗C	店舗D
売上高（万円）	360	400	400	360
粗利高（万円）	144	180	144	144
従業員数（人）	4	4	4	5
総作業時間（時間）	480	480	600	600

[解答群]
ア　店舗A　　イ　店舗B　　ウ　店舗C　　エ　店舗D

第28問 ★ 重要 ★

　下表は、価格政策が異なるA店とB店における、ある同じ商品の日別売上をまとめたものである。この2店の価格政策を理解したうえで、以下の記述の正誤の組み合わせとして、最も適切なものを下記の解答群から選べ。なお、表に記載のない商品や期間などについては考慮しないものとする。

販売日	A店		B店	
	販売数量 （点）	売価 （円）	販売数量 （点）	売価 （円）
4月1日	2	250	5	190
4月2日	0	250	4	190
4月3日	3	250	6	190
4月4日	3	250	5	190
4月5日	3	250	4	190
4月6日	25	125	8	190
4月7日	0	250	6	190
4月8日	0	250	8	190
4月9日	1	250	7	190
4月10日	3	250	5	190
4月11日	0	250	6	190
4月12日	12	150	4	190
4月13日	2	250	8	190
4月14日	2	250	8	190

a　B店のような価格政策をEDLP政策という。

b　いずれの店の価格政策でも、低い値引率で集客できる商品をロスリーダーという。

c　チラシ特売を用いて集客することは、B店よりもA店の価格政策が向いている。

[解答群]
ア　a：正　　b：正　　c：誤
イ　a：正　　b：誤　　c：正
ウ　a：誤　　b：正　　c：正
エ　a：誤　　b：正　　c：誤
オ　a：誤　　b：誤　　c：正

消費者の商品購買行動は、計画購買と非計画購買に区分することができる。このうち、非計画購買に関して、以下の説明文と非計画購買の種類の組み合わせとして、最も適切なものを下記の解答群から選べ。

［説明文］

a　POPを見て、初めて見た商品に希少性を感じて購入すること。

b　値引きされた商品を「安いから」という理由で購入すること。

［非計画購買の種類］

① 想起購買

② 関連購買

③ 条件購買

④ 衝動購買

［解答群］
ア　aと①　　イ　aと②　　ウ　bと①　　エ　bと③　　オ　bと④

近年は、消費者の節約意識や環境意識の高まりを背景にリユース市場が拡大している。インターネットオークションやフリマアプリなどでは個人間売買が中心であるが、事業として中古品を買い取って販売する際などには、古物営業法で定められた営業の許可（古物商許可）が必要になる。この古物商許可に関する記述として、最も適切なものはどれか。

ア　委託を受けて中古品を売買する場合には、古物商許可が必要である。

イ　営業所を持たず、インターネットを用いて転売目的で中古品を売買する場合には、古物商許可は不要である。

ウ　古物商許可を得るには、営業所を管轄する税務署に申請する必要がある。

エ　中古品を買い取ってレンタルする場合、古物商許可は不要である。

第31問　　★ 重要 ★

　下表は、ある雑貨店の販売実績などを商品分類別にまとめたもので、売上高、粗利率、平均在庫額（売価ベース）が記載されている。この表に記載された商品分類の中で、<u>最も交差比率が低い分類</u>を下記の解答群から選べ。

	売上高 （万円）	粗利率 （％）	平均在庫額 （万円）
商品分類1	180	30.0	30
商品分類2	100	25.0	50
商品分類3	240	10.0	24
商品分類4	80	40.0	10
商品分類5	400	20.0	40

［解答群］

ア　商品分類1　　イ　商品分類2　　ウ　商品分類3

エ　商品分類4　　オ　商品分類5

第32問　　★ 重要 ★

　VMDにおける3つの基本的な要素のうち、IP（Item Presentation）の目的と具体的な手法に関する記述として、最も適切なものはどれか。

ア　売場全体のコンセプトを視覚的に表現するために、大型のプロップスを用いる。

イ　売場に立ち寄った顧客が商品を選びやすくするために、フェイスアウトでハンガー陳列する。

ウ　売場のテーマを演出するために、マネキンを用いて関連商品をディスプレイする。

エ　特定の売場への立ち寄りを増やすために、POPなどを用いて季節感を演出する。

オ　劣位置の売場への立ち寄りを促すために、商品を山積みしてボリューム感を演出する。

第33問　　★ 重要 ★

　小売店舗における在庫管理に関する記述として、最も適切なものはどれか。

ア　定期発注方式を採用している場合、発注から納品までの調達期間のみを変更して

長くすると、発注量を減らすことができる。

イ 定期発注方式を採用している場合、発注間隔のみを変更して長くすると、安全在庫を減らすことができる。

ウ 定量発注方式を採用している場合、安全在庫のみを変更して増やすと、発注点は低くなる。

エ 定量発注方式を採用している場合、発注点のみを変更して高くすると、発注から納品までの調達期間を長くすることができる。

オ 定量発注方式を採用している場合、発注量のみを変更して増やすと、発注点に基づく発注間隔は長くなる。

第34問 ★ 重要 ★

ある商品の需要予測量を、移動平均法（過去３期の平均）と指数平滑法（平滑化係数＝0.8）によってｔ期（当期）まで計算した結果、下表のとおりとなった。この条件に基づいて計算するｔ＋１期（翌期）の需要予測量に関する記述として、最も適切なものを下記の解答群から選べ。

（単位：個）

	ｔ－４期	ｔ－３期	ｔ－２期	ｔ－１期	ｔ期
実際の需要量（実績値）	90	30	60	30	90
移動平均法による需要予測量	30	50	50	60	40
指数平滑法による需要予測量	※	※	※	※	60

注　表中の※印は、値の記載を省略している。

[解答群]

ア 移動平均法によって計算すると、40個である。

イ 移動平均法によって計算すると、50個である。

ウ 移動平均法によって計算すると、66個である。

エ 指数平滑法によって計算すると、72個である。

オ 指数平滑法によって計算すると、84個である。

第35問 ★ 重要 ★

輸送手段の特徴に関する記述として、最も適切なものはどれか。

ア 出発時間や到着時間を荷主の都合で指定したいときには、トラックの貸切運送よりも、特別積合せ運送を選択した方がよい。
イ 船舶による内航運送の契約に関する「標準内航運送約款」では、運賃には、特約がない限り、船積みと陸揚げに要する費用を含まないとしている。
ウ 鉄道コンテナ輸送における貨物列車1本（26両分）の最大積載量は、10tトラック26台の最大積載量と同じである。
エ トラック輸送の契約に関する「標準貨物自動車運送約款」では、運賃には、積込みと取卸しに要する費用を含まないとしている。
オ 複合一貫輸送の推進には、発地から着地までトラックを一貫して利用し続けながら、貨物を組み替えていくことが必要である。

第36問　★重要★

物流におけるユニットロードに関する記述として、最も適切なものはどれか。

ア 通い容器は、繰返し用いることを目的としない容器である。
イ 平パレットを利用して貨物をトラックで輸送する場合、トラックの積載効率が低下することがある。
ウ 物流クレートは、商品を段ボールケースのまま積載して納品できるように使用される容器である。
エ 平面寸法1,100㎜×1,100㎜の平パレット1段の最大積載数量は、ピンホイール積みの場合、平面寸法650㎜×450㎜の貨物よりも、同600㎜×500㎜の貨物の方が多い。
オ ロールボックスパレットには、段ボールケースを積載することができない。

第37問　★重要★

チェーン小売業の物流センターの機能に関する記述として、最も適切なものはどれか。

ア クロスドッキングは、出荷指示に基づいて、商品を庫内の保管場所から取り出し、取り揃えることである。
イ 小売業者の仕入条件が店頭渡しの場合、在庫型物流センターの在庫の所有権は小売業者にある。
ウ 通過型物流センターでは、温度管理が必要な低温商品を取り扱うことができない。
エ 店舗での発注から納品までのリードタイムは、在庫型物流センターよりも通過型物流センターを利用する方が短くしやすい。

オ　物流センターを利用すると、店舗に対する複数の納入業者からの納品を取りまとめることができ、店舗での荷受作業を軽減することができる。

第38問　　★重要★

物流センターの運営に関する記述として、最も適切なものはどれか。

ア　ASNは、荷受側が納品を受けた後に荷送側に対して送信する受領明細である。
イ　固定ロケーション管理では、入庫の都度、空いている場所に商品を格納するため、同じ商品が異なる場所に所在する。
ウ　摘み取り方式ピッキングは、商品ごとのオーダー総数をまとめてピッキングすることである。
エ　物流センターにおけるトラック予約受付システムの導入の目的の1つは、運送事業者の積み込みや取り卸しの前にかかる手待ち時間を短縮することである。
オ　マテハン機器のうち、ソーターは保管用の機器であり、AGVは仕分用の機器である。

第39問　　★重要★

流通システム開発センターが発行している「GTIN設定ガイドライン」に従って、新しいGTIN-13を設定するべきものを全て選ぶとき、最も適切なものを下記の解答群から選べ。

a　メーカー、ブランドオーナーの現在の商品ラインアップにない新しい商品
b　特定のイベントやシーズンに合わせて期間限定で包装を変更し、特に従来品と分けて受発注を行わない商品
c　商品の機能や成分が従来品と同じであるが、ブランド名やブランドロゴなどの変更によって、商品のブランドを変更した商品

```
［解答群］
ア　aとb　　イ　aとc　　ウ　bとc　　エ　bのみ　　オ　cのみ
```

第40問　　★重要★

近年、加工食品メーカーや原材料メーカーなど食品を取り扱う企業にとって、食品の安全・安心やトレーサビリティの確保はますます重要になっており、主

に原材料メーカーと加工食品メーカー間で取引される原材料に、標準的な商品識別コードや、日付情報、ロット番号が表現されたバーコードをGS1 QRコードなどで表示して、企業間で活用することが推奨されている。

　原材料の識別に必要な項目を設定し、GS1アプリケーション識別子（AI）を利用してバーコードに表現する以下の記述の正誤の組み合わせとして、最も適切なものを下記の解答群から選べ。

a　原材料に関する製造日の日付が2024（令和6）年5月10日であった場合、製造日をAI(11) により和暦で表現すると、(11)R060510となる。

b　13桁のGTIN-13をAI(01) により表現する場合は、先頭に1つ0を追加して14桁とする。

c　原材料メーカーにて割り当てられたHHI1026というロット番号を、AI(10) により表現する場合は、(10)HHI1026となる。

```
［解答群］
ア　a：正　　b：正　　c：正
イ　a：正　　b：正　　c：誤
ウ　a：正　　b：誤　　c：誤
エ　a：誤　　b：正　　c：正
オ　a：誤　　b：誤　　c：正
```

第41問

　以下の支払手段のうち、資金決済に関する法律（資金決済法）が適用される前払式支払手段に該当するものの組み合わせとして、最も適切なものを下記の解答群から選べ。ただし、有効期限がある場合は、発行の日から1年間使用できるものとする。

a　カタログギフト券

b　POSAカード

c　航空券

d　郵便切手

[解答群]
ア　aとb　　イ　aとc　　ウ　bとc　　エ　bとd　　オ　cとd

第42問

個人情報保護法における個人情報に当たるものとして、最も適切なものはどれか。

ア　企業の財務情報など、法人などの団体そのものに関する情報

イ　生存者の氏名

ウ　統計情報など、複数人の情報から共通要素に係る項目を抽出して同じ分類ごとに集計して得られる情報

エ　他の情報と容易に照合できない、カメラ画像から抽出した性別や年齢といった属性情報

第43問

RFM分析は、ID-POSデータから計算される３つの指標で顧客をグループ化する分析手法の１つである。このRFMがそれぞれ表しているものに関する記述として、最も適切なものはどれか。

ア　RはRecencyの頭文字を表しており、顧客ごとの最近来店購買日を指標化したものである。

イ　RはRequestの頭文字を表しており、顧客ごとの最も購買している商品の購買回数を指標化したものである。

ウ　FはFavorの頭文字を表しており、顧客ごとの人気商品購買数を指標化したものである。

エ　FはFestivalの頭文字を表しており、顧客ごとの祝日の商品購買数を指標化したものである。

オ　MはMarketの頭文字を表しており、市場の大きさを１年の全顧客の総購買金額によって指標化したものである。

令和 **6** 年度
解答・解説

nswers

問題	解答	配点	正答率※	問題	解答	配点	正答率※	問題	解答	配点	正答率※
第1問	ウ	3	A	第16問	イ	2	C	第32問	イ	2	D
第2問	エ	2	C	第17問	イ	2	B	第33問	オ	2	B
第3問	ウ	3	C	第18問	エ	2	E	第34問	オ	2	C
第4問	オ	2	C	第19問	エ	2	D	第35問	エ	3	C
第5問	エ	2	A	第20問	ウ	2	B	第36問	イ	2	A
第6問	エ	2	D	第21問	イ	2	B	第37問	オ	2	A
第7問 (設問1)	ウ	2	B	第22問	オ	2	E	第38問	エ	2	A
第7問 (設問2)	ウ	2	C	第23問	ア	2	B	第39問	イ	2	A
第8問	エ	2	C	第24問	ウ	2	B	第40問	エ	3	E
第9問	イ	2	D	第25問	ウ	3	B	第41問	ア	2	C
第10問	オ	2	D	第26問	ウ	3	B	第42問	イ	2	A
第11問	イ	3	A	第27問	イ	3	B	第43問	ア	2	A
第12問	イ	3	A	第28問	イ	2	A				
第13問	ー	3	D	第29問	エ	2	B				
第14問	エ	2	A	第30問	ア	2	B				
第15問	ウ	3	B	第31問	イ	3	C				

※TACデータリサーチによる正答率
　正答率の高かったものから順に、A～Eの5段階で表示。
A：正答率80％以上　　　　　　B：正答率60％以上80％未満　　　　C：正答率40％以上60％未満
D：正答率20％以上40％未満　　E：正答率20％未満

解答・配点は一般社団法人日本中小企業診断士協会連合会の発表に基づくものです。
※令和6年9月3日に同協会より、第13問は、すべての受験者の解答を正解として取り扱う旨が発表
　されました。

令和 6 年度 解説

　令和6年度の運営管理は、ボリュームに着目すると、総問題数は令和5年度と変わらず44問の出題となった。44問という出題数は、平成30年度から、7年連続である。問題文の分量は39ページとわずかに減少した（令和5年度は、総頁数40ページ）。

　毎年のことではあるが、多くの受験生が未学習であったと思われる領域の問題や、図表読み取りや計算処理を要する処理負担が大きい問題が出題されており、受験生は試験時間中および試験後も手応えを感じづらかったかもしれない。合格点を確保するためには、学習した基本知識で解くことができる問題や、仮に未学習だとしても問題文や選択肢の説明から判断可能な問題を、いかに確実に得点するかがポイントとなる。

　第1問の生産形態、第5問のストラクチャ型部品表、第11問の設備レイアウト、第12問のDI分析、第14問の外注管理、第27問の人時生産性、第28問の価格政策、第36問のユニットロード、第37問の物流センターの機能、第38問の物流センターの運営、第39問のGTIN-13、第43問のRFM分析など、基本知識で対応できる問題が一定数出題された。

　第4問のライン生産方式、第9問の優劣分岐点、第16問の製品工程分析図、第18問の経済性分析、第31問の交差比率、などにおいて、解法の想起や処理手順の判断に時間を要すると、他の問題にかける時間を十分に確保できないという事態が生じ得る。第3問の進捗管理と現品管理、第19問の統計的仮説検定、第40問のAIなどは専門性が高く対応が難しかった。

　令和7年度の対策としては、基礎的な問題を取りこぼさないように、頻出論点の知識は確実に押さえたい。また、問題に取り組む順序や問題の取捨選択など、時間配分を意識して対応したい。

第1問

　生産形態に関する用語の問題である。

a：本肢の内容は、マスカスタマイゼーションの説明である。マスカスタマイゼーションは、「多様な顧客ニーズに合わせた製品又はサービスを効率的かつ低価格で大量に生産して顧客に提供すること　注釈1　大量生産及び受注生産という二つの生産方式を合わせた生産概念。注釈2　変種変量生産と呼ぶこともある。」（JIS Z 8141-3215）と定義されている。あらかじめ共通的な部品を大量生産しておき、受注の際に顧客からのオーダに基づいて商品を組み立てていく方法である。

b：本肢の内容は、ロット生産の説明である。ロット生産は、「複数の製品を品種ご

とにまとめて交互に生産する形態」（JIS Z 8141-3210）と定義されている。断続生産ともいい、個別生産と連続生産の中間的な生産形態である。

c：本肢の内容は、モジュール生産の説明である。モジュール生産方式は、「複数種類の部品又はユニットのモジュールをあらかじめ生産しておき、受注後にモジュールの組合せによって多品種の製品を生産する方式」（JIS Z 8141-3205）と定義されている。受注後に各部品をゼロから組み合わせて生産するよりも、リードタイムを短縮することができる。

d：本肢の内容は、OEMの説明である。OEMは、「発注元のブランドとして販売される製品の製造機能を請け負うこと」（JIS Z 8141-3218）と定義されている。つまり、自社で生産した製品に、相手先のブランドを付けて供給することであり、受託生産の一種である。OEMは、委託側と受託側の双方でメリットが享受でき、経営効率が高まる場合に採用される戦略的提携の一種である。

以上より、**a**は「マスカスタマイゼーション」、**b**は「ロット生産」、**c**は「モジュール生産」、**d**は「OEM」に該当する。

よって、**ウ**が正解である。

第2問

PERTのクリティカルパスに関する問題である。

クリティカルパスとは、「アローダイヤグラム上でプロジェクトの所要日数を決定づける作業の経路」（JIS Z 8141-3315 注釈3）のことである。アローダイヤグラム上で、開始から完了までの複数の経路（パス）のうち、最長の経路がクリティカルパスとなる。

a ✕：クリティカルパス上にある作業Aの作業時間が2日増えても最長の経路の日数がさらに2日増えるだけであるため、**クリティカルパスは変わらない**。

b ○：正しい。クリティカルパス上にある作業を短縮した場合、当該経路の日数が短縮され別の経路が最長となる（クリティカルパスになる）場合がある。したがって、クリティカルパス上にある作業Aの作業時間が2日減るとクリティカルパスは変わることがある。

c ○：正しい。最早結合点時刻とは、次の作業を最も早く開始できる日を表している。また、クリティカルパス上の各作業は、少しでも作業が遅れるとプロジェクト全体の期間が延びることとなる。結合点Jはクリティカルパス上にあるので、最早結合点時刻が2日遅れると全体のプロジェクト完了までの期間が必ず2日長くなる。

d ✕：**b**の解説のとおり、クリティカルパス上の作業を短縮した場合、クリティカ

ルパスが別の経路に変わる場合がある。結合点 J はクリティカルパス上にあるので、最早結合点時刻が2日早まった場合、クリティカルパスが変わり、実際に短縮した日数より**全体のプロジェクト完了までの期間を短縮することができないこともある**（2日短縮できるとは限らない）。

e ○：正しい。最遅結合点時刻とは、作業を最も遅く着手できる日のことであり、少なくともこの日までに次の作業に着手しなければならない日のことである。クリティカルパス上のノードにおいて、最早結合点時刻と最遅結合点時刻は一致する。結合点 K はクリティカルパス上にあるので、最遅結合点時刻が2日遅れると最早結合点時刻も2日遅れることとなるので、全体のプロジェクト完了までの期間が必ず2日長くなる。

　　よって、**a**：誤、**b**：正、**c**：正、**d**：誤、**e**：正が適切な組み合わせであるため、**エ**が正解である。

　進捗管理や現品管理に関する問題である。本問は、a～dの記述が進捗管理もしくは現品管理に該当するか否かを考える必要はなく、個々の記述が正しいか判断すればよい問題であった。

　進捗管理は、「仕事の進行状況を把握し、日々の仕事の進み具合を調整する活動」（JIS Z 8141-4104）であり、その第1の目的は納期の維持である。しかし、納期を維持するために作業を計画よりも先行して進めると、仕掛品や在庫が増加してしまう。そのため、生産速度の維持および調整が第2の目的となる。現品管理は、「資材、仕掛品、製品などの物について運搬・移動又は停滞・保管の状況を管理する活動　注釈1　現品の経済的な処理並びに数量及び所在の確実な把握を目的とする。現物管理ともいう」（JIS Z 8141-4102）と定義されている。具体的には、対象品の質、量、所在地を確実に把握する、と考えればよい。

a ○：正しい。トレーサビリティとは、原料や製品等の取り扱いの記録を残すことにより、原料や製品等の移動を把握できるようにする仕組み、または把握できる状態のことである。材料の調達から製品の廃棄までのサプライチェーンにおいて情報共有の仕組みを用いることにより、製品のトレーサビリティを高めることができる。

b ×：後工程引き取り方式では、「運搬指示かんばん」ではなく**「生産指示かんばん」（仕掛けかんばん）**と**「引き取りかんばん」**を用いる。なお、引き取りかんばんとは、運搬を指示するかんばんである。「運搬指示かんばん」と「引き取りかんばん」を用いるとした場合、名称が異なるだけの同じ用途のかんばんを2種類用いることになる。

c ○：正しい。あんどんとは、作業者が各工程で異常を発見した場合にラインをストップさせてその問題をクローズアップさせるための「ラインストップ表示板（ランプ）」のことである。目で見る管理は、「見える化ともいい、作業者又は管理者が、進捗状況又は正常か異常かどうかといった生産の状況を一目で見て分かり、管理しやすくした工夫　注釈1　設備の管理を目的としたものとして、あんどんがあり、作業者の管理を目的としたものとして、標準作業票又は作業限界線（定位置停止線）、原材料の管理を目的としたものとして、生産管理板、在庫表示板、かんばんなどがある。」（JIS Z 8141-4303）のことである。目で見る管理として「あんどん」を用いることにより、作業者や管理者が工程の状況を把握することができる。

d ○：正しい。RFIDとは、無線周波による（非接触型）自動識別技術である。トランスポンダ（タグ）の識別情報を、無線周波を介してコンピュータに接続されたリーダーで読み取り、自動的に識別するシステムのことである。製造番号、品名、納期などが登録されたRFIDを用いることにより、仕掛品の流れを管理することができる。

よって、**a**：正、**b**：誤、**c**：正、**d**：正であるため、**ウ**が正解である。

第4問

ライン生産方式に関する問題である。

問題文に与えられた情報を基にピッチダイヤグラムを作成すると以下のとおりとなる。「ライン生産は、最も効率が良い状態で運用されるものとする」という条件より、最も作業時間が長い第1工程の10分がサイクルタイムとなる。

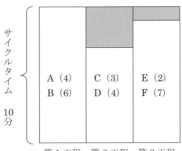

ア ×：上記のとおり、サイクルタイムは**10分**である。総作業時間は、26分である。

イ ×：作業Cの作業時間が2分長くなったときのピッチダイヤグラムは以下のとおりである。

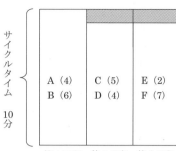

上図のとおり、サイクルタイムは不変である。スループットとは「単位時間に処理される仕事量を測る尺度」（JIS Z 8141-1208）のことであるから、**生産ラインのスループットも変わらない。**

ウ ✕：作業Fの作業時間が6分になったときのピッチダイヤグラムは以下のとおりである。

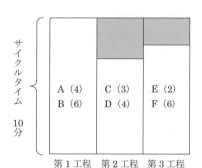

第3工程の作業時間が8分となるが、第1工程の作業時間が最長であることに変わりはなく、**サイクルタイムは不変である。**

エ ✕：ライン生産方式の編成効率は以下のとおり求めることができる。

$$編成効率 = \frac{各工程の所要時間の合計}{サイクルタイム \times 作業ステーション数}$$

$$= \frac{10 + 7 + 9}{10 \times 3}$$

$$= 0.866\cdots（約87\%）$$

オ ◯：正しい。第1工程と第2工程で作業Aと作業Cを交換したときのピッチダイヤグラムは以下のとおりである。

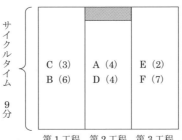

第1工程　第2工程　第3工程

　上図のとおり、作業時間が最長の工程は、第1工程と第3工程の9分である。し
たがって、サイクルタイムは10分から9分に短縮される。

　よって、**オ**が正解である。

第5問

　ストラクチャ型部品表に関する問題である。

　部品（構成）表とは、「製品又は親部品を生産するのに必要な子部品の、種類及び
数量を示したもの」（JIS Z 8142-3307）であり、製品を完成させるために必要な材料
や部品の所要量をまとめたものである。本問で与えられた、ストラクチャ型部品表は、
最終製品の組立段階や加工手順を考慮して、部品の親子の関係を保ちながら、製品構
成と各段階での部品の所要量を木構造で表現した部品表である。

ア　**✕**：部品 a は、製品 X のみで使用している。

　　製品 X を1個生産するために、部品 a は2個必要である。

　　したがって、部品 a の必要個数は、2×2＝**4**（個）である。

イ　**✕**：部品 d は、製品 X と製品 Y で使用している。

　　製品 X を1個生産するために、部品 d は2×1＝**2**（個）必要である。

　　製品 Y を1個生産するために、部品 d は1×2＝**2**（個）必要である。

　　したがって、部品 d の必要個数は、2×2＋2×2＝**8**（個）である。

ウ　**✕**：部品 i は、製品 Y のみで使用している。

　　製品 Y を1個生産するために、部品 i は3個必要である。

　　したがって、部品 i の必要個数は、3×2＝**6**（個）である。

エ　**〇**：正しい。部品共通化により部品 h が部品 b で代替された場合、部品表は以下
のとおりとなる。

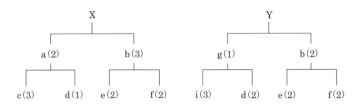

製品Xを1個生産するために、部品bは3（個）必要である。

製品Yを1個生産するために、部品bは2（個）必要である。

したがって、部品bの必要個数は、3 × 2 + 2 × 2 = 10（個）である。

オ ✕：部品共通化により部品iが部品cで代替された場合、部品表は以下のとおりとなる。

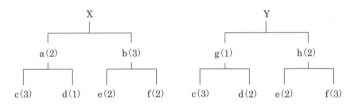

製品Xを1個生産するために、部品cは2 × 3 = 6（個）必要である。

製品Yを1個生産するために、部品cは1 × 3 = 3（個）必要である。

したがって、部品cの必要個数は、6 × 2 + 3 × 2 = 18（個）である。

よって、**エ**が正解である。

第6問

標準時間の設定に関する問題である。

ア ✕：本肢は、PTS法（Predetermined Time Standard system）の1つであるMODAPTS法（MODular Arrangement of PTS）の説明である。MTM法（Methods Time Measurement）とは、運ぶなどの手の動作、焦点合わせなどの目の動作、および身体動作からなる基本動作を設け、動作の種類、移動距離、目的物の条件、難易度に応じた正味時間値の表を作成し、各作業に含まれている動作の内容を分析し、表の時間値を計算的に合成することにより、標準時間を求める方法である。

イ ✕：経験見積り法は、「現場経験の豊富な管理者が作業時間を見積もる方法。」（JIS Z 8141-5505 注釈1）と定義されている。標準時間の設定法は、直接測定法と間接測定法に大別される。直接測定法とは、ストップウォッチ法などのように、標準

時間の設定にあたり当該作業を実施・観察し、その測定結果を基に決定する方法である。間接測定法は、実績資料法などのように、標準時間の設定にあたり当該作業の実施・観察を行わずに設定する方法である。経験見積り法は、**間接測定法であるため観測は行われない。**

ウ ✕：実績資料法は、「作業の実績記録を基にした時間資料を用い、**作業の類似性を考慮して作業時間を見積もる方法。**」（JIS Z 8141-5505　注釈１）と定義されている。作業の難易度を考慮して標準時間を設定するのはPTS法（MTM法）である。

エ ○：正しい。標準時間資料法は、「作業時間のデータを分類・整理して、時間と変動要因との関係を数式、図、表などにまとめたものを用いて標準時間を設定する方法」（JIS Z 8141-5506）と定義されている。

オ ✕：標準時間を設定する際に考慮される余裕は、作業余裕と**職場余裕**からなる管理余裕と、疲労余裕と**用達余裕**からなる人的余裕によって構成される。

よって、**エ**が正解である。

第7問

工程能力指数に関する問題である。

工程能力とは、定められた規格限度内で製品を生産できる能力で、工程能力を評価する尺度として工程能力指数（Cp）を用いる。両側規格（規格の上限値と下限値が設定されている）の場合の工程能力指数は、以下の式で計算される。

$$工程能力指数 = \frac{公差}{工程能力（6\sigma）}$$

公差とは規格の上限値と下限値の差のことであり、σ（シグマ）とは、標準偏差のことである。

設問1 •••

工程能力指数の式に与えられた変更前の数値（上限値11.80、下限値10.00、工程能力指数1.0）を代入し、σの値を求める。

$$1.0 = \frac{11.80 - 10.00}{6\sigma}$$

$6\sigma = 1.80$

$\sigma = 0.30$

変更後の工程能力指数は、$\sigma=0.30$と与えられた変更後の数値（上限値11.60、下限値10.16）を代入して求める。

$$工程能力指数 = \frac{11.60 - 10.16}{6 \times 0.3}$$

$$= 0.8$$

よって、**ウ**が正解である。

設問2 ● ● ●

工程能力指数の式に必要な数値は、平均値ではなく標準偏差である。本問では、変更後（上限値11.60、下限値10.16）の工程能力指数が1.2になるときのσの値を工程能力指数の式に代入して求める。

$$1.2 = \frac{11.60 - 10.16}{6\sigma}$$

$6\sigma = 1.20$

$\sigma = 0.20$

計算結果より、部品の長さの標準偏差σを0.20に改善すればよい。

よって、**ウ**が正解である。

第8問

設備管理に関する問題である。

a **✕**：設備の故障は、「設備が次のいずれかの状態になる変化　a）規定の機能を失う。b）規定の性能を満たせなくなる。c）設備による産出物又は作用が規定の品質レベルに達しなくなる。」（JIS Z 8141-6108）と定義され、3つに分類される。

b **✕**：設備総合効率とは、「設備の使用効率の度合を表す指標」（JIS Z 8141-6501）と定義され、当該設備の操業時間のうち、付加価値を創出している時間がどれだけ占めているかを表す指標である。設備総合効率は、以下の式で表すことができる。

設備総合効率＝時間稼働率×**性能稼働率**×良品率

本肢は、性能稼働率が故障強度率となっているため誤りである。

c **〇**：正しい。保全活動は次のとおり分類される。

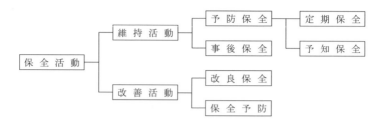

　上図より、保全活動は、予防保全と事後保全からなる維持活動と、改良保全と保全予防からなる改善活動から構成される。

d　○：正しい。設備の7大ロスは、「設備の効率化を阻害するロスで、一般的に1故障、2段取・調整、3刃具交換、4立上がり、5チョコ停・空転、6速度低下、7不良・手直しの七つのこと」(JIS Z 8141-6114) と定義されている。

e　✕：設備の可用率（アベイラビリティ）とは、「要求どおりに遂行できる状態にあるアイテムの能力」(JIS Z 8141-6506) のことであり、MTBFをMTBFとMTTRの和で除した値として求められる。MTBF（平均故障間動作時間）とは、「故障間動作時間の期待値」(JIS Z 8141-6504) のことであり、MTTR（平均修復時間）とは、「修復時間の期待値」(JIS Z 8141-6505) のことである。

　よって、**a**：誤、**b**：誤、**c**：正、**d**：正、**e**：誤が適切な組み合わせであるため、**エ**が正解である。

第9問

　優劣分岐点に関する問題である。

　優劣分岐点とは、2つの選択肢がある場合に数量がいくつになった時点で各選択肢が他方に比べて有利になるのかを決めるための分岐点である。

　問題の資料より生産量が x 個のとき、各設備の製造コストは以下の式で表すことができる。

　設備A：250x + 5,000,000（円）

　設備B：100x + 9,500,000（円）

　優劣分岐点は、2つの設備におけるコストが一致する生産量であるため、等式を立て生産量 x を求める。

　250x + 5,000,000 = 100x + 9,500,000

　これを解くと、x = 30,000 となる。

　計算結果による優劣分岐点が、30,000個／年であることと、設備Aが設備Bより固定費が少ないことから判断すると、30,000個／年までは設備Aを使用したほうが有利となる。しかし、設備Aの生産能力は、26,000個／年という制約がある。そのため、

26,000個／年を超える場合には、設備Bで製造することになる。したがって、優劣分岐点は、26,000個／年（$25,000 \leq Q_{AB} < 30,000$）となる。

　よって、**イ**が正解である。

第10問

　生産システムの管理方式に関する問題である。

a　✕：本肢は**生産座席予約方式**の説明である。オーダエントリー方式は、「生産工程において生産中の製品に顧客のオーダを引き当て、顧客の要求に応じて生産中の製品仕様を選択又は変更する生産方式」（JIS Z 8141-3207）と定義されている。

b　✕：JIT生産方式は、「全ての工程が、**後工程の要求に合わせて、必要な物を、必要なときに、必要な量だけ生産（供給）する生産方式**」（JIS Z 8141-2201）と定義されている。あらかじめ作成された生産計画に従って生産するのではなく、**後工程の指示に従って生産する方式**である。

c　✕：本肢は**オーダエントリー方式**の説明である。生産座席予約方式は、「受注したオーダを顧客が要求する納期どおりに生産するため、製造設備の使用日程・資材の使用予定などに割り付けて生産する方式」（JIS Z 8141-3208）と定義されている。

d　○：正しい。製番管理方式は、「製造命令書において、対象製品に関する全ての加工及び組立の指示書を準備し、同一の製造番号をそれぞれにつけて管理する方式」（JIS Z 8141-3212）と定義されている。

e　✕：VMI（Vendor Managed Inventory）は、「顧客の在庫、出荷、販売などの情報を納入業者（ベンダー）と共有し、**顧客が引き取るまで納入業者の資産として納入業者が行う在庫管理**」（JIS Z 8141-7324）と定義されている。

　よって、**a**：誤、**b**：誤、**c**：誤、**d**：正、**e**：誤が適切な組み合わせであるため、**オ**が正解である。

第11問

　設備レイアウトに関する問題である。

ア　✕：本肢は、**製品別レイアウト**の説明である。工程別レイアウトは、同じ種類の機械や設備を1か所に集めて配置するレイアウトのことであり、多品種少量生産の現場において各製品の加工順序が異なる場合に適用される。各製品の移動経路が複雑になりやすくなり、一般に**各製品の進捗管理は容易ではない**。

イ　○：正しい。製品別レイアウトは、生産設備を原材料から製品までの変換過程に従って直線的に配置するレイアウトである。製品別レイアウトでは、各設備は一定期間同じ製品を加工し、作業を単純化しやすいため、一般に自動化が容易である。

39

ウ ✕：選択肢**イ**の解説のとおり、生産設備を直線的に配置するため、工程別レイアウトを採用する場合に比べて、一般に製品が完成するまでに必要な運搬距離は**短く**なる。

エ ✕：多品種を扱う職場において工程別レイアウトを採用すると、設備を複数製品の製造で共有することができるので、一般に設備の稼働率を上げやすくなる。したがって、製品別レイアウトを採用する場合に比べて、一般に各設備の稼働率は**高く**なる。

よって、**イ**が正解である。

第12問

DI分析に関する問題である。

DI分析（Distance-Intensity分析）とは、運搬物の移動距離と強度の関係を図示し、工場レイアウトを評価する分析手法のことである。強度とは、運搬物の特性（重量、体積、モノの形状等）と運搬回数などを考慮した指標である。稼働している工場のレイアウト改善などに用いられている。

DI分析を行うことにより、たとえば、運搬量が多い生産設備間の距離が長いレイアウトになっている、などの現状レイアウトの弱点を発見することができる。

【DI分析図】

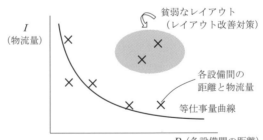

（『生産と経営の管理』吉本一穂・伊呂原隆著　日本規格協会P.115をもとに作成）

ア ✕：運搬工程AのようにDI分析の左上にプロットされた工程間の運搬は、運搬頻度が多く、運搬距離が短いので、**優先的に改善すべき対象ではない**。運搬工程Aの改善を検討する場合、コンベアで結ぶといった直接運搬システムの導入を検討する。

イ ◯：正しい。運搬工程BのようにDI分析の右上にプロットされた工程間の運搬は、運搬頻度が多く、運搬距離が長いので、優先的に改善すべき対象である。運搬

工程Bの改善を検討する場合、運搬頻度を少なくするか、または運搬距離が短くなるようにレイアウトの改善を検討する。

ウ ✕：運搬工程Cのように DI 分析の左下にプロットされた工程間の運搬は、運搬頻度が少なく、運搬距離が短いので、**優先的に改善すべき対象ではない。**

エ ✕：運搬工程Eのように DI 分析の右下にプロットされた工程間の運搬は、運搬頻度が少なく、運搬距離が長いので、**優先的に改善すべき対象ではない。** 運搬工程Eの改善を検討する場合、巡回経路を決めて定期的に運搬するといった間接運搬システムの導入を検討する。

よって、**イ**が正解である。

第13問

資材管理に関する問題である。

資材管理は、生産計画に基づき、生産に必要な資材確保を保証するものである。その際、生産管理面と、購買費用、在庫費用などのコスト面の両面から最適な調達を実現することを目的とする。本問は、適切なものを選ぶことができず、令和6年9月3日に全員正解とすることが日本中小企業診断士協会連合会から発表された。

a ✕：MRP（Material Requirements Planning）とは、資材所要量計画のことであり、「MPS、BOM、生産計画情報及び在庫情報に基づいて、資材の必要量（所要量）及び必要時期を求める生産管理体系」（JIS Z 8141-2101）と定義されている。MRP は最終製品が必要とする構成部品の必要量を決める基本的な計算をいう。MRP は何をいつまでに何個作るか、という MPS（Master Production Schedule、基準生産計画）に基づいて作成されるので、**MRPを活用しても、調達すべき部品の仕様の検討や変更を効果的に行うことはできない。**

b 〇：正しい。資材管理は、生産に必要な資材の量・質などを定めた製品情報と生産計画を基に行われる。

c ✕：棚卸資産回転率、運転資金は以下の式で表すことができる。

$$棚卸資産回転率 = \frac{売上高（売上原価）}{棚卸資産}$$

運転資金（運転資本）＝売上債権＋棚卸資産－仕入債務

資材の在庫量が減る、すなわち棚卸資産の減少は、**運転資金の減少**をもたらす。また、運転資金の増加は**キャッシュフローの悪化**をもたらす。資材の棚卸資産回転率が高くなることは正しい。本問において運転資金は、手元資金などを意味するものとして出題されたと考えられる。それを前提に考えると、棚卸資産の減少は運転資金（手元資金）の増加に繋がる。また、運転資金の増加に伴い、キャッシュフロ

ーは改善されるため、正しい記述（正解はエ）と判断できる。

d ✕：資材の納品が納入予定に対して早過ぎる場合には、**在庫スペースが圧迫される、現場の作業効率が下がるといった問題が発生する**。遅れた場合にはライン停止などの大きな損害が発生することは正しい。

よって、**a**：誤、**b**：正、**c**：誤、**d**：誤の組み合わせは解答群に存在せず、適切なものを選ぶことができない。

第14問

外注管理に関する問題である。

外注管理は、「生産活動に当たって、内外製の最適分担の下に、原材料、部品を安定的に外部から調達するための手段の体系」（JIS Z 8141-7201）と定義されている。

a ✕：外注依存度は、「自社の製品に対する、原材料及び部品の加工を外部に依存する比率」（JIS Z 8141-7205）と定義されている。一般的に、**外注依存度の低い企業は広範囲にわたって高い技術力をもつ企業である場合が多く、自社の技術力が不足気味の企業では、外注依存度は必然的に高くなる**。

b 〇：正しい。MES（Manufacturing Execution System）は、「製造プロセスの実行を統制し、生産指示、実績収集、進捗管理などの機能を通して、生産現場での品質・コスト・納期の管理を可能にするシステム。生産計画系システムと制御系システムとの中間にあって、両者をつなぐことで生産システム全体の統合を実現する。」（JIS B 3000-1004）と定義されている。外注先に組み込むことができれば、システム上の管理が可能となり納期遅れ対策となる。カムアップシステムとは、作業伝票を納期順に箱の中に立てて並べて管理する手法である。外注先の納期管理にも利用できる。

【カムアップシステム】

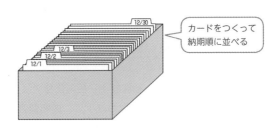

カードをつくって納期順に並べる

c 〇：正しい。外注先のQCDを改善するにあたり、外注先に管理を一任するのではなく、積極的に連携を取ることが求められる。そのために、長期的方針や自社の考え方を示すことも重要である。

d ✕：自社が特殊な生産技術を持っている部品について、その優位性を維持するためには、コスト面ではなく、**別の特殊な生産技術を持つなど技術面に強みのある外注先の選択**が好ましい。

よって、**a**：誤、**b**：正、**c**：正、**d**：誤が適切な組み合わせであるため、**エ**が正解である。

第15問

在庫管理に関する問題である。

ア ✕：ABC分析は、「多くの在庫品目を取り扱うときそれを品目の取扱い金額又は量の大きい順に並べて、管理の重要度が高い品目から順にA、B、Cの3種類に区分し、重要度に沿った管理の仕方を決めるための分析」（JIS Z 8141-7302）と定義されている。ABC分析の結果として重要度の低いCに分類される部品には**定量発注方式またはダブルビン方式**を導入することによって発注の手間を省く。

イ ✕：**製品の在庫を多くすること**によって、突発的な設備故障による製品の納期遅れを回避する。設備故障の発生により起こりうる状況は、新たな生産ができない、もしくは生産能力の不足などが考えられる。そのような状況下で、原材料を多く持っても納期遅れを防ぐことは難しい。

ウ 〇：正しい。作業時間のばらつきが大きい工程では、作業時間が短くなった時、前工程の生産が追い付かず、手待ちが発生する可能性がある。このとき工程間在庫があれば手待ちを発生させることなく当該工程を稼働させることができるため、ライン全体の稼働率の改善が可能である。

エ ✕：発注点とは、発注を促す在庫水準である。下図のように発注点を**大きくする**ことで平均在庫量が増加し、欠品の発生頻度を削減できる。

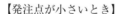

【発注点が小さいとき】　　　　【発注点が大きいとき】

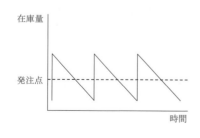
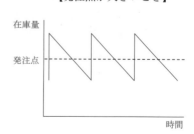

よって、**ウ**が正解である。

製品工程分析に関する問題である。

製品工程分析は、「原材料、部品などの生産対象物が製品化される過程を工程図記号で表して調査・分析する手法」（JIS Z 8141-5202）と定義されている。

ア ✕：圧着設備と切断設備を近づけても、圧着設備横と切断設備横の部品量が減らすことはできない。部品量を減らすためには、**圧着設備と切断設備の処理能力を上げる必要がある。**

イ ◯：正しい。切断設備の処理能力を上げることで、圧着と切断の間に停滞する部品量を減らすことができる。停滞が生じている次の工程の能力を上げることで、仕掛品在庫を抑制することができる。

ウ ✕：自動搬送車を導入すると、運搬の手間は削減されるが、モノが動く以上**運搬そのものがなくなるわけではない。**

エ ✕：検査時間を短縮しても、**寸法検査後の停滞はなくならない。** 選択肢**イ**の解説のとおり、停滞している次の工程の処理能力を上げる必要がある。

よって、**イ**が正解である。

マテリアルハンドリングに関する問題である。

マテリアルハンドリング（マテハン）とは、物の移動、積み下ろし、取り付け、取り外し、納める、蓄える、取り出すなど、一貫した物品の取り扱いのことを指す。

ア ✕：運搬活性分析は、活性（対象品の移動のしやすさ）の維持という観点から、**品物の置き方や荷姿について分析・検討する方法である。** 活性を5段階に分けて、「活性示数」を使って運搬状況を分析する。したがって、空運搬を顕在化する分析手法ではない。

イ ◯：正しい。ユニットロードとは、輸送貨物をばらばらではなく、ある単位（ユニット）にまとめることをいう。製品をユニットロードにすることによって、荷役を機械化し、運搬、保管などを一貫して効率化する仕組みをユニットロードシステムという。

ウ ✕：（運搬）活性示数は、「まとめる」「起こす」「持ち上げる」「持っていく」といった、置かれている物品を移動するためにかかる4つの手間のうち、すでに省かれている手間の数を指す指標である。

状　態	手間の説明	4つの手間の種類				運搬活性示数
		まとめる	起こす	持ち上げる	持っていく	
床にバラ置き	まとめる→起こして→持ち上げて→持っていく	○	○	○	○	0
容器または束	起こして→持ち上げて→持っていく（まとめてある）	×	○	○	○	1
パレットまたはスキッド	持ち上げて→持っていく（起こしてある）	×	×	○	○	2
車	引いていく（持ち上げなくてよい）	×	×	×	○	3
動いているコンベア	不要（そのままいってしまう）	×	×	×	×	4

　　パレット積み（活性示数：2）されているものを車上置きする（活性示数：3）場合と、バラ置きされている（活性示数：0）ものを箱入り（活性示数：1）にする場合では、**いずれも活性示数の増加幅は1であり、改善効果は同じである。**

エ　✕：荷役とは、物流過程における物資の積卸し、運搬、積付け、ピッキング、仕分け、荷ぞろえなどの作業およびこれに付随する作業のことであり、**製品の値札付けや電子機器のセッティング作業は荷役に含まれない。**

　　よって、**イ**が正解である。

第18問

不適合品の手直しに関する経済性分析の問題である。

問題の資料より、以下の数値を求める。

廃棄している不適合品　　　$1,000 \times 5\% = 50$（個）

現在の販売個数　　　　　　$1,000 - 50 = 950$（個）

製品1個当たり変動費　　　$2,000 \times 60\% = 1,200$（円）

　　不適合品50個を廃棄している現状の限界利益を求める。廃棄によって、販売個数は950個であるが、製造個数は1,000個である点に留意する。

項目	計算	金額
売上高	2,000 × 950 個 =	1,900,000
変動費	1,200 × 1,000 個 =	1,200,000
廃棄費用	700 × 50 個 =	35,000
限界利益		665,000

製造個数1,000個をすべて良品として販売できた場合の限界利益を求める。

項目	計算	金額
売上高	2,000 × 1,000 個 =	2,000,000
変動費	1,200 × 1,000 個 =	1,200,000
限界利益		800,000

したがって、すべて良品として販売できた場合、800,000 − 665,000 = **135,000（円）**利益が増えることになるため、新たに雇う作業者の月間の人件費が135,000円未満であれば、採算的に見合うことになる。

よって、**エ**が正解である。

第19問

統計的仮説検定に関する問題である。

本問では、改良後の加工速度が改良前（平均速度：10）に比べて向上したかどうかを統計的検定で調べたい。問題文にある平均速度の値（改良前：10、改良後：9.75）から、加工速度が向上すると平均速度の値が小さくなることがわかる。

問題文から設定する適切な「帰無仮説」と「対立仮説」は以下のとおりである。

● 帰無仮説（H_0）：改良後の平均加工速度が改良前と同じである、つまり $\mu = 10$。
● 対立仮説（H_1）：改良後の平均加工速度が改良前より速くなった、つまり $\mu < 10$。

次に、本問で用いる検定の種類を考える。一般的には、標本数が少ない場合は t 検定を使用するが、本問では標本サイズが100（100個加工）と大きいため、中心極限定理により **z 検定**が適用できる。加えて、標準偏差（1.0）が既知であるため、t 検定より **z 検定**を用いる方が適切である。

ア ✕：帰無仮説と対立仮説の内容が誤りである。本問は、改良後の加工速度が「向上したか（単位あたり平均速度が小さくなったか）」を検証することであり、平均が9.75であるかどうかを問うものではない。また、t 検定より **z 検定**を用いる方が適切である。

イ ✕：帰無仮説と対立仮説の内容が誤りである。本問は、改良後の加工速度が「向

上したか（単位あたり平均速度が小さくなったか）」を検証することであり、平均が9.75であるかどうかを問うものではない。z検定を用いるという箇所は正しい。

ウ ✕：χ²検定ではなく z検定を用いる。χ²検定は、母分散についての仮説が正しいか否かを検定するために用いられる。ほかにも、χ²検定は、2つの変数について、実際の観測値と期待値のずれを調べ、2つの変数に関連性があるかどうかを検定する独立性の検定や適合度の検定がある。帰無仮説と対立仮説の内容は適切である。

エ ◯：正しい。冒頭の説明のとおりである。

よって、**エ**が正解である。

第20問

環境配慮型生産に関する問題である。

環境配慮型生産とは、「製品の設計、原材料・資源の採取、製造、流通・販売、使用、保全、再生、廃棄などプロダクトライフサイクルの各段階で、環境負荷を減少させるよう工夫された生産の総称　注釈1　循環型生産システムを含む概念で、環境問題（資源、エネルギー、地球温暖化、オゾンホール、廃棄物、廃棄処理、汚染、人体危害など）を緩和するために、使用済み製品の回収、廃棄、リサイクルなどを対象としている。」（JIS Z 8141-2401）と定義されている。

a ◯：正しい。環境配慮型生産において、プロダクトライフサイクルの把握が重要となる。

b ✕：本肢は、**ライフサイクルアセスメント**の説明である。サーキュラーエコノミー（循環経済）とは、従来の3Rの取組に加え、資源投入量・消費量を抑えつつ、ストックを有効活用しながら、サービス化等を通じて付加価値を生み出す経済活動であり、資源・製品の価値の最大化、資源消費の最小化、廃棄物の発生抑止等を目指すものである。

c ✕：本肢は、**カーボンニュートラル**の説明である。ライフサイクルアセスメントとは（LCA）、「資源の採掘から素材製造、生産、使用及び廃棄に至るプロダクトライフサイクル全体を通じて、製品の環境への影響を調査、計量、評価する環境マネジメントの手法」（JIS Z 8141-2405）と定義されている。

d ◯：正しい。カーボンフットプリントとは、製品やサービスの原材料調達から廃棄、リサイクルに至るまでのライフサイクル全体を通して排出される温室効果ガスの排出量をCO_2排出量に換算し、製品に表示された数値もしくはそれを表示する仕組みのことである。

よって、**a**：正、**b**：誤、**c**：誤、**d**：正が適切な組み合わせであるため、**ウ**が正解である。

廃棄物処理法に基づく産業廃棄物に関する問題である。

廃棄物の処理及び清掃に関する法律（廃棄物処理法）では、廃棄物を一般廃棄物と産業廃棄物に大別している。事業活動に伴って生じた廃棄物のうち法で直接定められた6種類と、政令で定めた14種類の計20種類を産業廃棄物という。産業廃棄物以外の廃棄物は一般廃棄物となる。

ア ✕：産業廃棄物に量の規定はなく、**少量であっても産業廃棄物として扱わなければならない**。産業廃棄物が20種類に定義されていることは正しい。

イ 〇：正しい。産業廃棄物管理票（マニフェスト伝票）は、排出事業者が産業廃棄物の処理を委託する際に、定められた事項を記載し交付することが義務付けられた伝票である。排出事業者がその処理を委託した産業廃棄物の移動の状況、処理の状況等を自ら把握することにより、排出事業者に対する責任を明確にするための仕組みである。

ウ ✕：飲食店などから排出される紙くずは一般廃棄物であるが、製紙工場から排出される紙くずは**産業廃棄物**である。

エ ✕：産業廃棄物の収集・運搬を委託され、事業として行う場合には所轄都道府県の許可が必要となる。しかし、排出事業者自らが運搬する場合、**許可は不要**である。

よって、**イ**が正解である。

経済産業省が公表している商業動態統計からの出題である。

商業動態統計は、全国の商業を営む事業所および企業の販売活動などの動向を明らかにすることを目的として実施されている。

商業動態統計によると、小売業における主要な業態の販売額は以下のとおりである。

業　　態	2021 年販売額	2022 年販売額	2023 年販売額
スーパー	15.0 兆円	15.1 兆円	15.6 兆円
コンビニエンスストア	11.7 兆円	12.1 兆円	12.7 兆円
ドラッグストア	7.3 兆円	7.7 兆円	8.3 兆円
百貨店	4.9 兆円	5.5 兆円	5.9 兆円
家電大型専門店	4.6 兆円	4.6 兆円	4.6 兆円
ホームセンター	3.3 兆円	3.3 兆円	3.3 兆円

よって、空欄Aはドラッグストア、空欄Bは百貨店、空欄Cは家電大型専門店が適切であるため、**オ**が正解である。

第23問

都市計画法に関する問題である。

ア ○：正しい。本肢のとおりである。

イ ×：市街化調整区域とは、**都市計画区域において市街化を抑制すべき区域**であり、原則として用途地域は定めない。白地地域とは、一般に都市計画区域および準都市計画区域内で、用途地域の定められていない地域（市街化調整区域を除く）のことである。

ウ ×：特定用途制限地域とは、用途地域が定められていない土地の区域内において、その良好な環境の形成または保持のため当該地域の特性に応じて合理的な土地利用が行われるよう、制限すべき特定の建築物等の用途の概要を定める地域である。**区域区分が定められていない都市計画区域の白地地域で指定が可能**である。

エ ×：特別用途地区は、地域の特性に応じたある特別の目的から、特定の用途を利用しやすくしたり、環境の保護を図ったりするため、建築制限の強化や緩和を行うことによって、用途地域の制度を補完するものである。用途地域内に定めるものであり、**商業地域内に定めることができる**。

オ ×：都市計画区域とは、自然的、社会的条件や人口、土地利用、交通量等の現状と将来の見通しを勘案して一体の都市として総合的に整備、開発、保全する必要がある区域であり、**都道府県が指定する**ものである。

よって、**ア**が正解である。

第24問

屋外広告物法に関する問題である。

屋外広告物法は、良好な景観を形成し、もしくは風致（樹林地、水辺地などで構成された良好な自然的景観）を維持し、または公衆に対する危害を防止するために、屋外広告物の表示および屋外広告物を掲出する物件の設置ならびにこれらの維持ならびに屋外広告業について、必要な規制の基準を定めることを目的としている。

a ○：正しい。都道府県は、良好な景観または風致を維持するために必要があると認めるとき等においては、第一種低層住居専用地域、第二種低層住居専用地域、第一種中高層住居専用地域、第二種中高層住居専用地域などの地域において、屋外広告物の表示・掲出を、条例で禁止することができる。

b ×：条例に違反している立看板が、管理されず放置されていることが明らかな場合、都道府県知事は設置者の許可なく立看板を撤去することができる。

c ×：屋外広告物とは、

・常時または一定の期間継続して

・屋外で

・公衆に表示されるものであって

　看板、立看板、**はり紙およびはり札**ならびに広告塔、広告板、建物その他の工作物等に掲出され、または表示されたものならびにこれらに類するものをいう。

　よって、**a**：正、**b**：誤、**c**：誤が適切な組み合わせであるため、**ウ**が正解である。

第25問

　食品リサイクル法およびその基本方針に関する問題である。

　食品リサイクル法は、食品の売れ残りや食べ残しにより、または食品の製造過程において大量に発生している食品廃棄物について、発生抑制と減量化により最終的に処分される量を減少させるとともに、飼料や肥料等の原材料として再生利用するため、食品関連事業者（製造、流通、外食等）による食品循環資源の再生利用等を促進することを目的としている。基本方針では、食品循環資源の再生利用等を総合的かつ計画的に推進するために、必要な事項を定めている。

ア　✕：食品廃棄物等は、「①食品の製造や調理過程で生じる加工残さ、調理くず」「②食品の流通過程や消費段階で生じる売れ残りや食べ残し」のことを指す。飲食店において食用に供されず廃棄される食品は②に該当するため食品廃棄物等である。

イ　✕：食品循環資源とは、食品廃棄物であって、飼料・肥料等の原材料となるなど有用なものと定義されている。食品循環資源に対する取り組みに関する優先順位は、循環型社会形成推進基本法における基本原則にのっとり、［1］発生抑制、［2］再生利用、［3］熱回収、［4］適正処分の順としている。まずは、食品廃棄物等の発生抑制を優先的に取り組んだ上で、再生利用等を実施する。食品循環資源の再生利用手法の優先順位は、①飼料化、②肥料化、③きのこ菌床への活用、その他の順であり、飼料化については、食品循環資源が有する豊富な栄養価を最も有効に活用できることなどから最優先とされる。したがって、**肥料化よりも飼料化が優先**される。

ウ　○：正しい。副次的に得られたが食用に供することができないものは、「食品廃棄物等」として扱われる。食品リサイクル法の対象となる廃棄物には、食用に供されない副産物が含まれる。

エ　✕：選択肢**イ**に記載したとおり、取り組みの優先順位として、**熱回収よりも肥料化（再生利用）が優先**される。

オ　✕：食品リサイクル法の基本方針には、**消費者の役割も明記**されている。消費者においても、食品廃棄物の発生抑制および食品循環資源の再生利用の促進に努めなければならないこととされている。

　よって、**ウ**が正解である。

第26問

令和5年8月に経済産業省が公表した「令和4年度電子商取引に関する市場調査報告書」からの出題である。

この調査は、企業や消費者による電子商取引の利用が拡大するなか、経済や社会に与える影響を分析することを目的に平成10年度（1998年）から毎年実施されている。

ア ✕：分野別の市場規模は、以下のとおりである。

市場		市場規模
BtoC-EC	物販系	13兆9,997億円
	サービス分野	6兆1,477億円
	デジタル分野	2兆5,974億円
	合計	22兆7,449億円
CtoC-EC		2兆3,630億円

物販系分野（13兆9,997億円）よりも、サービス系分野（6兆1,477億円）のほうが小さい。

イ ✕：選択肢**ア**の解説のとおりCtoC-EC市場規模（2兆3,630億円）は、BtoC-EC市場規模（22.7兆円）よりも小さい。

ウ 〇：正しい。物販系分野における各分類のBtoC-EC市場規模とEC化率は以下のとおりである。

分類	市場規模	EC化率
食品、飲料、酒類	2兆7,505億円	4.16%
生活家電、AV機器、PC・周辺機器等	2兆5,528億円	42.01%
衣類・服飾雑貨等	2兆5,499億円	21.56%
生活雑貨、家具、インテリア	2兆3,541億円	29.59%
書籍、映像・音楽ソフト	1兆8,222億円	52.16%
化粧品、医薬品	9,191億円	8.24%
自動車、自動二輪、パーツ等	3,183億円	3.98%
その他	7,327億円	1.89%
合計	13兆9,997億円	9.13%

EC化率は、「衣類・服飾雑貨等」（21.56%）よりも「書籍、映像・音楽ソフト」（52.16%）のほうが高い。

エ ✕：選択肢**ウ**の解説のとおり、市場規模は、「食品、飲料、酒類」（2兆7,505億円）

よりも、「化粧品、医薬品」(9,191億円)のほうが小さい。

よって、**ウ**が正解である。

(出典:経済産業省「令和４年度電子商取引に関する市場調査報告書」(令和５年８月))

■ **第27問**

人時生産性に関する問題である。

人時生産性とは、従業員１人が１時間当たりいくらの粗利益を生み出すかを表す指標であり、以下の式で求めることができる。

$$人時生産性 = \frac{粗利益}{総労働時間}$$

一般に人時生産性の改善には、「粗利益の向上」または「総労働時間の削減」が求められる。本問においては、粗利益は一定という前提の下、システム導入により総作業時間の削減を図り、人時生産性を改善している。

以下の表は、システム導入前の粗利高、従業員数、総作業時間、１人当たりの作業時間、人時生産性をまとめたものである。

店舗	店舗A	店舗B	店舗C	店舗D
粗利高(万円)	144	180	144	144
従業員数(人)	4	4	4	5
総作業時間(時間)	480	480	600	600
１人当たりの作業時間(時間)	120	120	150	120
人時生産性(万円)	0.3	0.375	0.24	0.24

※１人当たりの作業時間(時間)=総作業時間(時間)÷従業員数(人)

以下の表は、システム導入後の数値をまとめたものである。システム導入前後で粗利高、１人当たりの作業時間は変わらない。ただし、システム導入後は従業員数が１人ずつ減ることで、従業員数、総作業時間、人時生産性が変化する。

店舗	店舗A	店舗B	店舗C	店舗D
粗利高（万円）	144	180	144	144
従業員数（人）	3	3	3	4
総作業時間（時間）	360	360	450	480
1人当たりの作業時間（時間）	120	120	150	120
人時生産性（万円）	0.4	0.5	0.32	0.3
人時生産性の改善額（万円）	0.1	0.125	0.08	0.06

※総作業時間(時間) = 従業員数(人) × 1人当たりの作業時間(時間)

以上より、店舗Bの改善額が最も大きい。

よって、**イ**が正解である。

第28問

　小売業の価格政策に関する問題である。基本的な用語の知識があれば、解答は可能である。

a　○：正しい。エブリデーロープライス（EDLP）は、「「毎日が低価格販売」を政策に掲げ商品提供すること。一時的に低価格販売をするのではなく、徹底したローコストオペレーションの企業努力により、低価格商品を毎日消費者に提供することを特徴とする。」（新版VMD用語辞典　日本ビジュアルマーチャンダイジング協会編著　繊研新聞社）とされている。B店の売価は一定であり、かつハイ・ロープライシングを導入しているA店の通常価格と比べ、低価格で販売していることがわかる。ハイ・ロープライシングは、特売など、通常よりも安い価格で提供したり、特売を中止することで通常価格に戻したりといった、店舗で最も一般的に見られる価格政策である。

b　✕：ロスリーダーとは、小売店で特売用となる目玉商品のことで、その商品に原価を下回るほどの安価を設定し、それをチラシなどで大きく打ち出すことにより顧客を誘引するものである。よって、**高い値引率で集客する商品**である。また、ハイ・ロープライシングを導入している店舗で採用されるが、EDLP政策を導入している店舗では採用されないことが一般的である。

c　○：正しい。ハイ・ロープライシングでは、チラシ特売を用いた集客が一般的である。一方、EDLP政策では、**a**の解説のとおり、徹底したローコストオペレーションを前提とするため、コストのかかるチラシ特売は採用されないことが多い。

　よって、**a**：正、**b**：誤、**c**：正の組み合わせが適切であるため、**イ**が正解である。

消費者の商品購買行動に関する問題である。

計画購買と非計画購買、また非計画購買の分類と用語は以下のとおりである。

購買の種類		内　　容
計画購買		来店時から購買する意思を持って、購買に至る購買行動
非計画購買		来店時には購買する意図がなかったが、店頭の商品などを見て、購買の意思決定をする購買行動
	①想起購買	家庭内の在庫切れなど、店頭で商品やPOPを見て商品の必要性を思い出し購入する購買行動
	②関連購買	他の購入商品との関連性から店舗内で必要性を認識し、商品を購入する購買行動
	③条件購買	来店時には明確な購買意図を持っていないが、値引きなどの条件により、店頭で購入の意向が喚起され、商品を購入する購買行動
	④衝動購買	商品の新奇性や衝動により、商品を購入する購買行動

a：POPを見て、初めて見た商品に希少性を感じて購入することは、④衝動購買に該当する。

b：値引きされた商品を「安いから」という理由で購入することは、③条件購買に該当する。

よって、**b**と③の組み合わせが適切であり、**エ**が正解である。

古物商許可に関する問題である。

国内において、古物の「売買」、「交換」、「委託を受けて売買」、「委託を受けて交換」を行う古物営業を始めるには、古物営業の許可が必要であり、これを古物商許可という。

ア　○：正しい。委託を受けて中古品を売買する場合には、古物商許可が必要である。

イ　✕：中古品の転売には古物商許可が必要であり、**インターネットを用いる場合も同様**である。

ウ　✕：古物商許可を得るには、主たる営業所の所在地を管轄する**警察署**に申請する必要がある。

エ　✕：中古品を買い取ってレンタルする場合、**古物商許可が必要**である。

よって、**ア**が正解である。

第31問

交差比率に関する問題である。

交差比率とは、商品在庫投資の管理を売価基準で考えるものであり、販売という側面から商品投下資本の効率性をとらえる指標である。以下の式で計算される。

$$交差比率 = \frac{売上総利益（粗利益）}{平均商品在庫高（売価）} \times 100\%$$

与えられた表から、各商品分類の交差比率を求めると以下のとおりとなる。

$$交差比率（商品分類1）= \frac{180 \times 0.3}{30} \times 100\% = 180\%$$

$$交差比率（商品分類2）= \frac{100 \times 0.25}{50} \times 100\% = 50\%$$

$$交差比率（商品分類3）= \frac{240 \times 0.1}{24} \times 100\% = 100\%$$

$$交差比率（商品分類4）= \frac{80 \times 0.4}{10} \times 100\% = 320\%$$

$$交差比率（商品分類5）= \frac{400 \times 0.2}{40} \times 100\% = 200\%$$

以上より、最も交差比率が低いのは、商品分類2である。

よって、**イ**が正解である。

第32問

VMDを構成する3つの基本的な要素のうちの1つであるIPに関する問題である。

VMD（Visual Merchandising）とは、小売業の販売戦略を実践するうえで、自店のコンセプトを、視覚表現を通じて消費者に訴求する仕組みや手法のことである。統一したコンセプトのもと、品揃えや陳列だけでなく、店内のインテリアコーディネートからカラーリング、POP広告に至るさまざまな視覚表現を行う。VMDは、以下の3つの基本要素で構成される。

VP（Visual Presentation）：企業やブランドのイメージ、コンセプトを視覚的に表現する方法。ショーウィンドウ、メインステージなどで展開する。

IP（Item Presentation）：単品商品を色、柄、素材などで分類・整理し、見やすく、分かりやすく、選びやすく陳列すること。

PP（Point of Sales Presentation）：特定の商品をピックアップし、特徴や機能を明
                                   示し、選択のヒントを示して客の判断を手助け
                                   する演出方法。マネキンなどを用いる。

ア ✕：本肢は、VPの目的と具体的な手法に関する記述である。プロップスとは、
小物、道具などのことである。

イ ◯：正しい。フェイスアウトとは、商品の正面を見せる陳列方法である。商品の
正面を見せることでデザインや柄などの特徴が分かりやすく、IPに適した陳列手法
である。

ウ ✕：本肢は、PPの目的と具体的な手法に関する記述である。

エ ✕：本肢は、PPの目的と具体的な手法に関する記述である。

オ ✕：本肢は、PPの目的と具体的な手法に関する記述である。劣位置の売場とは、
顧客の通過率が低い売場のことである。

よって、**イ**が正解である。

第33問

小売店舗における在庫管理に関する問題である。

ア ✕：定期発注方式の発注量の算出式は以下のとおりである。

> 発注量＝（発注間隔＋調達期間）中の推定需要量－発注残－手持在庫量
>   ＋安全在庫量
> 発注残：発注済みだがまだ手元に届いていない在庫量
> 手持在庫量：現品が手元にある在庫量

上式より、調達期間のみ変更して長くすると、推定需要量が増加するため、**発注
量は増える**。

イ ✕：定期発注方式の安全在庫は以下の式で算出される。

> 安全在庫＝安全係数×$\sqrt{調達期間＋発注間隔}$ ×需要量の標準偏差
> 安全係数：品切れ許容率によって決まる係数

上式より、発注間隔のみを変更して長くすると、**安全在庫は増える**。

ウ ✕：定量発注方式の発注点の算出式は以下のとおりである。

> 発注点＝調達期間中の推定需要量＋安全在庫量

上式より、安全在庫のみを変更して増やすと**発注点は高くなる**。

エ ✕：定量発注方式を採用した場合において、発注点のみを変更して高くしても、
発注から納品までの調達期間は変わらない。調達期間は、発注側の都合のみで決ま

るものではない。

オ ○：正しい。定量発注方式では、在庫量が発注点まで減った時にあらかじめ決めた発注量を発注する。発注量のみ変更して増やすと、下図のとおり発注間隔は長くなる。

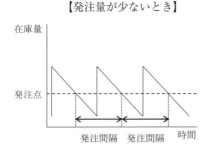

【発注量が少ないとき】

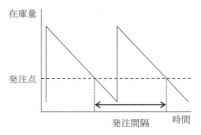

【発注量が多いとき】

よって、**オ**が正解である。

移動平均法と指数平滑法の需要予測の計算問題である。

移動平均法とは、過去の任意の観測値（個数）を需要量の予測値として用いる需要予測法である。本問においては、過去３期の平均を需要予測値とする。指数平滑法とは、観測値が古くなるにつれて指数的に「重み」を減少させる重みづけ移動平均法であり、次の式で求める。

> 次期の需要予測値 $= a \times$ 当期の需要実績値 $+ (1 - a) \times$ 当期の需要予測値
> a：平滑化定数

① 移動平均法

$$t + 1 \text{期の需要予測量} = \frac{t\text{期の実績値} + t - 1\text{期の実績値} + t - 2\text{期の実績値}}{3}$$

$$= \frac{90 + 30 + 60}{3} = 60\,(\text{個})$$

② 指数平滑法

$$t + 1 \text{期の需要予測値} = a \times t\text{期の需要実績値} + (1 - a) \times t\text{期の需要予測値}$$
$$= 0.8 \times 90 + (1 - 0.8) \times 60 = 84\,(\text{個})$$

よって、**オ**が正解である。

輸送手段の特徴に関する問題である。

ア ✕：出発時間や到着時間を荷主の都合で指定したいときには、トラックの**貸切運送を選択する**。貸切運送（貸切便）は、車両1台を貸し切り、単一の荷主の荷物のみを運送する輸送方法である。出発地から目的地まで直接向かうため、出発時間や到着時間の指定が可能である。特別積合せ運送は路線便ともいい、1台のトラックに複数の荷主の荷物を混載し、運送する輸送方法である。集荷や配達の時間指定を受け付けていないのが一般的である。

イ ✕：「標準内航運送約款」とは、内航運送（国内の海上輸送）に関する契約条件を定めたものである。この約款には、運送の引受け、運賃、責任など荷主と運送業者の間での取引に関する詳細な規定が設けられている。標準内航運送約款では、運賃には、特約がない限り、**船積み及び陸揚げに要する費用を含み**、自動車への積卸しに要する費用を含まない。

ウ ✕：貨物列車1本（26両）の最大積載量は約650 t であり、**10 t トラック65台**の最大積載量に相当する。

エ 〇：正しい。「標準貨物自動車運送約款」とは、貨物自動車運送取引に関する契約条件を定めたものである。荷主の正当な利益を保護し、事業者が適正に運賃や料金を収受できるよう、取引に関する基本的な事項が定められている。標準貨物自動車運送約款では、運送の対価である「運賃」と運送以外の役務等の対価である「料金」を区別している。運賃には、積込料や取卸料などの料金は含まない。

オ ✕：複合一貫輸送とは、船舶、鉄道、トラック、航空等の**複数の輸送手段を組み合わせて行う輸送方法**である。

　　　よって、**エ**が正解である。

物流におけるユニットロードに関する問題である。

ア ✕：通い容器は、「一定の企業又は事業所などの間で、**繰り返し使用される輸送用容器。**」（JIS Z 0111-1202）と定義されている。

イ 〇：正しい。パレット自体の重さ、体積により空間の有効利用や重量に制限が出る場合がある。

ウ ✕：クレート（Crate）とはプラスチックなどでできた輸送用のわく箱である。物流クレートの採用により**ダンボールが不要となる**。

エ ✕：ピンホール積みとは、長方形型の荷物を風車のように組み合わせた積み方である。

平面寸法1,100mm×1,100mmの平パレット1段の最大積載数量は、平面寸法650mm×450mmの貨物と同600mm×500mmの貨物では同じである。

【650mm×450mmピンホール積み】

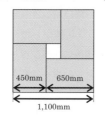

450mm　650mm

1,100mm

【600mm×500mmピンホール積み】

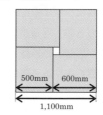

500mm　600mm

1,100mm

オ　✕：ロールボックスパレットとは、網状または格子状のスチール製の枠で覆われた、カゴ状の容器にキャスターを装着したパレットである。段ボールケースの積載は可能である。

【ロールボックスパレット】

（出所：（一社）日本パレット協会　https://www.jpa-pallet.or.jp/about/）

よって、**イ**が正解である。

第37問

チェーン小売業の物流センターの機能に関する問題である。

ア　✕：本肢は、オーダピッキングの説明である。クロスドッキングは、複数のベンダーから物流センターに納品される荷物を、迅速に仕分け、荷合わせして出荷する仕組みである。

イ　✕：小売業の仕入条件の店頭渡しとは、仕入価格に小売店までの運送費などを含んだ価格設定とするものである。店頭渡し価格を仕入条件とした場合、小売店としては運送費を追加で支払う必要がないため、多頻度（小口）配送を要求することが多いとされる。一般的に、店頭渡しの仕入条件設定がなされていても、在庫型物流センターの在庫の所有権は卸売業がもつことが多い。

ウ ✕：温度管理が必要な低温商品は、賞味期限が短い食品であることも多く、一定期間センター内に商品が保管される在庫型物流センターではなく、**通過型物流センターで取り扱われることが多い。**

エ ✕：店舗での発注から納品までの流れは、通過型物流センターの場合は、「店舗からの発注→ベンダーから物流センターへの納品→物流センターから出荷→店舗への納品」となるが、在庫型物流センターの場合は、「店舗からの発注→物流センターから出荷→店舗への納品」となる。店舗での発注後に、ベンダーから物流センターに商品を取り寄せる必要がないため、**在庫型物流センターを利用する方がリードタイムは短くしやすい。**

オ ◯：正しい。物流センターを介することなく、各仕入先から直接店舗に納品される場合、仕入先の数が多いほど、荷受回数が多くなり、荷受作業の負担も大きくなる。一方、物流センターを利用すると、複数の納入業者の荷物を取りまとめて店舗に発送されるため、店舗での荷受作業は軽減される。

よって、**オ**が正解である。

第38問

物流センターの運営に関する問題である。

ア ✕：ASN（Advanced Shipping Notice）とは、事前出荷明細のことであり、送り先に対して商品を出荷する前に電子データで伝達する出荷案内である。**荷送側が出荷する前に荷受側に伝達する。**

イ ✕：固定ロケーション管理は、棚と商品を固定的に対応させる方式である。入庫の都度、あらかじめ決められた場所に商品を格納するため、**同じ商品が異なる場所に所在することはない。**

ウ ✕：本肢の内容は、**種まき方式ピッキング（トータルピッキング）の説明である。**摘み取り方式ピッキングとは、シングルピッキングとも呼ばれ、顧客となる店舗や注文先別に商品を棚から集めるピッキング方式のことをいう。

エ ◯：正しい。トラック予約受付システムとは、トラックドライバー等が、倉庫への到着時刻をスマートフォン等の携帯端末から事前に予約することができるシステムのことである。運送事業者は、事前に到着時間を予約することで、倉庫の前で積卸しの順番待ちをする必要がなくなり、ドライバーの労働環境の改善や、トラックの稼働率上昇による生産性の向上にも寄与するなどのメリットがある。

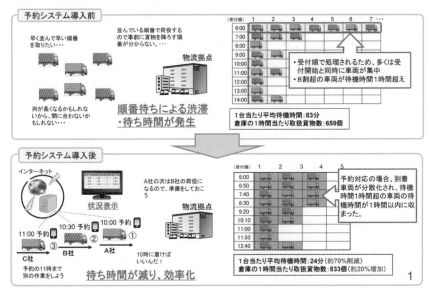

（出所：国土交通省「トラック予約受付システム」の導入事例）

オ ✕：ソーターとは、物流倉庫において**商品を自動で仕分けする機械**であり、保管
用の機器ではない。AGV（Automatic Guided Vehicle）とは、事前にプログラム
されたソフトウェアによって制御される**無人搬送車**であり、仕分用の機器ではない。
よって、**エ**が正解である。

第39問

　一般財団法人流通システム開発センターの定める「GTIN設定ガイドライン」より
「新しいGTINの設定が必要になる10の基準」に関する問題である。

	内　容	JANコード（単品・最小取引単位）	集合包装用商品コード
基準1	新商品を発売した場合	新たに設定	新たに設定
基準2	商品表示の変更を伴う成分・機能を変更した場合	新たに設定	新たに設定
基準3	商品表示の変更を伴う正味内容量を変更した場合	新たに設定	新たに設定
基準4	包装の外寸、または総重量の20％以上を変更した場合	新たに設定	新たに設定
基準5	認証マークを追加、または削除した場合	新たに設定	新たに設定
基準6	ブランドを変更した場合	新たに設定	新たに設定
基準7	販促のために期間限定で包装を変更、または景品・試供品をつけた場合	必要なし	新たに設定
基準8	集合包装の入数を変更した場合	必要なし	新たに設定
基準9	セット商品や詰め合わせ商品の中身を変更した場合	新たに設定	新たに設定
基準10	商品本体に表示された価格を変更した場合	新たに設定	新たに設定

(出所：(一社)流通システム開発センター　GTIN設定ガイドライン)

　なお、上記は最低限の基準であり、より細かい商品の違いを区別するために新しいGTINの設定が必要になる場合もある。

a　〇：正しい。メーカー、ブランドオーナーの現在の商品ラインナップにない新しい商品は、基準1に該当するため、新しいGTIN-13を設定するべきものである。

b　✕：特定のイベントやシーズンに合わせて期間限定で包装を変更し、特に従来品と分けて受発注を行わない商品は、基準7に該当するため、新しいGTIN-13の設定は不要である。

c　〇：正しい。商品の機能や成分が従来品と同じであるが、ブランド名やブランドロゴなどの変更によって、商品のブランドを変更した商品は、基準6に該当するため、新しいGTIN-13を設定するべきものである。

　よって、**a**と**c**の組み合わせが正しく、**イ**が正解である。

第40問

　GS1アプリケーション識別子（AI）に関する問題である。

　AIは、GS1が標準化した、さまざまな情報の種類とフォーマット（データの内容、長さ、および使用可能な文字）を管理する2桁から4桁の数字のコードである。商品

製造日、ロット番号などのデータの先頭に付けて使用する。

（出所：（一社）流通システム開発センター
https://www.gs1jp.org/standard/identify/ai/）

a　✕：AIでは、製造日に限らず日付を和暦で表示することはできない。

b　○：正しい。商品識別コードのAI(01)は、データの長さが14桁と決まっている（固定長）ため、GTIN-13を表現する場合は、先頭に1つ0を追加して14桁とする。

c　○：正しい。AIのデータ列に利用することができる文字は、数字、アルファベット（大文字、小文字）、記号（特定の20種）である。また、ロット番号は最大20桁であり、これより短ければ何桁でもよい（可変長）。したがって、原材料メーカーにて割り当てられたHHI1026というロット番号を、AI(10) により表現する場合、(10)HHI1026とすることは適切である。

よって、**a**：誤、**b**：正、**c**：正が適切な組み合わせであるため、**エ**が正解である。

第41問

資金決済法の「前払式支払手段」に関する問題である。

「前払式支払手段」は、以下の4つの要件が全て備わっているものが該当する。

① 金額または物品・サービスの数量（個数、本数、度数等）が、証票、電子機器その他の物（証票等）に記載され、または電磁的な方法で記録されていること

② 証票等に記載され、または電磁的な方法で記録されている金額または物品・サービスの数量に応ずる対価が支払われていること

③ 金額または物品・サービスの数量が記載され、または電磁的な方法で記録されている証票等や、これらの財産的価値と結びついた番号、記号その他の符号が発行されること

④ 物品を購入するとき、サービスの提供を受けるとき等に、証票等や番号、記号その他の符号が、提示、交付、通知その他の方法により使用できるものであること

以下の表は、「前払式支払手段」に該当するもの、4つの要件を満たすが適用除外となるもの、要件を満たさないものの例である。

「前払式支払手段」	4つの要件を満たすが適用除外となるもの	要件を満たさないもの
・POSA カード 　（ネット上で使用できるプリカ） ・ギフト券 ・商品券 ・ギフトカード 　　　　　　　　　　　　　　など	・航空券 ・乗車券 ・乗船券 ・入場券 　　　　　　　　　　　　など	・郵便切手 ・日銀券 ・収入印紙 ・ゴルフ会員権証 　　　　　　　　　　　　など

　以上より、**a**の「カタログギフト券」と**b**の「POSAカード」が「前払式支払手段」
に該当し、**c**の「航空券」と**d**の「郵便切手」は「前払式支払手段」に該当しない。
　よって、**a**と**b**の組み合わせが正しく、**ア**が正解である。

第42問

　令和2年に改正、令和4年4月に全面施行された個人情報保護法に関する問題である。

　本問は、個人情報に当たるものに関する問題である。個人情報保護法では、生存す
る個人に関する情報であって、次のいずれかに該当するものを個人情報としている。

① 当該情報に含まれる氏名、生年月日その他の記述等に記載され、もしくは記録さ
　れ、または音声、動作その他の方法を用いて表された一切の事項（個人識別符号を
　除く。）により特定の個人を識別することができるもの（他の情報と容易に照合す
　ることができ、それにより特定の個人を識別することができることとなるものを含
　む。）

② 個人識別符号が含まれるもの

　　個人識別符号とは、それだけで個人が特定できる指紋、声帯、光彩等の身体的特
　徴やマイナンバー、運転免許証番号、基礎年金番号など個人に割り当てられた番号
　や記号をいう。

ア ✕：企業の財務情報など、法人などの団体そのものに関する情報は、**生存する個**
　　人に関する情報でないため個人情報に該当しない。

イ ◯：正しい。個人情報保護法では、生存する個人の氏名は個人情報に該当する。

ウ ✕：統計情報など、複数人の情報から共通要素に係る項目を抽出して同じ分類に
　　集計して得られる情報は、**特定の個人との対応関係が排斥されており、個人情報に**
　　該当しない。

エ ✕：カメラ画像から抽出した性別や年齢といった属性情報は、**他の情報と容易に**
　　照合できないものであれば個人情報に該当しない。他の情報と容易に照合するこ
　　とができ、それにより特定の個人を識別することができることとなる場合は、個人情

報に該当する。

よって、**イ**が正解である。

第43問

RFM分析に関する問題である。

RFM分析は、顧客を「R：Recency（最終購買日）」「F：Frequency（購買頻度）」「M：Monetary（購買金額）」という3つの指標でそれぞれポイントを付け、その合計点により、顧客をランク付け、グループ化して管理する手法である。RFM分析の結果、ポイントが高いグループには差別的に手厚いサービスを提供する。

ア 〇：正しい。RはRecencyの頭文字を表しており、最終購買日（顧客ごとの最近来店購買日）を指標化したものである。

イ ✕：選択肢**ア**の解説のとおりである。

ウ ✕：FはFrequencyの頭文字を表しており、**購買頻度**を指標化したものである。

エ ✕：選択肢**ウ**の解説のとおりである。

オ ✕：MはMonetaryの頭文字を表しており、**購買金額**を指標化したものである。

よって、**ア**が正解である。

令和 5 年度問題

uestions

第1問 ★重要★

　生産活動における評価指標の算出に関する記述の正誤の組み合わせとして、最も適切なものを下記の解答群から選べ。

a　単位時間当たりに処理される仕事量を測る尺度として、歩留りを求めた。

b　生産可能量に対する実際生産量の比率として、操業度を求めた。

c　産出量に対する投入量の比率として、生産性を求めた。

```
[解答群]
ア　a：正　　b：正　　c：誤

イ　a：正　　b：誤　　c：正

ウ　a：誤　　b：正　　c：正

エ　a：誤　　b：正　　c：誤

オ　a：誤　　b：誤　　c：正
```

第2問 ★重要★

　工場レイアウトに関する以下の文章の空欄A～Cに入る語句の組み合わせとして、最も適切なものを下記の解答群から選べ。

　工場レイアウトの設計や分析のための代表的な手法として、SLPとDI分析がある。SLPは、施設（工場）に配置される対象をアクティビティと定義し、そのアクティビティ間の　A　と　B　に基づいてレイアウトを設計する手法である。DI分析は、施設（工場）のレイアウトを運搬に着目して分析し、　C　と運搬回数や物流量などの強度を2次元平面上にプロットすることにより、運搬の無駄によるレイアウトの課題を発見する手法である。

[解答群]

　ア　A：作業の流れ　　　B：関連性の強さ　　　C：運搬距離

　イ　A：作業の流れ　　　B：信頼性の強さ　　　C：運搬時間

　ウ　A：物の流れ　　　　B：関連性の強さ　　　C：運搬距離

　エ　A：物の流れ　　　　B：関連性の強さ　　　C：運搬時間

　オ　A：物の流れ　　　　B：信頼性の強さ　　　C：運搬距離

第3問

　VEにおける製品の機能に関する以下の文章の空欄A～Dに入る用語の組み合わせとして、最も適切なものを下記の解答群から選べ。

　VEでは機能を、性質、重要度、必要性など使用者の視点から分類している。機能の性質から見ると、製品やサービスの使用目的に関わる　A　機能と、製品の形や色彩、つまりデザイン的な特徴からくる　B　機能に分類される。機能の重要度から見ると、果たすべき複数の機能のうち最も目的的な　C　機能と、　C　機能を達成するための手段的かつ補助的な　D　機能に分類される。機能の必要性から見ると、使用者や顧客が必要とする必要機能と、使用者や顧客が必要としない不必要機能に分類される。

[解答群]

　ア　A：基本　　　　　B：二次　　　　　C：使用　　　　　D：魅力(貴重)

　イ　A：基本　　　　　B：二次　　　　　C：魅力(貴重)　　D：使用

　ウ　A：使用　　　　　B：二次　　　　　C：基本　　　　　D：魅力(貴重)

　エ　A：使用　　　　　B：魅力(貴重)　　C：基本　　　　　D：二次

　オ　A：魅力(貴重)　　B：使用　　　　　C：基本　　　　　D：二次

第4問

　製品開発・製品設計の活動に関する以下のa～cの記述と用語の組み合わせとして、最も適切なものを下記の解答群から選べ。

a　製品における部品構成や部品表などの情報を一元的に管理し、設計の変更と履歴を追跡した。

b　生産工程の合理化・簡素化を期待し、あらかじめ準備したユニットを要求仕様に
　　合わせて組み合わせる製品を開発した。
c　新製品の設計段階で、関連するさまざまな部門からの代表者などが検討すること
　　により、設計の矛盾や誤りを排除した。

［解答群］
ア　a：CAM　　　b：アジャイル開発　　c：コンカレントエンジニアリング
イ　a：CAM　　　b：モジュール設計　　c：デザインレビュー
ウ　a：PDM　　　b：アジャイル開発　　c：コンカレントエンジニアリング
エ　a：PDM　　　b：モジュール設計　　c：デザインレビュー

第5問

　循環型社会形成推進基本法における再使用の定義に区分される記述の組み合
わせとして、最も適切なものを下記の解答群から選べ。

a　インクジェットプリンタのカートリッジを回収して洗浄し、インクを充填(じゅうてん)して販
　　売した。
b　飲み終わったビール瓶を回収し、溶解して再生した。
c　ペットボトルを回収して衣類の原料として活用した。
d　回収されたテレビを分解して一部の部品を取り出し、他のテレビの修理に使用し
　　た。

［解答群］
ア　aとb　　　　イ　aとbとd　　ウ　aとd
エ　bとcとd　　オ　cとd

第6問　　★重要★

　下表のように設定されたライン生産の状況から計算された、(a)バランスロス
と(b)1時間当たりの生産量の値（個）として、最も適切な組み合わせを下記の
解答群から選べ。ただし、サイクルタイムは30秒とし、生産立ち上げ期間は考
慮しない。

	割り当て作業	作業時間（秒）
工程1 （作業者①）	作業A 作業B	10 15
工程2 （作業者②）	作業C	28
工程3 （作業者③）	作業D 作業E 作業F	10 15 5
工程4 （作業者④）	作業G 作業H	18 4

[解答群]

ア　(a)：12.5%　　(b)： 30個

イ　(a)：12.5%　　(b)：120個

ウ　(a)：26.5%　　(b)： 30個

エ　(a)：87.5%　　(b)： 30個

オ　(a)：87.5%　　(b)：120個

第7問　　★重要★

以下のストラクチャ型部品表に基づいた記述として、最も適切なものを下記の解答群から選べ。

表1　製品Xの部品構成

最終製品	子部品	数量（個）
X	A	1
	B	2
	C	2
	D	2

表2　部品Bの部品構成

部品	子部品	数量（個）
B	C	1
	D	2

[解答群]

ア　製品Xを10個生産するために、部品Bは10個必要である。

イ　製品Xを10個生産するために、部品Cは40個必要である。

ウ　製品Xを10個生産するために、部品Dは40個必要である。

エ　部品Bを20個生産するために、部品Cは40個必要である。

オ　部品Bを20個生産するために、部品Dは60個必要である。

第8問　　★ 重要 ★

　以下は、あるプロジェクトにおけるPERT図であり、各作業の作業所要時間の予定が記載されている。この図のプロジェクトに関する記述として、最も適切なものを下記の解答群から選べ。

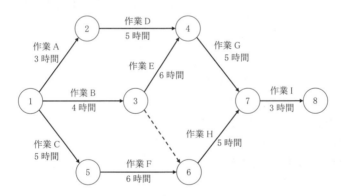

[解答群]

ア　作業Cの終了時刻が2時間早くなった場合、プロジェクトの完了時刻が2
　　時間早くなる。

イ　作業Eの開始時刻が2時間早くなった場合、プロジェクトの完了時刻が2
　　時間早くなる。

ウ　作業Fの作業所要時間が1時間短くなった場合、プロジェクトの完了時刻
　　は変わらない。

エ　作業Fの作業所要時間が2時間短くなった場合、クリティカルパスは変わ
　　らない。

オ　作業Hの作業所要時間が2時間長くなった場合、クリティカルパスは変わ
　　らない。

　下表の５つのJobが、ある１つの設備で作業を実施されるために、順番に到着して待機している。ただし、納期は最初の作業を開始する時刻を起点とした値である。また、５つのJobは連続して処理される。

　最初の作業が開始されてからすべてのJobの作業が完了するまでの期間において、各Jobの作業待ち時間の合計値が最小になるディスパッチングルールを、下記の解答群から選べ。

到着順	Job番号	作業時間	納期
1	J1	5	30時間後
2	J2	4	45時間後
3	J3	6	25時間後
4	J4	8	35時間後
5	J5	7	40時間後

［解答群］

ア　作業時間が長い順に作業する。

イ　作業時間が短い順に作業する。

ウ　到着が遅い順に作業する。

エ　到着が早い順に作業する。

オ　納期が早い順に作業する。

　工数管理や余力管理に関する以下のa～dの記述と用語の組み合わせとして、最も適切なものを下記の解答群から選べ。

a　仕事量の全体を表す尺度で、仕事を１人の作業者で遂行するのに要する時間。

b　各工程または個々の作業者における、現在の作業負荷状態と現有作業能力の差。

c　作業習熟や改善活動、設計改良などによって作業時間を減らすこと。

d　作業の実施時期をずらすなどにより生産の負荷平準化を行うこと。

[解答群]
ア　a：工数　　　　　　b：作業余裕　　　c：工数低減
　　d：工程編成
イ　a：工数　　　　　　b：余力　　　　　c：工数低減
　　d：工数の山積山崩
ウ　a：工程能力　　　　b：工程能力指数　c：工程分割
　　d：工数低減
エ　a：標準時間　　　　b：作業余裕　　　c：工程分割
　　d：工数の山積山崩
オ　a：標準時間　　　　b：余力　　　　　c：工数の山積山崩
　　d：工程編成

第11問　　★重要★

経済的発注量に関する記述として、最も適切なものはどれか。

ア　1個1期当たりの在庫保管費が増え、1回当たりの発注費が減少した場合、経済的発注量は増える。

イ　1個1期当たりの在庫保管費が変化せず、1回当たりの発注費が増えた場合、経済的発注量は減る。

ウ　経済的発注量で発注する場合、在庫保管費用と発注費用が等しくなる。

エ　経済的発注量で発注する場合、在庫保管費用より発注費用が高くなる。

第12問

品質改善に関する以下の文章において、空欄A～Cに入る品質管理に用いる技法の組み合わせとして、最も適切なものを下記の解答群から選べ。

　ある職場において不適合品の多発という問題が起きている。問題とその要因の関係を明らかにするために　　A　　を作成した。その結果から、問題を解決するための手段の候補を明らかにすることで、　　B　　を作成した。実際に、問題解決に向けた対策の実行スケジュールを決めるためにアローダイアグラムを作成し、さらに、想定外の事態などが起きた場合に備えて　　C　　を用いた検討を行った。

[解答群]

ア　Ａ：親和図　　　Ｂ：系統図　　　Ｃ：PDPC法

イ　Ａ：親和図　　　Ｂ：系統図　　　Ｃ：マトリックス図

ウ　Ａ：親和図　　　Ｂ：散布図　　　Ｃ：管理図

エ　Ａ：連関図　　　Ｂ：系統図　　　Ｃ：PDPC法

オ　Ａ：連関図　　　Ｂ：散布図　　　Ｃ：マトリックス図

第13問

　個別生産における進捗管理手法の組み合わせとして、最も適切なものを下記の解答群から選べ。

a　差立て板

b　カムアップシステム

c　製造三角図

d　追番管理

e　ガントチャート

[解答群]

ア　aとbとcとe　　　イ　aとbとe　　　ウ　aとc

エ　cとd　　　　　　オ　dとe

第14問　　参考問題

　運搬活性示数は、対象品が置かれている状態から運び出されるまでに必要な取り扱いの手間数を表したものである。

　この運搬活性示数を、金属部品の加工職場で調査したところ、下表に示す分析結果が得られた。表内の空欄Ａ〜Ｃの運搬活性示数を求め、この職場の平均活性示数の値として、最も近いものを下記の解答群から選べ。

No.	工程の内容	停滞時の運搬活性示数
1	部品をパレット上の部品箱の中で保管する。	A
2	パレット上の部品箱をフォークリフトで移動する。	
3	部品を部品箱から取り出して、設備前にバラ置きする。	
4	加工待ち。	B
5	部品を設備にセットして加工する。	
6	加工後の部品を設備から取り出して、設備前の容器に入れる。	
7	容器に入れたまま、移動待ち。	1
8	容器を台車に載せる。	
9	台車に載った状態で、移動待ち。	C
10	次工程へ移動する。	

[解答群]
ア　0.75　　イ　1.00　　ウ　1.25　　エ　1.50　　オ　1.75

第15問　　　★重要★

金属部品を人手で加工する作業の標準時間を計算するためのデータとして、

正味作業の観測時間：5分／個

レイティング係数：120

内掛け法による余裕率：0.20

の値を得た。

このとき、下記の設問に答えよ。

設問1 ●●●

この作業に対する外掛け法による余裕率の値として、最も近いものはどれか。

ア　0.15　　イ　0.20　　ウ　0.25　　エ　0.30　　オ　0.35

設問2 ●●●

この作業の標準時間として、最も近いものはどれか（単位：分／個）。

ア　6.25　　イ　6.50　　ウ　7.00　　エ　7.50　　オ　7.75

JISで定義される作業者工程分析に関する記述の正誤の組み合わせとして、最も適切なものを下記の解答群から選べ。

a　作業者および作業者が取り扱う物を、工程図記号を使って分析する。

b　「作業」、「検査」、「移動」、「手待ち」、「余裕」の5つの工程図記号が使われる。

c　複合記号では、主となる工程を内側に、従となる工程を外側に書き表す。

d　作業者が部品を組み立てる工程は、流れ線を合流させて書き表す。

e　運搬作業者が物の運搬を行う工程は、「作業」の工程図記号を使って書き表す。

```
[解答群]
ア　a：正　　b：正　　c：誤　　d：誤　　e：正
イ　a：正　　b：誤　　c：正　　d：正　　e：誤
ウ　a：誤　　b：正　　c：誤　　d：正　　e：誤
エ　a：誤　　b：誤　　c：正　　d：正　　e：誤
オ　a：誤　　b：誤　　c：誤　　d：誤　　e：正
```

設備自動化のための投資案A、B、Cの割引回収期間を計算したところ、表1の結果が得られた。さらに、投資案を分析するために、投資案A、B、Cの中から任意の2つ（例えば、案Aと案B）を選んで初期投資額の差と経費節減額の差をとった追加投資案の割引回収期間を計算したところ、表2の結果が得られた。

各投資案の正味現在価値利益P_A、P_B、P_Cを大きい順に並べたときの順序として、最も適切なものを下記の解答群から選べ。投資の計画期間は10年間とする。

表1　各案の初期投資額、年々の節減額と割引回収期間

投資案	初期投資額	自動化による年々の経費節減額	割引回収期間
A	1,500万円	380万円／年	4.9年
B	2,000万円	450万円／年	5.7年
C	3,500万円	700万円／年	6.6年

表2　追加投資案の割引回収期間

追加投資案	初期投資額の差額	経費節減額の差額	割引回収期間
B－A	500万円	70万円／年	11.0年
C－B	1,500万円	250万円／年	8.5年
C－A	2,000万円	320万円／年	9.0年

[解答群]

ア　$P_A > P_B > P_C$

イ　$P_A > P_C > P_B$

ウ　$P_B > P_A > P_C$

エ　$P_C > P_A > P_B$

オ　$P_C > P_B > P_A$

第18問　　★重要★

生産ラインでの改善活動に関する記述として、最も適切なものはどれか。

ア　工程間での物の運搬回数を抑制するために、「運搬ロットサイズ」を削減した。

イ　工程が統計的管理状態にあるかどうかを評価するために、「解析用管理図」を作成した。

ウ　生産ラインでのボトルネック作業を特定するために、「ECRSの原則」を適用した。

エ　生産ライン内での物の移動距離を短縮するために、生産ラインを「U字化」した。

オ　設備の誤操作による労働災害を防ぐために、「フェイルセーフ」の仕組みを取り入れた。

第19問　　★重要★

TPMの自主保全に関する記述の正誤の組み合わせとして、最も適切なものを下記の解答群から選べ。

a　点検を除いた、清掃、給油、増し締めの3項目は、自主保全で設備劣化を防ぐための基本条件と呼ばれる。

b　自主保全は、設備を使用するオペレーター自身が保全活動を行って、設備の自然劣化を抑制する活動である。

c　「自主保全の7ステップ」の中の最初のステップは、自主保全の仮基準を作成す

ることである。

d 自主保全活動の中には、清掃や検査等の保全が困難な箇所を特定し、これらを効率化する活動が含まれる。

e 自主保全では、改良保全の考え方を積極的に取り入れて、設備故障を抑制する。

[解答群]

ア a：正　　b：正　　c：正　　d：誤　　e：誤

イ a：正　　b：正　　c：誤　　d：正　　e：正

ウ a：正　　b：誤　　c：誤　　d：正　　e：誤

エ a：誤　　b：正　　c：正　　d：誤　　e：正

オ a：誤　　b：誤　　c：誤　　d：正　　e：誤

第20問

「エネルギーの使用の合理化及び非化石エネルギーへの転換等に関する法律」に関する記述の正誤の組み合わせとして、最も適切なものを下記の解答群から選べ。

a この法律に規定されている管理の対象となるエネルギーは、化石燃料と非化石燃料の2つである。

b 非化石燃料の中には、水素およびアンモニアが含まれる。

c エネルギー使用量が一定以上の特定事業者は、中長期計画で定めたエネルギーの削減目標の達成が義務付けられている。

d 認定を受けた事業者は、複数事業者の連携により削減したエネルギーの量を、事業者間に分配して報告することができる。

e 工場等におけるエネルギー使用の合理化措置の中には、「化石燃料及び非化石燃料の燃焼の合理化」や「放射、伝導、抵抗等によるエネルギーの損失の防止」が含まれる。

[解答群]

ア	a：正	b：正	c：誤	d：誤	e：正
イ	a：正	b：誤	c：正	d：誤	e：誤
ウ	a：正	b：誤	c：誤	d：正	e：正
エ	a：誤	b：正	c：正	d：誤	e：誤
オ	a：誤	b：正	c：誤	d：正	e：正

第21問　　★重要★

　生産職場の管理指標に関して、「その値が大きいほど、職場が良好な状態にあることを示す指標」の組み合わせとして、最も適切なものを下記の解答群から選べ。

a　強度率（労働災害に関する）

b　工程能力指数

c　MTTR

d　偶発故障期間

e　歩留り

[解答群]

ア　aとbとe　　イ　aとc　　　ウ　aとcとd

エ　bとcとe　　オ　bとdとe

第22問　　参考問題

　わが国のショッピングセンター（SC）の現況（2022年末時点で営業中のSC）について、一般社団法人日本ショッピングセンター協会が公表している『SC白書2023（デジタル版)』から確認できる記述として、最も適切なものはどれか。

ア　1SC当たりの平均テナント数は約100店舗である。

イ　1SC当たりの平均店舗面積は約50,000㎡である。

ウ　2022年に開設されたSCの立地は、「中心地域」よりも「周辺地域」の方が多い。

エ　業種別テナント数は、「物販店」よりも「飲食店」の方が多い。

オ　ビル形態別SC数は、「商業ビル」よりも「駅ビル」の方が多い。

中小企業庁が公表している『令和3年度商店街実態調査』に関する記述として、最も適切なものはどれか。

ア　1商店街当たりのチェーン店舗率は、前回調査（平成30年度調査）よりも減少している。

イ　キャッシュレス決済の取組については、80％以上の店舗で導入している商店街が50％を超えている。

ウ　新型コロナウイルス感染症のまん延による影響を踏まえた商店街の新たな取組は、「インターネット販売に対応した」よりも「テイクアウト販売に対応した」と回答した割合が高い。

エ　全国の商店街における業種別の店舗数では、「飲食店」よりも「サービス店」の方が多い。

食品リサイクル法およびその基本方針に関する以下の文章の空欄A～Cに入る用語の組み合わせとして、最も適切なものを下記の解答群から選べ。

食品リサイクル法では、食品循環資源の再生利用等を総合的かつ計画的に推進するために、主務大臣が基本方針を定めている。この基本方針では、再生利用等を実施すべき量に関する目標が、業種別（食品製造業、食品小売業、食品卸売業、外食産業）に定められている。2024年度までに達成すべき再生利用等実施率の目標値は、　A　（95％）が最も高く、　B　（50％）が最も低い。

また、国と地方公共団体が連携して地域ごとの食品循環資源の再生利用等を促進するために、　C　は主務大臣に食品廃棄物等の発生量および食品循環資源の再生利用等の実施量を、都道府県別および市町村別に報告しなければならない。

[解答群]
ア　A：外食産業　　　B：食品小売業　　C：食品廃棄物等多量発生事業者
イ　A：外食産業　　　B：食品製造業　　C：すべての食品関連事業者
ウ　A：食品小売業　　B：外食産業　　　C：すべての食品関連事業者
エ　A：食品製造業　　B：外食産業　　　C：食品廃棄物等多量発生事業者
オ　A：食品製造業　　B：食品小売業　　C：すべての食品関連事業者

第25問 ★ 重要 ★

大規模小売店舗立地法に関する記述として、最も適切なものはどれか。

ア この法律の主な目的は、大規模小売店舗における小売業の事業活動を調整することにより、その周辺の中小小売業の事業活動の機会を適正に確保することである。

イ この法律の施行に伴い、地域商業の活性化を図ることを目的として大規模小売店舗法の規制が強化された。

ウ この法律の対象は、店舗面積が1,000㎡を超える小売業を営む店舗であり、飲食店業を営む店舗は含まれない。

エ この法律の役割は、商店街が地域コミュニティの担い手として行う地域住民の生活の利便を高める試みを支援することである。

オ 大規模小売店舗を新設する場合、開店後1カ月以内に新設に関する届出をしなければならない。

第26問

小売店舗などの店舗施設（一般住宅と併用するものは除く）における防火管理に関する記述として、最も適切なものはどれか。

ア 飲食店とカラオケボックスは特定防火対象物ではない。

イ 商店街に設置された延長30mのアーケードは、防火対象物である。

ウ 店舗に設置されている消火器具や火災報知設備などの機器点検は、毎月行わなければならない。

エ 店舗面積1,500㎡のスーパーマーケットでは、防火管理者を定めなければならない。

オ 防火地域内で建築物の屋上に看板を設置する場合、看板の主要部分を不燃材料で造る必要はなく、不燃材料で覆う必要もない。

第27問 ★ 重要 ★

都市再生特別措置法における立地適正化計画に関する記述の正誤の組み合わせとして、最も適切なものを下記の解答群から選べ。

a 複数の市町村にまたがる広域都市計画の場合、都道府県が主体となって立地適正化計画を作成することが望ましい。

b 都市機能増進施設とはスーパーマーケットやショッピングセンターなどの商業施

設であり、医療施設や教育施設は含まれない。

c　1つの市町村内に複数の都市計画区域がある場合には、すべての都市計画区域を対象として立地適正化計画を作成することが基本となる。

[解答群]

ア　a：正　　b：正　　c：誤

イ　a：正　　b：誤　　c：誤

ウ　a：誤　　b：正　　c：誤

エ　a：誤　　b：正　　c：正

オ　a：誤　　b：誤　　c：正

第28問　　★重要★

下表は、店舗Xにおける、ある期間の商品カテゴリー別の売上高と粗利益率、相乗積を示したものである。この表を見て、下記の設問に答えよ。なお、表内の（値1）～（値3）については、必要に応じて計算すること。

商品カテゴリー	売上高	粗利益率	相乗積
カテゴリーA	380万円	25.0%	（値1）
カテゴリーB	140万円	30.0%	4.2%
カテゴリーC	90万円	40.0%	（値2）
カテゴリーD	240万円	（値3）	4.8%
カテゴリーE	150万円	12.0%	1.8%
全体	1,000万円	23.9%	

設問1 ●●●

店舗Xにおいて、表に示した販売期間の<u>粗利益高が2番目に小さい</u>商品カテゴリーはどれか。

ア　カテゴリーA

イ　カテゴリーB

ウ　カテゴリーC

エ　カテゴリーD

オ　カテゴリーE

設問2 ●●●

　店舗Xにおける販売計画の考え方に関する記述として、最も適切なものは
どれか。

　ただし、商品カテゴリーごとの粗利益率は一定で、それぞれの商品カテゴ
リーの売上は他の商品カテゴリーの売上に影響しないものとする。

ア　カテゴリーAの取り扱いをやめると、全体の粗利益率は上昇する。

イ　カテゴリーBの売上高が2倍になると、全体の粗利益率は上昇する。

ウ　カテゴリーCの売上高が2倍になった場合は、カテゴリーBの売上高が2倍
　　になった場合よりも全体の粗利益高の増加額が大きい。

エ　カテゴリーDの売上高が半分になると、全体の粗利益率は低下する。

オ　カテゴリーEの売上高が10倍になると、全体の粗利益高は2倍以上に増加す
　　る。

第29問

　以下は、酒販店の店主と中小企業診断士（以下「診断士」という。）との間
で行われた売場づくりに関する会話である。この会話を読んで、下記の設問に
答えよ。

店　主：「売場を改善して客単価を上げたいのですが、今の売場をどのように変える
　　　　　のが良いでしょうか。」

診断士：「それでは、まず、売場における商品配置について考えてみましょう。イン
　　　　　ストア・マーチャンダイジングの考え方によると、計画購買されやすい商品
　　　　　を　A　に配置することで、来店した顧客の買上点数増加につながりやす
　　　　　くなります。また、　B　を促すように商品配置をすることが、買上点数
　　　　　を増やすためには効果的です。」

店　主：「　B　は、おつまみなどをお酒と一緒に買ってもらうようなことですね。」

診断士：「お客様が商品を選ぶ際に、もう1品買ってもらうためには、商品のグルー
　　　　　ピングも重要です。特にバラエティ・シーキングされやすい商品カテゴリー
　　　　　は、同じ売場にまとめて陳列することで複数の商品を同時に買ってもらえる
　　　　　機会が増えると考えられます。」

店　主：「それでは、さっそく売場を変えてみたいと思います。」

会話の中の空欄AとBに入る語句の組み合わせとして、最も適切なものはどれか。

ア　A：入口付近　　　B：関連購買
イ　A：入口付近　　　B：条件購買
ウ　A：売場の奥　　　B：関連購買
エ　A：売場の奥　　　B：条件購買
オ　A：売場の中心　　B：条件購買

設問2 ● ● ●

会話の中の下線部に関する記述の正誤の組み合わせとして、最も適切なものを下記の解答群から選べ。

a　バラエティ・シーキングされやすい商品カテゴリーは、当該カテゴリーの品揃え商品数を増やすと総合的な品揃えとなる。
b　バラエティ・シーキングされやすい商品カテゴリーに含まれる商品は、相互に代替性がない。
c　バラエティ・シーキングされやすい商品カテゴリーは、品揃えしている商品カテゴリー間の相対的な比較で決まる。

［解答群］
ア　a：正　　b：正　　c：誤
イ　a：正　　b：誤　　c：正
ウ　a：誤　　b：正　　c：正
エ　a：誤　　b：正　　c：誤
オ　a：誤　　b：誤　　c：正

第30問

食品表示法および食品表示基準に関する記述の正誤の組み合わせとして、最も適切なものを下記の解答群から選べ。

a　異なる都道府県で生産された同じ種類の農産物を混合して販売する場合は、全体

重量に占める割合が最も高い農産物の都道府県（原産地）を代表して表示すればよい。

b 特定の保健の目的が期待できるという機能性の表示をすることができる食品は、特定保健用食品だけである。

c 製造または加工した日から賞味期限までの期間が3カ月を超える加工食品は、賞味期限を年月表示とすることができる。

[解答群]
ア a：正 b：正 c：誤
イ a：正 b：誤 c：正
ウ a：正 b：誤 c：誤
エ a：誤 b：正 c：誤
オ a：誤 b：誤 c：正

第31問 参考問題

小売店舗における在庫管理に関する以下の文章の空欄A～Cに入る用語の組み合わせとして、最も適切なものを下記の解答群から選べ。

小売店舗では、在庫を管理するうえで安全在庫を設定している。例えば、発注点を用いた定量発注方式を採用する場合、その発注点は安全在庫に　A　中の推定需要量を加算して設定される。また、定期発注方式を採用する場合の発注量は、一定期間の推定需要量から安全在庫量と有効在庫量を減じて算出される。この定期発注方式における安全在庫を計算する際に考慮する需要変動の期間は、　B　である。

欠品のリスクを小さくするためには、いずれの発注方式においても、安全在庫の安全係数を　C　設定する必要がある。

[解答群]

ア　A：調達期間

　　B：調達期間と発注間隔の合計期間

　　C：高く

イ　A：調達期間

　　B：調達期間と発注間隔の合計期間

　　C：低く

ウ　A：調達期間と発注間隔の合計期間

　　B：調達期間

　　C：高く

エ　A：調達期間と発注間隔の合計期間

　　B：調達期間

　　C：低く

第32問

　時系列データを用いた需要予測を行う際には、時系列データの変動要素を理解することが重要である。十分な期間が存在する時系列データの変動は、傾向変動、循環変動、季節変動、不規則変動の4種類の要素に分解することができる。

　これらの変動要素のうち、季節変動に関する記述として、最も適切なものはどれか。

ア　季節調整値は、原数値に季節変動を付加した値である。

イ　季節変動の要因の1つは、景気の好況あるいは不況によって繰り返される変動である。

ウ　季節変動の要因の1つは、突発的な需要変動である。

エ　季節変動は、1年を周期とする変動である。

オ　季節変動は、長期間にわたって一方的な増加または減少の方向を持続する変動である。

第33問　★ 重要 ★

輸送手段と輸送ネットワークの特徴に関する記述として、最も適切なものはどれか。

ア　鉄道貨物駅における着発線荷役（E&S：Effective & Speedy）方式は、貨車を架線のある着発線から架線のない荷役線に移動させてからコンテナを積み卸す荷役方式である。

イ　トラック輸送の契約に関する「標準貨物自動車運送約款」では、運賃を積込みや取卸しを含む運送の対価であると規定している。

ウ　日本全体の二酸化炭素排出量は鉄道輸送よりもトラック輸送の方が多いが、輸送トンキロ当たりの二酸化炭素排出量は鉄道輸送よりもトラック輸送の方が少ない。

エ　ハブ・アンド・スポーク型の輸送ネットワークの特徴は、最終目的地まで直行輸送することである。

オ　複合一貫輸送の例として、トラックとRORO船を利用して陸路と海路を組み合わせる輸送形態がある。

第34問

A社とB社は、それぞれX県とY県の間でトラックの長距離輸送を行っており、このたび中継輸送の取組を行った。この取組前と取組後の比較に関する記述として、最も適切なものを次ページの解答群から選べ。

なお、次ページの条件のみを踏まえて解答すること。

【中継輸送の取組前】

A社のトラックは、X県の倉庫A_xからY県の倉庫A_yへ貨物を積載して走行（実車走行）した後に、倉庫A_yから倉庫A_xへ貨物を積載せずに走行（空車走行）していた。

B社のトラックは、Y県の倉庫B_yからX県の倉庫B_xへ実車走行した後に、倉庫B_xから倉庫B_yへ空車走行していた。

【中継輸送の取組後】

A社のトラックは倉庫A_xから中継拠点へ、B社のトラックは倉庫B_yから中継拠点へそれぞれ実車走行した。それから中継拠点で互いの貨物を積み替えた後に、A社のトラックは倉庫B_xへB社の貨物を積載して走行し、B社のトラックは倉庫A_yへA社の貨物を積載して走行した（下図参照）。

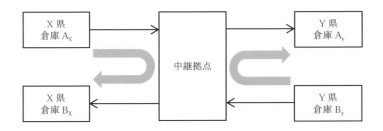

【解答に当たっての条件】

・トラックの最大積載量と台数は、取組前と取組後のA社とB社においてすべて同じである。

・トラックの実車率と積載率は、A社とB社を合わせた全体でそれぞれ計算する。

・同一県内のA社とB社の倉庫は隣接しており、その間の距離は0とする。

・トラックの積載率は、空車を含めずに計算する。

［解答群］

ア　トラックの実車率と積載率は変わらなかった。

イ　トラックの実車率は変わらなかったが、積載率は上昇した。

ウ　トラックの実車率は上昇し、積載率も上昇した。

エ　トラックの実車率は上昇したが、積載率は変わらなかった。

第35問　　★重要★

物流センターの運営に関する記述として、最も適切なものはどれか。

ア　ASNを用いた入荷検品は、荷受側が事前に受信した入荷予定商品の情報と入荷した商品を照合することで完了する。

イ　トラック予約受付システムは、荷送側の物流センターで配車業務の効率化のために導入されるシステムである。

ウ　マテハン機器のうち、DPS（Digital Picking System）は種まき方式ピッキングで利用され、DAS（Digital Assorting System）は摘み取り方式ピッキングで利用される機器である。

エ　ロールボックスパレットを利用した運搬には、フォークリフトが必要である。

オ　ロケーション管理の方法の1つであるフリーロケーション管理は、入庫の都度、

空いている場所に商品を格納し、保管する商品とその場所を紐づけずに管理する方法である。

第36問 ★重要★

JANシンボルに関する記述として、最も適切なものはどれか。

ア　JANシンボルとは、日本独自の呼び方であり、国際的にはEANシンボルと呼ばれている。

イ　JANシンボルのマーキングの際には、左右における余白の大きさに、定められた決まりはない。

ウ　赤色の照射光を使用するバーコードスキャナーでは、黒色よりも赤色でマーキングされたJANシンボルの方が、読み取りエラーが少ない。

エ　トランケーションとはJANシンボルのバーの高さを削ることをいい、JISで定められている規格であり、海外に輸出する商品でも用いることができる。

オ　汎用プリンターでマーキングしたJANシンボルは、バーコードスキャナーで読み取ることができない。

第37問 ★重要★

商品コード（GTIN）に関する記述として、最も適切なものはどれか。

ア　GTIN-13が設定されていない商品に対して、事業者が社内管理のために、国コードに当たる部分に20〜29を用いて設定するコードをインストアコードという。

イ　GTIN-13が設定されている商品を複数個まとめて包装したパッケージにGTIN-14を設定する場合、元のGTIN-13と設定後のGTIN-14で異なるのは先頭の1桁のみである。

ウ　GTIN-13は、インジケータ、GS1事業者コード、商品アイテムコード、チェックデジットで構成されている。

エ　GTINはGS1標準の商品識別コードの総称であり、GTIN-8、GTIN-10、GTIN-12、GTIN-13、GTIN-14の5つの種類がある。

オ　日本の事業者に貸与されるGS1事業者コードは、先頭の2桁が45、47または49で始まる。

次の文章を読んで、下記の設問に答えよ。

　独自のオンラインサイトでネットショップを運営している、ある小売業の一定期間における顧客の購買状況を確認したところ、この期間におけるユニークな全購買者数は144人であった。

　当該ネットショップの取り扱い商品のうち、A～Dの4つの商品についてのみ考慮すると、その購買状況は下表のとおりであった。また、商品Aまたは商品Bを購買している顧客は、商品Cや商品Dの購買はなかったとする。この小売業では商品A～Dについて、全購買者数をベースとした商品購買における相関ルールを検討し、今後の商品プロモーションに活用したいと考えている。

商品	購買者数 （人）
Aのみ	26
Bのみ	14
AとB	10

商品	購買者数 （人）
Cのみ	18
Dのみ	26
CとD	8

＊表の中の全購買者数はすべてユニークな人数とする。

設問1 ● ● ●

　以下の記述のうち、最も適切なものはどれか。

ア　支持度（サポート）の値は、商品Aと商品Dで同じである。

イ　商品Aからみた商品Bの信頼度（コンフィデンス）は、商品Bからみた商品Aの信頼度（コンフィデンス）より大きい。

ウ　商品Aと商品Bのジャッカード係数は、商品Cと商品Dのジャッカード係数より小さい。

エ　商品Bの支持度（サポート）の値は、4つの商品の中で最小である。

オ　商品Cからみた商品Dの信頼度（コンフィデンス）は、商品Dからみた商品Cの信頼度（コンフィデンス）より小さい。

設問2 ●●●

　商品Aと商品Bを併買した購買パターンのリフト値として、最も適切なものはどれか。

ア　$\dfrac{1}{4}$　　イ　$\dfrac{5}{12}$　　ウ　$\dfrac{5}{4}$　　エ　$\dfrac{3}{2}$　　オ　$\dfrac{5}{3}$

第39問

　平成30年に食品衛生法が改正され、令和3年6月1日から、原則すべての食品等事業者は「HACCPに沿った衛生管理」を行うことが義務化されている。

　HACCPでは、その導入に対して12の手順が定められており、そのうちの7つは、7原則と呼ばれている。この7原則に含まれている手順として、最も適切なものはどれか。

ア　HACCPのチーム編成

イ　製造工程一覧図の現場確認

ウ　製造工程一覧図の作成

エ　製品説明書の作成

オ　モニタリング方法の設定

第40問　　★ 重要 ★

　あるスーパーマーケットでは、直近3年分のID-POSデータ、およびそれに連動した顧客属性データを蓄積している。いま、このスーパーマーケットでは、CRMを強化するため、購買金額や購買頻度などからロイヤルカスタマーを定義したいと考えている。

　このとき、ロイヤルカスタマーを定義する方法に関する記述として、最も適切なものはどれか。なお、以下の方法を実行する際に必要となるデータ項目は、すべて利用可能であるとする。

ア　ID-POSデータからRFM分析を行い、適切な分割数を設定していずれの項目でもランクの高い顧客をロイヤルカスタマーとして定義する。

イ　ID-POSデータから、各商品の売上金額ベースのABC分析を行い、Aランクの商品のみを購買している顧客をロイヤルカスタマーとして定義する。

ウ　各顧客について日別の購買金額を算出し、全期間における標準偏差を計算する。この標準偏差の値でデシル分析を行い、最も標準偏差の大きな顧客群をロイヤルカ

スタマーとして定義する。

エ 顧客属性データから、顧客の年齢と性別のデータを用いて、ｋ平均法で10のクラスターを形成し、顧客の所属が最も多いクラスターをロイヤルカスタマーとして定義する。

オ 顧客属性データから、顧客の年齢のデータを用いてデシル分析を行い、年代層が一番高い顧客群をロイヤルカスタマーとして定義する。

令和 **5** 年度
解答・解説

nswers

問題	解答	配点	正答率※	問題	解答	配点	正答率※	問題	解答	配点	正答率※
第1問	エ	2	B	第16問	オ	2	C	第30問	オ	2	D
第2問	ウ	2	A	第17問	エ	2	D	第31問	―	2	A
第3問	エ	3	B	第18問	イ	3	D	第32問	エ	2	B
第4問	エ	2	B	第19問	ウ	2	D	第33問	オ	2	A
第5問	ウ	3	B	第20問	オ	2	D	第34問	エ	3	C
第6問	イ	2	C	第21問	オ	3	B	第35問	ア	2	C
第7問	イ	3	A	第22問	ウ	2	A	第36問	ア	2	C
第8問	オ	3	C	第23問	ウ	2	A	第37問	ア	2	D
第9問	イ	2	C	第24問	エ	3	C	第38問 (設問1)	エ	2	B
第10問	イ	2	C	第25問	ウ	2	B	第38問 (設問2)	オ	3	D
第11問	ウ	2	C	第26問	エ	2	C	第39問	オ	3	C
第12問	エ	2	B	第27問	オ	3	D	第40問	ア	2	A
第13問	イ	2	D	第28問 (設問1)	ウ	2	B				
第14問	―	2	A	第28問 (設問2)	イ	3	B				
第15問 (設問1)	ウ	2	B	第29問 (設問1)	ウ	2	A				
第15問 (設問2)	エ	2	B	第29問 (設問2)	オ	2	D				

※TACデータリサーチによる正答率
　正答率の高かったものから順に、A～Eの5段階で表示。
A：正答率80%以上　　　　B：正答率60%以上80%未満　　　C：正答率40%以上60%未満
D：正答率20%以上40%未満　　E：正答率20%未満

解答・配点は一般社団法人日本中小企業診断士協会連合会の発表に基づくものです。
※令和5年9月5日に同協会より、第14問、第31問は、すべての受験者の解答を正解として取り扱う
　旨が発表されました。

令和 **5** 年度
解説

第1問

生産活動における評価指標に関する問題である。

a ✗：本肢の内容は、**スループット**（JIS Z 8141-1208）の定義である。歩留りは、「投入された主原材料の量と、その主原材料から実際に産出された品物の量との比率」（JIS Z 8141-1204）と定義されている。

b ○：正しい。「操業度は、一定期間において、生産可能量に対する、実際生産量の比率をいう」（JIS Z 8141-1237　注釈3）と定義されており、本肢はほぼ定義のとおりである。

c ✗：生産性は、「投入量に対する、産出量の比率」（JIS Z 8141-1238）と定義されている。本肢は、「**産出量**」と「**投入量**」が逆になっているため、誤りである。

よって、**a**：誤、**b**：正、**c**：誤の組み合わせが適切であるため、**エ**が正解である。

第2問

工場レイアウトの設計や分析のための手法に関する問題である。

SLPは、リチャード・ミューサーが提唱した工場レイアウトの汎用的なレイアウト計画法である。SLPでは、まず「P-Q分析」によって、生産品目と生産数量との関係を把握し、「物の流れ分析」「アクティビティ相互関係図表」により、**物の流れとアクティビティを分析し、各部門間の関連性を把握する。**

【SLPによる計画手順】

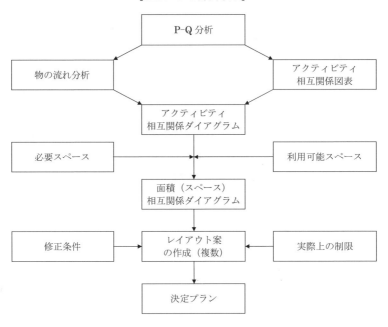

DI分析（Distance-Intensity分析）とは、**運搬物の移動距離と強度の関係を図示し、**工場レイアウトを評価する分析手法のことである。強度とは、運搬物の特性（重量、体積、モノの形状等）と運搬回数などを考慮した指標である。稼働している工場のレイアウト改善などに用いられている。

【DI分析図】

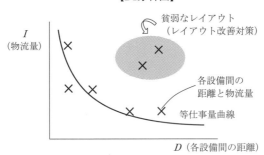

（『生産と経営の管理』吉本一穂・伊呂原隆著　日本規格協会P.115をもとに作成）

以上より、Aには「物の流れ」、Bには「関連性の強さ」、Cには「運搬距離」が入

る。

　よって、**ウ**が正解である。

第3問

　VEにおける製品の機能に関する問題である。VEは、「製品やサービスの「価値」を、それが果たすべき「機能」とそのためにかける「コスト」との関係で把握し、システム化された手順によって「価値」の向上をはかる手法」である。VEにおける機能は、下図のように整理することができる。

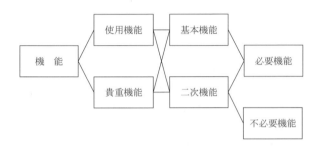

（土屋裕監修『新・VEの基本』産業能率大学出版部 p.102をもとに作成）

用　語	意　味
使用機能	機能について、その**性質**から見た機能の種類のひとつであり、**製品やサービスを使用するために備えていなければならない機能**のこと。
貴重機能	機能について、その**性質**から見た機能の種類のひとつであり、**製品の意匠や外観など、顧客（使用者）に魅力を感じさせる機能**のこと。
基本機能 （一次機能）	機能について、その**重要性**から機能を分類した場合の種類のひとつであり、**その機能を除くとその対象の存在価値がなくなる機能**のこと。
二次機能 （補助機能）	機能について、その**重要性**から機能を分類した場合の種類のひとつであり、**基本機能を達成するための手段的ないしは補助的な機能**のこと。
必要機能	機能について、その**必要性**から機能を分類した場合の機能のひとつであり、**製品やサービスの顧客（使用者）が必要とする機能**のこと。
不必要機能	機能について、その**必要性**から機能を分類した場合の機能のひとつであり、**製品やサービスの顧客（使用者）が必要としない機能**のこと。

　以上より、空欄Aには「使用」、空欄Bには「魅力（貴重）」、空欄Cには「基本」、空欄Dには「二次」が入る。

　よって、**エ**が正解である。

製品開発・製品設計の活動に関する問題である。

a：本肢の内容は、PDM（Product Data Management）の活動に関する説明である。PDMは、「生産活動を行うための情報を、データベースを使用して統合的に管理すること」（JIS B 3000-3035）であり、製品情報と開発プロセスを一元的に管理することである。

b：本肢の内容は、モジュール設計の活動に関する説明である。モジュール設計とは、顧客のニーズに対し、製品を構成するモジュール（ユニット）に分解し、モジュールの組合せで対応することにより、製品全体を個々の顧客ごとに設計を回避する方法である。設計作業と製造の効率化および迅速化が期待できる。

c：本肢の内容は、デザインレビュー（DR）の活動に関する説明である。デザインレビューは、「当該アイテムのライフサイクル全体にわたる既存又は新規に要求される設計活動に対する、文書化された計画的な審査」（JIS Z 8115：2019-192J-12-101）と定義されている。設計・開発における各段階の成果物を、関係部門がチェックを行う、あるいはその成果物を使って検討する行為を体系化したものである。

以上より、**a**は「PDM」、**b**は「モジュール設計」、**c**は「デザインレビュー」に該当する。

よって、**エ**が正解である。

循環型社会形成推進基本法に関する問題である。循環型社会形成推進基本法は、日本における循環型社会の形成を推進する基本的な枠組みとして2000年6月2日に施行された。この法律により、「発生抑制（リデュース）」、「再使用（リユース）」、「再生利用（マテリアルリサイクル）」、「熱回収（サーマルリサイクル）」、「適正処分」の順で処理の優先順位が定められた。

発生抑制（リデュース）：循環資源・廃棄物の発生を抑制すること
再使用（リユース）：循環資源を製品として、あるいは部品などとしてそのまま使うこと
再生利用（マテリアルリサイクル）：循環資源を原材料として使うこと
熱回収（サーマルリサイクル）：循環資源を燃焼し、その熱を利用すること
適正処分：環境への負荷が低減されるよう適正に処分すること

a：インクジェットプリンターのカートリッジを回収して洗浄し、インクを充填して

販売することは、再使用である。

b：飲み終わったビール瓶を回収し、溶解して再生することは**再生利用**である。

c：ペットボトルを回収して衣類の原料として活用することは**再生利用**である。

d：回収されたテレビを分解して一部の部品を取り出し、他のテレビの修理に使用することは再使用である。

よって、**a**と**d**が再使用の定義に該当するため、**ウ**が正解である。

解答・解説

5年度

第6問

ライン生産のバランスロスおよび生産量の値を求める問題である。

バランスロスは以下のように求められる。

$$
\begin{aligned}
\text{バランスロス（\%）} &= 100 - \text{編成効率（\%）} \\
&= 100 - \frac{\text{各工程の所要時間合計}}{\text{サイクルタイム} \times \text{工程数}} \times 100 \\
&= 100 - \frac{10 + 15 + 28 + 10 + 15 + 5 + 18 + 4}{30 \times 4} \times 100 \\
&= 100 - \frac{105}{120} \times 100 = 100 - 87.5 = \textbf{12.5}（\%）
\end{aligned}
$$

次に、1時間当たりの生産量を求める。生産量は、以下のように求められる。

$$
\begin{aligned}
\text{生産量} &= \frac{\text{生産期間}}{\text{サイクルタイム}} \\
&= \frac{1 \times 60 \times 60^{※}}{30} \\
&= \textbf{120}（個）
\end{aligned}
$$

※1時間の単位を秒に変換するには、1（時間）×60（分/時間）×60（秒/分）と計算する

よって、(a)：12.5%、(b)：120個の組み合わせとなるため、**イ**が正解である。

なお、問題文と表に与えられた情報を基にピッチダイアグラムを作成すると以下のとおりである。

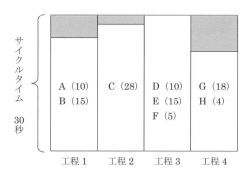

　部品（構成）表とは、「製品又は親部品を生産するのに必要な子部品の、種類及び数量を示したもの」（JIS Z 8141-3307）であり、製品を完成させるために必要な材料や部品の所要量をまとめたものである。本問で与えられた、ストラクチャ型部品表は、最終製品の組立段階や加工手順を考慮して、部品の親子の関係を保ちながら、製品構成と各段階での部品の所要量を木構造で表現した部品表である。与えられた表から、製品Xについて作図すると以下のとおりである。（　）内は親1個に対して必要な部品の個数である。

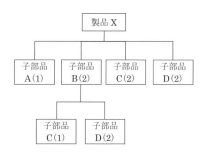

ア　✗：製品Xを10個生産するために、部品Bは**20個**必要である。

　　部品Bの必要個数＝10×2＝20（個）

イ　◯：正しい。製品Xを10個生産するために、部品Cは40個必要である。

　　部品Cの必要個数＝（10×2）＋（10×2×1）＝40（個）

ウ　✗：製品Xを10個生産するために、部品Dは**60個**必要である。

　　部品Dの必要個数＝（10×2）＋（10×2×2）＝60（個）

エ　✗：部品Bを20個生産するために、部品Cは**20個**必要である。

　　部品Cの必要個数＝20×1＝20（個）

オ　✗：部品Bを20個生産するために、部品Dは**40個**必要である。

部品Dの必要個数 = 20 × 2 = 40（個）

よって、**イ**が正解である。

PERTに関する問題である。

与えられたPERT図から、クリティカルパスを確認する。

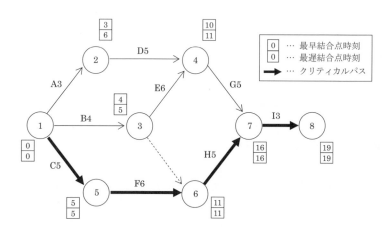

設定した最早結合点時刻（EPST）と再遅結合点時刻（LPST）が同じ値となるノード（1→5→6→7→8）を結ぶことによって、クリティカルパスを認識することができる。クリティカルパスは、C→F→H→Iである。したがって、作業C、F、H、Iの作業所要時間を短縮できれば、プロジェクトの完了時間が早くなる。ただし、クリティカルパス上の作業を短縮することにより、クリティカルパスが変化することがある点に注意しなければならない。

ア ×：「作業Cの終了時刻が2時間早くなった場合」という記述は、作業Cの所要時間が2時間短くなったと解釈でき、PERT図は以下のとおりとなる。

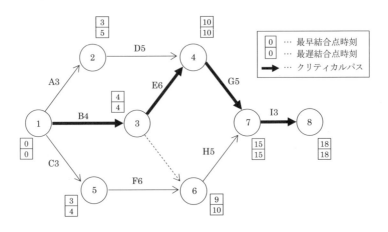

　クリティカルパス上の作業である作業Cが2時間短くなることにより、クリティ
カルパスが変化し、プロジェクトの完了時刻は1時間しか早まらない。

イ ✗：「作業Eの開始時刻が2時間早くなった場合」という記述は、作業Eの先行
　作業である作業Bの所要時間が2時間短くなったと解釈できる。作業Bはクリティ
　カルパス上の作業ではないため、プロジェクトの完了時刻に変化はない。

ウ ✗：作業Fはクリティカルパス上の作業であり、作業所要時間が1時間短くなれ
　ば、プロジェクトの完了時刻は1時間早くなる。

エ ✗：作業Fの作業所要時間が2時間短くなった場合のPERT図は以下のとおりで
　ある。

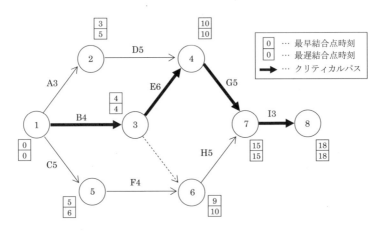

　クリティカルパス上の作業である作業Fが2時間短くなることにより、クリティ
カルパスが変化し、プロジェクトの完了時刻は1時間しか早まらない。

オ ○：正しい。クリティカルパスはアローダイヤグラム上で、開始から完了までの
複数の経路（パス）のうち、最長の経路のことである。作業Hは所要時間が2時間
長くなる前からすでにクリティカルパス上の作業である。したがって、C→F→H
→Iが最長の経路であることに変化はなく、クリティカルパスは変わらない。

よって、**オ**が正解である。

第9問

ディスパッチングルールの問題である。

ディスパッチングルールは、「待ちジョブの中から、次に処理するジョブを決める
ための規則」（JIS Z 8141-3314）と定義され、次に処理する仕事の優先度を決める規
則のことである。代表的な規則には、次のようなものがある。

ディスパッチングルール名	説　明〔特　徴〕
先着順規則 (First Come First Served Rule)	機械に先に到着したジョブを優先する規則
最小作業時間規則 (Shortest Processing Time First Rule)	当該機械での加工時間が最小のジョブを優先する規則 〔平均滞留時間が最小となる〕
最長作業時間規則 (Longest Processing Time First Rule)	当該機械での加工時間が最長のジョブを優先する規則
最早納期規則 (Earliest Due-date First Rule)	納期が最も迫っているジョブを優先する規則 〔最大納期遅れが最小となる〕
最小スラック規則 (Minimum Slack First Rule)	納期に対する余裕（スラック）が最小のジョブを優先する規則スラック：納期－現在時刻－残り総加工時間 〔納期に対し前倒しに完成できる〕

　上表より、各ルールの特徴が押さえられていれば、平均滞留時間が最小となる最小
作業時間規則（本問における選択肢**イ**）を適用することで、各Jobの作業待ち時間の
合計値が最小になることの判断が可能であった。

ア ✕：作業時間が長い順に作業を行ったとき、各Jobの作業順序は以下のとおりで
ある。

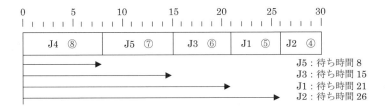

以上より、各Jobの作業待ち時間の合計値は（0 + 8 + 15 + 21 + 26 = 70）である。

イ ○：正しい。作業時間が短い順に作業を行ったとき、各Jobの作業順序は以下のとおりである。

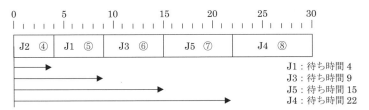

以上より、各Jobの作業待ち時間の合計値は（0 + 4 + 9 + 15 + 22 = 50）である。

ウ ✕：到着が遅い順に作業を行ったとき、各Jobの作業順序は以下のとおりである。

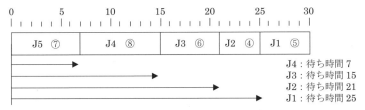

以上より、各Jobの作業待ち時間の合計値は（0 + 7 + 15 + 21 + 25 = 68）である。

エ ✕：到着が早い順に作業を行ったとき、各Jobの作業順序は以下のとおりである。

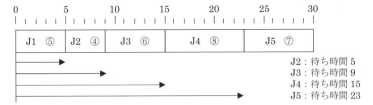

以上より、各Jobの作業待ち時間の合計値は（0 + 5 + 9 + 15 + 23 = 52）である。

オ ✕：納期が早い順に作業を行ったとき、各Jobの作業順序は以下のとおりである。

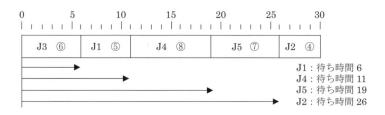

以上より、各Jobの作業待ち時間の合計値は（0＋6＋11＋19＋26＝62）である。よって、**イ**が正解である。

第10問

工数管理や余力管理に関する問題である。

a：本肢の内容は、工数のJIS定義（JIS Z 8141-1227）である。

b：本肢の内容は、余力に関する説明である。余力とは、「負荷と能力との差である」（JIS Z 8141-4103　注釈1）と定義され、人や機械・設備の生産能力（量）から、そこに負荷した仕事量（負荷量）を差し引いた値のことである。

c：本肢の内容は、工数低減のほぼJIS定義のとおりである。工数低減は「作業者の習熟、改善活動、対象製品の設計改良などによる、無駄な作業時間又は延時間の減少」（JIS Z 8141-5509）と定義されている。

d：本肢の内容は、工数の山積山崩の説明である。工数計画では、以下のような工数山積み表が活用される。これは工程別に負荷を算出し、負荷工数を積み上げたものである。さらに能力線を引き、負荷と能力の比較を行う。

【工数山積み表】

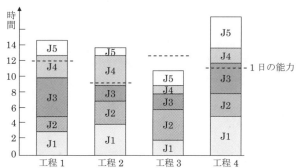

（渡邉一衛監修『ビジネス・キャリア検定試験標準テキスト【専門知識】生産管理プランニング』社会保険研究所 p.197をもとに作成）

次に、能力線以上の負荷が与えられている工程に対し、作業の実施時期をずらすなどにより、負荷の平準化を図る。これを山崩しという。

以上より、**a**は「工数」、**b**は「余力」、**c**は「工数低減」、**d**「工数の山積山崩」に該当する。

よって、**イ**が正解である。

経済的発注量に関する問題である。在庫に関連する費用には、在庫保管費用と発注費用がある。1回あたりの発注量を増やせば、発注回数が減るため発注処理・受入れ処理にかかわるコストは減るが、在庫が増加するため在庫保管費用は増大する。逆に1回あたりの発注量を少なくすると、在庫保管費用は削減されるが、発注費用は増大する。このようなトレードオフの関係をふまえて、総費用を最も小さくする発注量を経済的発注量（EOQ：Economic Order Quantity）という。

経済的発注量は、次の式で求めることができる。

$$経済的発注量 = \sqrt{\frac{2×1回の発注費用×1期当たりの推定所要量}{1個1期あたりの在庫保管費}}$$

ア ✗：上式より、1個1期あたりの在庫保管費の増加、および1回当たりの発注費の減少はいずれも、**経済的発注量が減少する要因**である。

イ ✗：上式より、1個1期あたりの在庫保管費用が変化せず、1回当たりの発注費が増えた場合、**経済的発注量は増える**。

ウ ○：正しい。経済的発注量とは、在庫保管費用と発注費用が等しくなる発注量である。これは、以下の図より、在庫関連費用が最小となる発注量（経済的発注量）は、在庫保管費用の曲線と発注費用の曲線の交点、つまり在庫保管費用と発注費用が等しくなる発注量であると読み取ることができる。

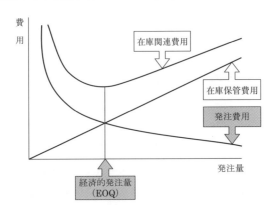

エ ✕：ウの解説のとおり、経済的発注量では**在庫保管費用と発注費用は等しくなる**。
よって、**ウ**が正解である。

　品質管理に用いる手法に関する問題である。品質管理に用いる代表的な手法にQC
7つ道具と新QC7つ道具がある。QC7つ道具は発生した不良の原因を追及し、その
原因を除去することで工程の改善を図っていく解析アプローチであるのに対して、新
QC7つ道具は複雑にからみ合った要因を、あらかじめ予測して因果関係を整理する
設計的アプローチである。散布図と管理図はQC7つ道具であり、親和図、連関図、
系統図、アローダイヤグラム、PDPC法、マトリックス図は新QC7つ道具である。

　空欄A　「連関図」が入る。不適合品の多発という問題に対して、問題とその要因
　　　　　の関係を明らかにするために作成するのは連関図である。連関図は、解決
　　　　　すべき問題の原因を探る手法であり、問題の発生原因が複雑にからみ合っ
　　　　　ているときに、その因果関係を明確にすることで原因を特定する。親和図
　　　　　は多数の散乱した情報から、言葉の意味合いを整理して問題を確定する手
　　　　　法である。

　空欄B　「系統図」が入る。問題を解決するための手段の候補を明らかにするため
　　　　　に作成するのは系統図である。系統図は目的と手段を多段階に展開する手
　　　　　法であり、問題解決というある目的に対して、手段を列挙し、その手段の
　　　　　ための手段を列挙する。このように手段・方策をツリー状に展開すること
　　　　　で、最適手段を系統的に定めることができる。散布図は、2つの特性を横
　　　　　軸と縦軸とし、観測値を打点してつくるグラフ表示であり、2つの特性の
　　　　　相関を解析する場合に用いられる。

　空欄C　「PDPC法」が入る。想定外の事態などが起きた場合に備えて対応を検討
　　　　　する際に用いるのはPDPC法である。PDPC法では問題や不測の事態が生
　　　　　じた場合の対応策をあらかじめ検討しておき、それに沿って行動または新
　　　　　しい方法を考える。マトリックス図は、多くの目的や現象と、多くの手段
　　　　　や要因のそれぞれの対応関係を多元的思考により問題点を整理して行列形
　　　　　式で並べ、相互の関連の程度を整理する手法である。管理図は、連続した
　　　　　量や数値として計測できるデータを時系列に並べ、これが異常かどうかの
　　　　　判断基準となる管理限界線を記入した管理図表である。

　よって、**エ**が正解である。

解答・解説

5年度

　個別生産における進捗管理手法に関する問題である。進捗管理とは、「仕事の進行状況を把握し、日々の仕事の進み具合を調整する活動」（JIS Z 8141-4104）であり、その第1の目的は納期の維持である。しかし、納期を維持するために作業を計画よりも先行して進めると、仕掛品や在庫が増加してしまう。そのため、生産速度の維持および調整が第2の目的となる。また、個別生産とは、「個々の注文に応じて、その都度1回限り生産する形態」（JIS Z 8141-3209）のことであり、繰り返し性のない生産形態である。

a：差立て板とは、作業者毎に日程計画に基づき仕事を割り当て、材料の手配や移動、消耗品の手配、使用する工具、作業指示等の伝票を管理するための管理板である。準備中、作業中、次作業の順に区分され、作業の進行によって伝票が差し替えられていく。個別生産において進捗管理に用いられる。

b：カムアップシステムとは、作業伝票を納期順に箱の中に立てて並べて管理する手法である。当日の作業を一番前に配置して、その日に行うべき仕事がすぐに分かるようにする。個別生産において進捗管理に用いられる。

【カムアップシステム】

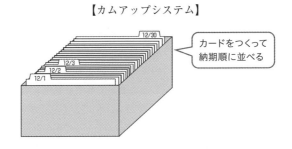

c：製造三角図とは、累積生産量を縦軸に、日付を横軸にして、予定と実績の各累積線を比較することで数量と日数の進捗を管理する手法である。個別生産ではなく、連続生産で用いられる。

【製造三角図】

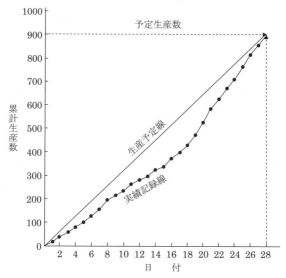

出所：日本経営工学会編『生産管理用語辞典』日本規格協会

d：追番管理とは、生産の計画と実績に追番を付け、計画と実績の差で手配計画および進捗管理を行う手法である。個別生産ではなく、連続生産で用いられる。

e：ガントチャートとは、縦軸に工程や機械、部品、作業などの項目を記入し、横軸には時間、日、週、月などの日程を記入した管理図表である。これにより、いつまでに何をしなければならないかが一目で分かる。個別生産において進捗管理に用いられる。

【ガントチャート】

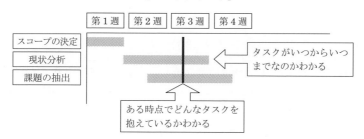

よって、個別生産に用いられる進捗管理手法は、**a**と**b**と**e**であり、**イ**が正解である。

運搬活性分析の問題である。

運搬活性分析は、活性の維持という観点から、品物の置き方や荷姿について分析・検討する方法である。そして、活性を5段階に分けて、運搬活性示数を使って運搬状況を分析するものである。運搬活性示数とは、「まとめる」「起こす」「持ち上げる」「持っていく」といった、置かれている物品を移動するためにかかる4つの手間のうち、**すでに省かれている手間の数**を指す指標である（下表参照）。しかし、本問においては、対象品が置かれている状態から運び出されるまでに必要な**取り扱いの手間数**を表したものと説明されており、齟齬が生じている。また、本問の定義にしたがって解答しようとすると、No.7の運搬活性示数は「1」とならず本問は成立しない。そして、令和5年9月5日に、本問は全員正解とすることが中小企業診断協会から発表された。

本解説では、従来の定義にしたがって算出を進めていく。

状　態	手間の説明	4つの手間の種類				運搬活性示数
		まとめる	起こす	持ち上げる	持っていく	
床にバラ置き	まとめる→起こして→持ち上げて→持っていく	○	○	○	○	0
容器または束	起こして→持ち上げて→持っていく（まとめてある）	×	○	○	○	1
パレットまたはスキッド	持ち上げて→持っていく（起こしてある）	×	×	○	○	2
車	引いていく（持ち上げなくてよい）	×	×	×	○	3
動いているコンベア	不要（そのままいってしまう）	×	×	×	×	4

運搬活性分析においては、対象の品物に関し、工程ごとの運搬活性示数の変化を運搬活性分析図にまとめ、工程全体の平均活性示数を算出する。平均活性示数は、以下の式によって算出する。

$$平均活性示数 = \frac{停滞工程における活性示数の合計}{停滞工程数}$$

本問においては、表内空欄A～Cの運搬活性示数を求め、すでに、運搬活性示数が与えられている工程No.7（運搬活性示数「1」）を含めて、平均活性示数を求める。

No.1 　部品をパレット上の部品箱の中で保管する。　→「2」

No.4 　加工待ち（No.3で設備前に部品をバラ置き）。→「0」

No.9 　台車に載った状態で、移動待ち。　　　　　→「3」

以上より、平均活性示数を算出すると、次のとおりである。

$$平均活性示数 = \frac{2 + 0 + 1 + 3}{4} = 1.50$$

よって、**エ**が正解である。

第15問

標準時間の設定に関する問題である。先に（設問2）から解くことも可能であり、解答できる問題を優先したい。

設問1 ●●●

与えられた内掛け法による余裕率から、外掛け法による余裕率に変換する問題である。内掛け法の余裕率は20％と与えられており、図示すると以下のとおりである。

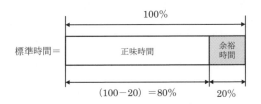

以上より、外掛け法の余裕率は、次のとおり算出できる。

$$余裕率（外掛け法） = \frac{余裕時間}{正味時間} = \frac{20}{80} = 25\%$$

よって、**ウ**が正解である。

設問2 ●●●

① 正味時間の算出

正味時間は、次の式で求めることができる。

正味時間＝観測時間の代表値×レイティング係数

　　　　＝5分×120（÷100）

　　　　＝6（分）

② 標準時間の算出

内掛け法と外掛け法のいずれで算出しても同じ値になる。

113

$$標準時間（外掛け法）＝正味時間\times(1＋余裕率)＝6\times(1＋0.25)＝7.5$$

$$標準時間（内掛け法）＝正味時間\times\frac{1}{1－余裕率}＝\frac{6}{1－0.2}＝7.5$$

よって、**エ**が正解である。

第16問

JISで定義される作業者工程分析に関する問題である。作業者工程分析とは、「作業者を中心に作業活動を系統的に工程図記号で表して調査・分析する手法」（JIS Z 8141-5203）である。

a ✕：作業者工程分析では、作業者および作業者が取り扱う物ではなく、**作業者の作業活動**を工程図記号で表して分析する。

b ✕：使われる工程図記号は、「作業」、「検査」、「移動」、「手待ち」の4つであり、「余裕」を表す工程図記号はない。

c ✕：複合記号では、主となる工程を**外側**に、従となる作業を**内側**に書き表す。

【複合記号の例】

記　号	意　味
◇▢	品質検査を主として行いながら数量検査もする。
▽⇨	作業を主として行いながら移動もする。

d ✕：作業者が部品を組み立てる工程は、「**作業**」で表す。流れ線は、設備や建屋の配置図に工程図記号を記入した流れ線図で用いられ、物や人の流れ、逆行した流れ、無用な移動を視覚的に把握するものである。

e 〇：正しい。運搬作業者にとって運搬は主たる作業である。運搬作業者が物の運搬を行う工程は、「作業」の工程図記号を使って書き表す。

よって、**a**：誤、**b**：誤、**c**：誤、**d**：誤、**e**：正が適切な組み合わせであるため、**オ**が正解である。

第17問

設備投資案の評価に関する問題である。

割引回収期間法とは、将来得られるキャッシュ・フローをすべて現在価値に割り引き、毎期の回収額を合計することによって投資額の回収期間を求める方法であり、正味現在価値法とは、将来得られるキャッシュ・フローをすべて現在価値に割り引いた額を合計し、その合計から投資額を差し引く方法である。

このことから、割引回収期間時点では、初期投資額と同額を回収できていることになるので、この時点における正味現在価値は0となる。また、割引回収期間までは初期投資額を回収できていない、割引回収期間を超えると初期投資額以上のキャッシュを回収できている、ということになるので、投資案における割引回収期間と正味現在価値の値は以下のような関係になる。

	割引回収期間未満	割引回収期間時点	割引回収期間超
正味現在価値	負（マイナス）	0	正（プラス）

例えば、（表1）の投資案Aにおいて投資期間が10年の場合、割引回収期間の4.9年を超えるので正味現在価値は正の値をとる。

本問において、投資案の正味現在価値の大小を検討するには（表2）を使用する。正味現在価値の差においても前述の割引回収期間と正味現在価値の関係が成り立つので、追加投資案の正味現在価値の値は以下のような関係になる。

	割引回収期間未満	割引回収期間時点	割引回収期間超
正味現在価値の差	負（マイナス）	0	正（プラス）

同様に、追加案における正味現在価値には以下のような関係が成り立つ、投資期間が10年の場合、投資から10年経過時点での正味現在価値利益の大小関係で判断すればよい。

追加投資案	割引回収期間	割引回収期間未満	割引回収期間超	10年経過時点
B − A	11.0 年	$P_B − P_A < 0$ ($P_A > P_B$)	$P_B − P_A > 0$ ($P_B > P_A$)	$P_A > P_B$…①
C − B	8.5 年	$P_C − P_B < 0$ ($P_B > P_C$)	$P_C − P_B > 0$ ($P_C > P_B$)	$P_C > P_B$…②
C − A	9.0 年	$P_C − P_A < 0$ ($P_A > P_C$)	$P_C − P_A > 0$ ($P_C > P_A$)	$P_C > P_A$…③

したがって、正味現在価値利益の大小関係は、①、③より$P_C > P_A > P_B$という関係になる。

よって、**エ**が正解である。

解答・解説

5年度

第18問

生産ラインの改善活動に関する問題である。解答に際しては、それぞれの対策や管理手法の効果を想定する必要がある。

ア ✕：「運搬ロットサイズ」を削減すると、1回の運搬量が減少するため、**運搬回数は増加する。**

イ ○：正しい。「解析用管理図」は、既に集められた観測値によって、工程が統計的管理状態であるかどうかを評価するための管理図である。

ウ ✕：「ECRSの原則」は、工程、作業、動作を対象とした改善の指針、着眼点を示したものであり、**ボトルネック作業の特定は困難**である。ボトルネック作業の特定後に、ボトルネック作業の改善のために用いることは考えられる。

エ ✕：U字ラインは、**物の移動距離の短縮を目的に導入されるものではない**。U字ラインでは、作業者はU字の内側に配置されるため、移動することなく、もしくは短い移動距離で複数工程の作業が可能となる。1人で複数の作業工程を担当することにより、作業の所要時間や作業者間での作業速度の違いを考慮した、効率の良い作業割り当てが可能となる。

オ ✕：設備の誤操作による労働災害を防ぐためには、「**フールプルーフ**」の仕組みを取り入れる。フールプルーフは、「人為的に不適切な行為、過失などが起こっても、システムの信頼性及び安全性を保持する性質」(JIS Z 8115 192J-10-106)と定義され、作業者が間違ってもそれを防止できるように工夫された仕組みのことである。フェイルセーフは、「故障時に、安全性を保つことができるシステムの性質」と定義され、設備の故障後の安全性を考慮した仕組みである。したがって、誤操作そのものを防ぐフールプルーフが、より適切であると考えられる。

よって、**イ**が正解である。

第19問

TPM（Total Productive Maintenance）の自主保全に関する問題である。自主保全は、作業員一人ひとりが自分の使っている設備の維持、管理を行い、正しい運転を全員参加で行う活動である。その目的は、設備においては故障の減少、不良品の発生削減、安定した稼働の実現、故障しにくい設備への改善等である。また人においては作業員のスキルアップ、モチベーションアップ等である。

通常、自主保全は下記の7つのステップに分けて実施される。

ステップ	名　称	活　動　内　容
第1	初期清掃	設備本体を中心とするゴミ・汚れの一斉排除と給油、増締めの実施および設備の不具合発見とその復元
第2	発生源・困難箇所対策	ゴミ・汚れの発生源、飛散の防止や清掃・給油、増締め、点検の困難箇所を改善し、清掃・点検の時間短縮を図る
第3	自主保全仮基準の作成	短時間で清掃・給油・増締めを確実に維持できるように行動基準を作成する（日常、定期に使用できる時間枠を示してやることが必要）
第4	総点検	点検マニュアルによる点検技能教育と総点検実施による設備微欠陥摘出と復元
第5	自主点検	自主点検チェック・シートの作成・実施
第6	標準化	各種の現場管理項目の標準化を行い、維持管理の完全システム化を図る ●清掃給油点検基準 ●現場の物流基準 ●データ記録の標準化 ●型治工具管理基準など
第7	自主管理の徹底	会社方針・目標の展開と、改善活動の定常化。MTBF分析記録を確実に行い、解析して設備改善を行う

（出所：TPMオンラインHP　一部改編）

a　○：正しい。清掃、給油、増し締めの3項目は、第1ステップで実施される自主保全であり設備劣化を防ぐための基本条件である。これらは全ての活動のベースになるものである。なお、点検は第4ステップで実施される。

b　×：設備の劣化には、設備を正しく使用していても経年により発生する自然劣化と設備に対してやるべきことを怠って人為的に劣化を促進させる強制劣化がある。自主保全は、設備を使用するオペレーター自身が保全活動を行って、**強制劣化を抑制**する活動である。自然劣化の抑制は困難であるため、自然劣化の進行に気づいて強度が限界を下回る前にその部位を復元し、設備の故障を防ぐ。

c　×：「自主保全の7ステップ」の中の最初のステップは、**初期清掃**である。仮基準を作成するのは**第3ステップ**である。

d　○：正しい。自主保全活動の第2ステップにおいて、清掃や検査等の保全が困難な場所を特定し、これらを効率化する活動が含まれる。

e　×：TPMのPMは、生産保全（Productive Maintenance）のことであり、**事後保全、予防保全、改良保全、保全予防**の4つの保全活動を含んでいる。この生産保全を全員で進めることからTPM（Total Productive Maintenance）と呼ばれている。

よって、**a：正、b：誤、c：誤、d：正、e：誤**が適切な組み合わせであるため、

ウが正解である。

（「自主保全士公式テキスト」公益財団法人日本プラントメンテナンス協会編　参照）

第20問

「エネルギーの使用の合理化及び非化石エネルギーへの転換等に関する法律」に関する問題である。この法律は「省エネ法」とも呼ばれ、その目的は「我が国で使用されるエネルギーの相当部分を化石燃料が占めていること、非化石エネルギーの利用の必要性が増大していることその他の内外におけるエネルギーをめぐる経済的社会的環境に応じたエネルギーの有効な利用の確保に資するため、工場等、輸送、建築物及び機械器具等についてのエネルギーの使用の合理化及び非化石エネルギーへの転換に関する所要の措置、電気の需要の最適化に関する所要の措置その他エネルギーの使用の合理化及び非化石エネルギーへの転換等を総合的に進めるために必要な措置等を講ずることとし、もつて国民経済の健全な発展に寄与すること」である（第一条）。1979年10月に施行され、その後2008年と2022年に改正されている。

a　✕：省エネ法第二条において、エネルギーとは「化石燃料及び非化石燃料**並びに熱（政令で定めるものを除く。）及び電気をいう**」と定められている。

b　〇：正しい。非化石燃料の中には、水素およびアンモニアが含まれる。その他、木材、廃タイヤ、廃プラスチックなども非化石燃料に含まれる。

c　✕：エネルギー使用量が一定以上の特定事業者は、中長期計画で定めたエネルギーの削減に**努めなければならない**。エネルギーの使用状況に関しては、定期報告書を提出しなければならない。

d　〇：正しい。複数の事業者が連携して省エネルギーの取組を実施する場合、連携省エネルギー計画を作成の上、経済産業大臣または経済産業局長に提出し、認定を受ければ、定期報告において、連携による省エネ量を事業者間で分配して報告することができる。

e　〇：正しい。工場等におけるエネルギー使用の合理化措置の中には、「化石燃料及び非化石燃料の燃焼の合理化」や「放射、伝導、抵抗等によるエネルギーの損失の防止」が含まれる。他に「加熱及び冷却並びに電熱の合理化」、「廃熱の回収利用」、「熱の動力等への変換の合理化」、「電気の動力、熱等への変換の合理化」が含まれている。

よって、**a**：誤、**b**：正、**c**：誤、**d**：正、**e**：正が適切な組み合わせであるため、**オ**が正解である。

生産職場の管理指標に関する問題である。各指標の値の大小による判断基準に関して問われている。

a ✗：労働災害に関する強度率は、安全性の管理指標の1つである。労働時間1,000時間あたりの労働損失日数であり、以下の式で求めることができる。強度率は災害の重さを表し、その値が**小さい**ほど職場が良好な状態にある。

$$強度率 = \frac{延べ労働損失日数}{延べ実労働時間数} \times 1,000$$

b ○：正しい。工程能力指数とは、ある工程の持つ工程能力を定量的に評価する指標の一つである。一般的に品質管理を行う上で上限規格値と下限規格値を設定する。上限規格値と下限規格値の範囲内で生じている品質のばらつきの幅を計算することで工程能力指数を求める。

工程能力指数は、下記の式で求めることができる。工程能力指数はその値が大きいほど職場が良好な状態にある。

$$工程能力指数 = \frac{上限規格値 - 下限規格値}{6 \times 標準偏差}$$

c ✗：MTTR（Mean Time To Restoration）は平均修復時間とも呼ばれ、「修復時間の期待値」（JIS Z 8141-6505）のことであり、設備の保全性を評価する指標である。期間中の総修復時間÷総修復数で求められ、その値が**小さい**ほど職場が良好な状態にある。

d ○：正しい。機械設備の故障発生と使用時間との関係を表すものとしてバスタブ曲線がある。縦軸は故障率、横軸は使用期間であり、描かれた曲線により、機械設備の導入初期および一定期間を経過した初期故障期に故障が多く、中間の偶発故障期には故障が少ないことがわかる。偶発故障期間は、設備や設備に使用する部品の寿命に達する以前の安定期であり、その値が大きいほど職場が良好な状態にある。

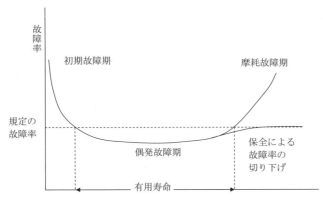

（出所：中嶋清一『設備と工具管理』日刊工業新聞社）

e ○：正しい。 歩留りとは、「投入された主原材料の量と、その主原材料から実際に産出された品物の量との比率」（JIS Z 8141-1204）である。歩留りは次の式で算出されるため、その値が大きいほど職場が良好な状態にある。

$$歩留り = \frac{産出された品物の量}{投入された主原材料の量} \times 100（\%）$$

よって、その値が大きいほど、職場が良好な状態にあることを示す指標は、**b**と**d**と**e**であるため、**オ**が正解である。

第22問

一般社団法人日本ショッピングセンター協会が公表している『SC白書2023（デジタル版）』からの出題である。本白書により2022年の国内外のSC動向や各種基礎データの推移を確認することができる。2022年末現在の総SC数は、3,133であり、その概況は以下のとおりである。

総 SC 数	3,133SC
総テナント数	164,653 店舗
1 SC 当りテナント数	53 店舗
総キーテナント数	2,889 店舗
総店舗面積	54,350,047 ㎡
1 SC 当り店舗面積	17,348 ㎡

＊SC数、面積は2022年末時点で営業中のSC

ア ✕： 1 SC当たりの平均テナント数は53店舗である。

イ ✕： 1 SC当たりの平均店舗面積は17,348㎡である。

ウ 〇：正しい。2022年に開設された36のSCのうち、中心地域7、周辺地域29であり、周辺地域の方が多い。

エ ✕：業種別テナント数において、物販店の数100,657に対し、飲食店の数は29,500であり、**物販店の方が多い**。

オ ✕：ビル形態別SC数において、商業ビルの数2,603に対し、駅ビルの数は149であり、**商業ビルの方が多い**。

よって、**ウ**が正解である。

（出典：一般社団法人日本ショッピングセンター協会『SC白書2023（デジタル版）』）

第23問

　令和4年4月に中小企業庁が公表した「令和3年度商店街実態調査報告書」からの出題である。この調査は、商店街の最近の景気や空き店舗の状況、商店街が抱える課題などを明らかにし、今後の商店街活性化施策の基礎資料とすることを目的に3年に1度実施されている。

　令和3年度の調査結果の概況は、以下のとおりである。

1商店街あたりの店舗数	51.2店（前回調査※よりも増加）
1商店街あたりのチェーン店舗率	10.6%（前回調査※より増加）
商店街の業種別店舗数	飲食店（28.0%）が最も多い
キャッシュレス決済の取組	50%以上の店舗で導入している商店街が21.9%
新型コロナウイルス感染症のまん延による影響を踏まえた商店街の新たな取組	テイクアウト販売に対応した（45.6%）が最も多い

※前回調査は平成30年度調査

ア ✕：1商店街あたりのチェーン店舗率は10.6%であり、前回調査（平成30年度調査）は10.1%であったため、**前回調査よりも増加している**。

イ ✕：キャッシュレス決済の取組について、80%以上の店舗で導入している商店街は5.5%である。

ウ 〇：正しい。新型コロナウイルス感染症のまん延による影響を踏まえた商店街の新たな取組は、「テイクアウト販売に対応した（45.6%）」の割合が最も多く、次いで「地域住民に対して商店街が安心安全に買物できる場所であることを周知した（40.9%）」、「キャッシュレス決済の積極的な導入（15.5%）」、「インターネット販売に対応した（8.0%）」の順に多くなっている。

エ ✕：商店街の業種別店舗数は、「**飲食店（28.0%）**」の割合が最も多く、次いで「衣料品、身の回り品店等（15.2%）」、「サービス店（13.7%）」の順に多くなっている。

よって、**ウ**が正解である。

（出典：中小企業庁「令和３年度商店街実態調査報告書」（令和４年４月））

食品リサイクル法およびその基本方針に関する問題である。基本方針では、食品循環資源の再生利用等を総合的かつ計画的に推進するために、必要な事項を定めている。

空欄A 「食品製造業」が入る。令和元年７月12日に公表された新たな基本方針において、2024年度（令和６年度）までの再生利用等実施率の目標を、業種全体で食品製造業は95％、食品卸売業は75％、食品小売業は60％、外食産業は50％を達成するように設定した。

空欄B 「外食産業」が入る。解説は、上記のとおりである。

空欄C 「食品廃棄物等多量発生事業者」が入る。平成21年度から、食品廃棄物等多量発生事業者（食品廃棄物等の前年度の発生量が100トン以上の食品関連事業者）は、毎年度、主務大臣に対し食品廃棄物等の発生量や食品循環資源の再生利用等の状況を報告することが義務付けられている。

よって、**エ**が正解である。

大規模小売店舗立地法に関する問題である。2000年６月に施行された大規模小売店舗立地法は、中心市街地活性化法と都市計画法とあわせて、まちづくり三法と呼ばれている。

ア ✕：本肢の内容は、2000年６月に廃止された**大規模小売店舗法**の目的である。大規模小売店舗立地法は、大規模小売店舗の設置者が配慮すべき事項として大規模小売店舗の立地に伴う交通渋滞、騒音、廃棄物等に関する事項を定め、大型店と地域社会との融和を図ることを目的としている。

イ ✕：大規模小売店舗立地法の施行に伴い、**大規模小売店舗法は2000年６月に廃止されている**。

ウ ○：正しい。大規模小売店舗立地法の対象は、店舗面積が1,000㎡を超える小売業を営む店舗であり、対象に飲食店は含まれない。

エ ✕：本肢の内容は、**地域商店街活性化法の目的**である。

オ ✕：大規模小売店舗を新設する場合、**開店予定日の８ヵ月前までに都道府県に対**して新設に関する届出をしなければならない。

よって、**ウ**が正解である。

第26問

小売店舗などの店舗施設における防火管理に関する問題である。

ア ✕：防火対象物とは、火災から守る対象物のことであり、消防法において「山林又は舟車、船きょ若しくはふ頭に繋留された船舶、建築物その他の工作物若しくはこれらに属するものをいう」と定義されている。特定防火対象物とは、防火対象物のうち、「不特定多数の者が出入りするものとして政令で定めるもの」と規定されているものであり、飲食店やカラオケボックスは特定防火対象物に定められている。

イ ✕：防火対象物に定められているのは、延長50m以上のアーケードである。

ウ ✕：消防法において、防火対象物に設置されている消火器具や火災報知器設備などの機器点検は、6ヶ月に1回以上行うものとする、と定められている。

エ 〇：正しい。防火対象物において、防火管理者の選任を要するか否かは防火対象物の収容人数によって決定される。スーパーマーケットの場合、収容人数が30人以上であれば防火管理者の設置が必要である。収容人数は、以下に掲げる数を合算して算定する。

　　1　従業者の数

　　2　主として従業者以外の者の使用に供する部分について次のイ及びロによって
　　　算定した数の合計数

　　　イ　飲食又は休憩の用に供する部分については、当該部分の床面積を3㎡で除
　　　　して得た数

　　　ロ　その他の部分については、当該部分の床面積を4㎡で除して得た数

　本肢においては、従業者数は不明だが、店舗面積が1,500㎡であることから上記2の条件によって、収容人数は30人を超えることがわかる。

オ ✕：建築基準法において、防災地域に看板を設置する場合、建物の屋上に設置するものや3m以上のものは、主要部材を不燃材料で作るか、覆う必要があると定められている。

　よって、**エ**が正解である。

第27問

都市再生特別措置法における立地適正化計画に関する問題である。立地適正化計画は、都市計画法を中心とした従来の土地利用の計画に加えて、居住機能や都市機能の誘導によりコンパクトシティ形成に向けた取り組みを推進しようとしているものである。

a ✕：複数市町村による広域的な生活圏や経済圏が形成されている場合、関連する市町村が連携して立地適正化計画を作成することが望ましいとされる。

b ✕：都市機能増進施設とは、「医療施設、福祉施設、商業施設その他の都市の居住者の共同の福祉や利便のため必要な施設であって、都市機能の増進に著しく寄与するもの」であり、**医療施設や教育施設も含まれる**。

c ○：正しい。1つの市町村内に複数の都市計画区域がある場合には、全ての都市計画区域を対象として立地適正化計画を作成することが基本となる。

よって、**a**：誤、**b**：誤、**c**：正が適切な組み合わせであるため、**オ**が正解である。

第28問

相乗積に関する問題である。相乗積は、以下のように算出できる。

> 相乗積＝各カテゴリーの売上構成比×各カテゴリーの粗利益率

したがって、表における（値1）、（値2）、（値3）は以下のように算出できる。

（値1）38％×25％＝9.5％

（値2）9％×40％＝3.6％

（値3）4.8％÷24％＝20.0％

設問1 ●●●

カテゴリーごとの粗利益高は、以下の式で求めることができる。

> 粗利益高＝売上高×粗利益率

それぞれのカテゴリーの粗利益高を計算した結果は、以下のとおりである。

商品カテゴリー	売上高	粗利益率	粗利益高
カテゴリーA	380万円	25.0％	95万円
カテゴリーB	140万円	30.0％	42万円
カテゴリーC	90万円	40.0％	36万円
カテゴリーD	240万円	20.0％	48万円
カテゴリーE	150万円	12.0％	18万円

粗利益高が2番目に少ないのはカテゴリーCである。

よって、**ウ**が正解である。

設問2 ●●●

設問の表に売上構成比と粗利益額を追加し、（値1）から（値3）までの数値を埋めた表は以下のとおりである。

商品カテゴリー	売上高	売上構成比	粗利益率	相乗積	粗利益高
カテゴリーA	380万円	38.0%	25.0%	9.5%	95万円
カテゴリーB	140万円	14.0%	30.0%	4.2%	42万円
カテゴリーC	90万円	9.0%	40.0%	3.6%	36万円
カテゴリーD	240万円	24.0%	20.0%	4.8%	48万円
カテゴリーE	150万円	15.0%	12.0%	1.8%	18万円
全体	1,000万円	100%	23.9%		239万円

ア ✕：カテゴリーAの粗利益率（25.0%）は全体の粗利益率（23.9%）よりも高く、取り扱いをやめると、**全体の粗利益率は低下する**。

イ ◯：正しい。カテゴリーBの粗利益率（30.0%）は全体の粗利益率（23.9%）よりも高く、売上高が2倍になると、全体の粗利益率は上昇する。

ウ ✕：カテゴリーCの売上高が2倍になった場合、粗利益高の増加額は36万円であり、カテゴリーBの売上高が2倍になった場合、粗利益高の増加額は42万円である。よって、**全体の粗利益高の増加額が大きくなるのは、カテゴリーBの売上高が2倍になった場合である**。

エ ✕：カテゴリーDの粗利益率（20.0%）は全体の粗利益率（23.9%）よりも低く、売上高が半分になると、**全体の粗利益率は上昇する**。

オ ✕：カテゴリーEの売上高が10倍になるとカテゴリーEの粗利益高も10倍になり180万円となる。全体の粗利益高は、95＋42＋36＋48＋180＝401万円となるが、このとき、もとの粗利益高239万円の約1.7倍であり、2倍以上にならない。

よって、**イ**が正解である。

第29問

　小売店の売場づくりに関する問題である。インストア・マーチャンダイジングとは、マーチャンダイジング部門において決定されたマーチャンダイジングの計画と戦略を、店頭において実現しようとする活動であって、具体的には、計画された商品構成とそれに基づいて設定された商品を、店頭に陳列・演出することによって消費者に提示し、効率的で効果的な方法により、その販売を促進しようとする諸活動である。

設問1 ● ● ●

　空欄A　「売場の奥」が入る。買上点数増加につなげるためには、店舗内での滞在時間を長くし、回遊性を高めることが望ましい。計画購買されやす

い商品を売場の奥に配置することで、買物客は目当ての商品を購入するために店舗の奥まで誘導される。これにより、動線長が長くなり、立寄率や視認率、買上率や買上点数増加につながりやすくなる。

空欄B 「関連購買」が入る。関連購買とは、買物客がある商品を購入する際に関連する商品を一緒に購入することである。条件購買とは、買物客が値引きなどの条件によって、購買意欲が喚起され、商品を購入することである。

よって、**ウ**が正解である。

設問2 ● ● ●

バラエティ・シーキングとは、ある商品カテゴリーにおいて、商品や購買行動に関する関与（関心）は高くないが、ブランド間の差が大きいと感じるため、いろいろなブランドを買って試す行動を起こすことである。

a ✕：総合的な品揃えとは商品のライン（幅）を広くすることである。バラエティ・シーキングされやすい商品カテゴリーであろうとなかろうと、品揃え商品数を増やすことは当該カテゴリーの商品が増えるだけであり、**商品のラインが広がる総合的な品揃えとはならず、むしろアイテムが深くなる専門的な品揃えとなる。**

b ✕：バラエティ・シーキングされやすい商品カテゴリーでは、関与が低く、いろいろなブランドを買って試す行動が起こることから、**当該カテゴリーの商品は相互に代替性があるといえる。**

c 〇：正しい。バラエティ・シーキングされやすい商品カテゴリーは、商品への関与とブランドへの知覚差異によって決定されることから、他の商品カテゴリーとの相対的な比較によって決まる。

よって、a：誤、b：誤、c：正が適切な組み合わせであるため、**オ**が正解である。

第30問

食品表示法および食品表示基準に関する問題である。

a ✕：食品表示法において、複数の原産地で生産された同じ種類の農産物を混合して販売する場合、**全体重量に占める割合の高いものから順にすべて表示することになっている。**

b ✕：機能性の表示ができる食品のことを保健機能食品といい、特定保健用食品（トクホ）のほかに、**栄養機能食品、機能性表示食品がある。**

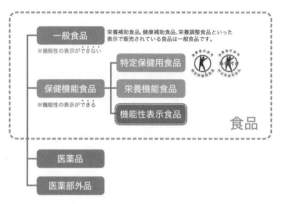

（出所：消費者庁「機能性表示食品って何？」）

c ○：正しい。賞味期限は、年月日まで表示しなければいけないが、製造日から賞味期限までの期間が3ヵ月を超えるものについては、年月で表示することが認められている。

よって、**a**：誤、**b**：誤、**c**：正が適切な組み合わせであるため、**オ**が正解である。

第31問

　小売店舗における在庫管理に関する問題である。本問の文章中において、定期発注方式の発注量について「一定期間の推定需要量から**安全在庫量**と有効在庫量を**減じて**算出される。」と説明されている。しかし、JIS（日本産業規格）では、「発注量＝（発注間隔＋調達期間）中の需要推定量－発注残－手持在庫量＋**安全在庫量**」と定義している。本問の説明に従って考えると、安全在庫量を増やすほど、発注量は減少することとなり、「季節変動などあらかじめ予測できる需要変動に対して、供給能力不足への備えとして先行して保有する在庫」（JIS Z 8141-7304）である安全在庫として機能せず、本問は成立しない。そして、令和5年9月5日に、本問は全員正解とすることが中小企業診断協会から発表された。本解説では、JISの定義にしたがって検討する。

　空欄A　「調達期間」が入る。定量発注方式における発注点は、以下の式で求められる。

> 発注点＝調達期間中の推定需用量＋安全在庫量

　空欄B　「調達期間と発注間隔の合計期間」が入る。定期発注方式の安全在庫量は以下の式で求められる。したがって、定期発注方式で考慮する需要変動の期間は、調達期間＋発注間隔であると分かる。

$$安全在庫（定期発注方式）＝安全係数×\sqrt{発注間隔＋調達期間}×需要量の標準偏差$$

安全係数：品切れ許容率によって決まる係数

空欄C　「高く」が入る。安全在庫とは、欠品を起こさないために保有しておく在庫である。定量発注方式の安全在庫は以下の式で求められる。したがって、定期発注方式、定量発注方式のいずれの発注方式であっても、欠品のリスクを小さくするためには、安全在庫を多く持てばよく、安全係数は正の値をとることから安全係数を高く設定するのがよい。

$$安全在庫（定量発注方式）＝安全係数×\sqrt{調達期間}×需要量の標準偏差$$

安全係数：品切れ許容率によって決まる係数

よって、**ア**が正解である。

第32問

　時系列データを用いた需要予測に関する問題である。時系列データは、傾向変動、循環変動、季節変動、不規則変動の4種類の要素に分解することができる。それぞれの意味は以下のとおりである。

変　動	内　容
傾向変動	技術革新や市場拡大など、長期にわたって増加、減少など少しずつ一定の方向性に動く持続的な変化
循環変動	景気変動ともよばれることがあり、周期は一定ではないが、一般的に3〜15年くらいで周期的に繰り返される変化
季節変動	1年単位（12ヶ月）で繰り返される変化
不規則変動	規則性や周期性がなく発生する変動で、突然の経済事象などの変化に起因する変化

ア　**×**：季節調整値とは、値を前月や前々月と比較する場合に、季節変動による経済統計値の動きを除いた値である。季節調整値は、原数値から季節変動を**除去した**数値で求めることができる。

イ　**×**：要因の1つが、景気の好況あるいは不況によって繰り返される変動は、**循環変動**である。季節変動が起こる要因として、自然条件や天候、暦の日数や内容、社会風習等がある。

ウ　**×**：要因の1つが、突発的な需要変動によって起こる変動は**不規則変動**である。

エ　**○**：正しい。季節変動は1年を周期とする変動である。

オ　**×**：長期間にわたって一方的な増加または減少の方向を持続する変動は、傾向変

動である。傾向変動は、長期的に見た持続的な変化を示している。

よって、**エ**が正解である。

第33問

輸送手段と輸送ネットワークの特徴に関する問題である。

ア ✕：着発線荷役（E&S：Effective & Speedy）方式とは、コンテナを本線上の列車から積み卸しすることである。着発線上に荷役ホームがあり、列車が駅に到着した直後に荷役作業を開始し、そのまま発車できるもので、駅構内での複雑な入換作業が不要なため、大幅なリードタイム短縮とコスト削減が期待できる。本肢の内容は従来の方式であり、荷物の積み卸しに貨車の切り離しや入れ換え、連結などの作業が伴い、貨物駅の設備に広いスペースと複雑な線路配線を必要とするとともに、大幅な手間と時間を要する。

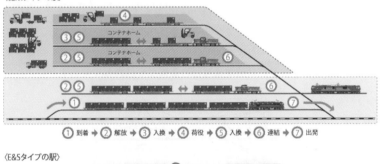

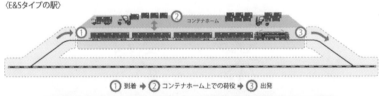

（出所　日本貨物鉄道㈱　https://www.jrfreight.co.jp/service/improvement/es.html）

イ ✕：「標準貨物自動車運送約款」では、運送の対価としての「運賃」および運送以外の役務等の対価としての「料金」を適正に収受できる環境を整備している。料金として積込みまたは取卸しに対する対価を「積込料」および「取卸料」と規定しており、運賃には運送以外の役務の提供としての対価は含まれない。

ウ ✕：日本全体の二酸化炭素排出量は鉄道輸送よりトラック輸送の方が多いことは正しいが、輸送トンキロ当たりの二酸化炭素排出量（1トンの貨物を1km運ぶ（＝

１トンキロ）ときに排出されるCO_2の量）もトラック輸送の方が多い。

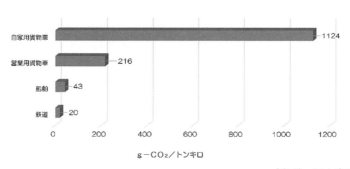

輸送量当たりの二酸化炭素の排出量（2021年度　貨物）

g－CO_2／トンキロ

（出所　国土交通省HP

https://www.mlit.go.jp/seisakutokatsu/freight/modalshift.html）

エ　✕：ハブ・アンド・スポークは、自転車の車輪をイメージするとわかりやすいが、中心のハブに拠点を設けることで、効率的なネットワークを確立することが可能となるという考え方である。したがって、ハブ・アンド・スポーク型の輸送ネットワークでは、出発地から最終目的地まで、物流拠点を経由して輸送することとなる。

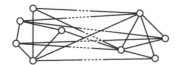

ポイント・トゥ・ポイント・システム

⇩

ハブ・アンド・スポーク・システム

オ　〇：正しい。幹線貨物輸送をトラックから大量輸送機関である海運（または鉄道）へ転換し、トラックとの複合一貫輸送を推進することをモーダルシフトという。日本国内の海運として、主にRORO船が利用されている。RORO船とは、貨物を積載したトラック、トレーラーをそのまま船内に積み込み、輸送することが可能な船舶のことである。

よって、**オ**が正解である。

　トラックの積載率の改善の取組に関する問題である。実車率は、トラックの走行距離に占める、実際に貨物を積載して走行した距離の割合である。積載率は、貨物を積載して走行するトラックの最大積載量に占める、実際に積載した貨物の量の割合である。仮に現状の倉庫から輸送する際の実車の積載率を60%とした場合、全体的な稼働率は以下のとおりとなる。トラックの積載率の計算には、空車を含めずに計算（荷物を積んでいるときの積載率のみ考慮）することに注意が必要である。

【中継輸送の取組前】

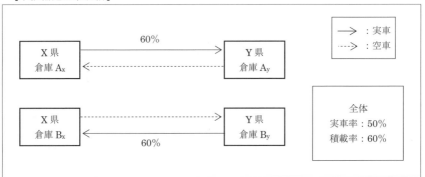

【中継輸送の取組後】

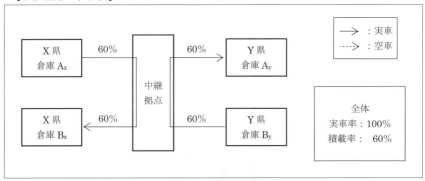

　以上より、**トラックの実車率は上昇し、積載率は変化しない。**

　よって、**エ**が正解である。

　物流センターの運営に関する問題である。

ア　○：正しい。ASNとは事前出荷明細（ASN：Advanced Shipping Notice）のことである。ASNは、SCM（Shipping Carton Marking）ラベルなどと組み合わせて

運用することで、仕入検品業務を大幅に省力化し、時間短縮につなげることができる。SCMラベルは、企業間での物流効率化を目的としてEDI（電子データ交換）とバーコードシステムとを連動させて、検品作業の簡素化を図るために制定した納品ラベルである。納品用オリコン（折りたたみコンテナ）などの内容明細を表示し、統一伝票の伝票番号を表示することにより、箱を開けなくても内容物を確認できる。また、SCMラベルのバーコードから内容物のデータを読み取り、納入業者より事前に伝送された出荷明細のデータ（ASN）と突き合わせることにより、受領検品作業が不要になり、大幅なコスト削減と物流のスピード化を図ることができる。

イ ✕：トラック予約受付システムとは、トラックドライバー等が、倉庫への到着時刻をスマートフォン等の携帯端末から事前に予約することができるシステムのことであり、**トラックの順番待ちの時間を削減し効率化を図るために導入される。**配車とは、配送先や荷量に合わせて車両やドライバーを割り当てる業務のことである。

ウ ✕：DPS（Digital Picking System）とは、デジタル表示器を活用して、**摘み取り方式でピッキングを行うシステムである。**一方、DAS（Digital Assorting System）とは、デジタル表示器を活用して、**種まき方式でピッキングを行うシステムである。**

エ ✕：ロールボックスパレットは、網状または格子状のスチール製の枠で覆われた、カゴ状の容器にキャスター（車輪）を装着した運搬用のパレットであり、**フォークリフトを必要としない。**

【ロールボックスパレット】

(出所：(一社)日本パレット協会　https://www.jpa-pallet.or.jp/about/)

オ ✕：フリーロケーション管理とは、棚と商品の対応にルールをもたせない方法である。入庫時に最適と判断する場所をシステムが決め、**保管する商品とその場所を紐づけして格納し、システム上で管理を行う。**

よって、**ア**が正解である。

第36問

JANシンボルに関する問題である。

ア ○：正しい。JANシンボルとは、わが国独自の呼び方であり、国際的にはEANシンボルと呼ばれている。

イ ×：JANシンボルの始まりと終わりを検出するために、左右にスペース（余白）が設けられており、**基準となる大きさが定められている**。

【JANシンボルの基本寸法】

（出所：（一財）流通システム開発センター　https://www.gsljp.org/）

ウ ×：JANシンボルは、**黒色でマーキングすることが最も望ましい**とされている。JANシンボルを読み取るためのスキャナの照射光は赤色が使用されており、**赤系統の色でバーを印刷すると、読み取りができなくなるので避けるべき**とされる。

エ ×：JANシンボルのバーの高さを削ることをトランケーションといい、印刷スペースが確保できないときなど、小さなスペースでもJANシンボルが表示できるように、トランケーションすることが認められている。ただし、**海外に輸出する商品ではトランケーションすることはできない**。

オ ×：バーコード専用プリンターでマーキングする方が品質の安定が見込めるが、汎用プリンターでマーキングしたJANシンボルであっても、**バーコードスキャナーで読み取ることは可能である**。

よって、**ア**が正解である。

第37問

商品コード（GTIN）に関する問題である。GTIN（Global Trade Item Number）とは、「国際標準の商品識別コードの総称」と定義され、商品・サービスに対して設定するGS1標準の商品識別コードである。

ア ○：正しい。インストアコード（インストアマーキング）とは、GTIN（JANコード）が設定されていない商品に対して、事業者が社内管理のために、20〜29（インストアマーキング用のプリフィックス：国コードに当たる部分）を先頭に用いて

設定するコードである。

イ ✕：GTIN-14の先頭の１桁目はインジケータと呼ばれ、集合包装の荷姿や入数違い、販売促進の単位を分けることになる。インジケータの後には集合包装に内包される個装（単品）のGTIN-13の先頭12桁が表記され、最後の１桁がチェックデジットで、合計14桁になる。**末尾のチェックデジットは、内包されるGTIN-13のチェックデジットとは異なる数字になる。**

ウ ✕：GTIN-13は、GS１事業者コード、商品アイテムコード、チェックデジットで構成され、**インジケータは含まれない。**

エ ✕：GTINは以下の４種類である。

コード	内　容
GTIN-8	JAN/EAN 短縮コード
GTIN-12	UPC コード
GTIN-13	JAN/EAN 標準コード
GTIN-14	集合包装用商品コード

オ ✕：GS１事業者コードの先頭の２桁は国コードであり、現在「49」と「45」が日本の国コードである。

よって、**ア**が正解である。

第38問

併買分析に関する問題である。２つの商品間の併買分析について、支持度、信頼度、ジャッカード係数、リフト値の算出が求められている。なお、問題文では下記のデータが与えられていないことに注意する。

商　品	購買者数（人）
A全数	36 人（26 + 10）
B全数	24 人（14 + 10）

商　品	購買者数（人）
C全数	26 人（18 + 8 ）
D全数	34 人（26 + 8 ）

上記の点に注意しながらベン図を作成すると次のとおりとなる。

【商品Aおよび商品B】

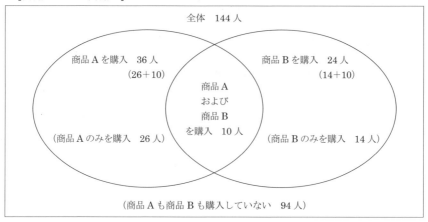

【商品Cおよび商品D】

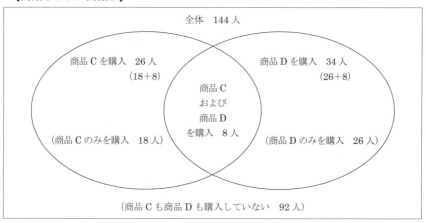

設問1 ● ● ●

ア ✕：支持度（サポート）とは、全顧客人数のうち特定の商品、または特定の商品
の組み合わせを購入した人数の割合を表す。商品Aおよび商品Dの支持度（サポー
ト）は、以下の式で求めることができる。

$$商品Aの支持度 = \frac{商品Aを購買した顧客数}{全顧客数}$$

$$= \frac{36}{144} = 0.25$$

$$\text{商品Dの支持度} = \frac{\text{商品Dを購買した顧客数}}{\text{全顧客数}}$$

$$= \frac{34}{144} = 0.236\cdots$$

したがって、**商品Aと商品Dの支持度の値は異なる。**

イ ✕：信頼度（コンフィデンス）は、ある特定商品を購買した人の中でもう1つの商品を同時購買した人数の割合を表す。商品Aからみた商品Bの信頼度および商品Bからみた商品Aの信頼度は以下の式で求めることができる。

$$\text{信頼度（商品A→商品B）} = \frac{\text{商品Aおよび商品Bを購買した顧客数}}{\text{商品Aを購買した顧客数}}$$

$$= \frac{10}{36} = 0.277\cdots$$

$$\text{信頼度（商品B→商品A）} = \frac{\text{商品Aおよび商品Bを購買した顧客数}}{\text{商品Bを購買した顧客数}}$$

$$= \frac{10}{24} = 0.416\cdots$$

したがって、**商品Aからみた商品Bの信頼度の方が小さい。**

ウ ✕：ジャッカード係数とは、2つの集合の類似性を評価する指標である。商品Aと商品Bのジャッカード係数および商品Cと商品Dのジャッカード係数は以下の式で求めることができる。

$$\text{商品Aと商品Bのジャッカード係数} = \frac{\text{商品Aおよび商品Bを購買した顧客数}}{\text{商品Aまたは商品Bを購買した顧客数}}$$

$$= \frac{10}{50} = 0.2$$

$$\text{商品Cと商品Bのジャッカード係数} = \frac{\text{商品Cおよび商品Dを購買した顧客数}}{\text{商品Cまたは商品Dを購買した顧客数}}$$

$$= \frac{8}{52} = 0.153\cdots$$

したがって、**商品Aと商品Bのジャッカード係数の方が大きい。**

エ 〇：正しい。選択肢アで、商品Aと商品Dの支持度を求めたため、商品Bと商品Cの支持度を求める。

$$\text{商品Bの支持度} = \frac{\text{商品Bを購買した顧客数}}{\text{全顧客数}}$$

$$= \frac{24}{144} = 0.166\cdots$$

$$\text{商品Cの支持度} = \frac{\text{商品Cを購買した顧客数}}{\text{全顧客数}}$$

$$= \frac{26}{144} = 0.180\cdots$$

したがって、4つの商品の中で商品Bの支持度が最小である。

オ ✕：商品Cからみた商品Dの信頼度および商品Dからみた商品Cの信頼度は以下の式で求めることができる。

$$\text{信頼度（商品C→商品D）} = \frac{\text{商品Cおよび商品Dを購買した顧客数}}{\text{商品Cを購買した顧客数}}$$

$$= \frac{8}{26} = 0.307\cdots$$

$$\text{信頼度（商品D→商品C）} = \frac{\text{商品Cおよび商品Dを購買した顧客数}}{\text{商品Dを購買した顧客数}}$$

$$= \frac{8}{34} = 0.235\cdots$$

したがって、**商品Cからみた商品Dの信頼度の方が大きい。**

よって、**エ**が正解である。

設問2 • • •

リフト値とは、もともとの特定商品の購買率に対して、ある商品との同時購買率の大きさを表す指標である。リフト値（商品A→商品B）とは、「商品Aを購買した人のうち商品Bを購買した人の割合」（分子）が「全顧客数のうち商品Bを購買した人の割合」（分母）の何倍になるのかを示した値である。算出式は以下のとおりである。

$$\text{リフト値（商品A→商品B）} = \frac{\dfrac{\text{商品Aと商品Bを購買した顧客数}}{\text{商品Aを購買した顧客数}}}{\dfrac{\text{商品Bを購買した顧客数}}{\text{全顧客数}}}$$

$$= \frac{信頼度(商品A→商品B)}{商品Bの支持度}$$

$$= \frac{\dfrac{10}{36}}{\dfrac{24}{144}} = \frac{10}{36} \div \frac{24}{144} = \frac{5}{3}$$

なお、リフト値（商品A→商品B）とリフト値（商品B→商品A）は同値になるため、どちらで計算しても問題ない。

よって、**オ**が正解である。

第39問

HACCP（Hazard Analysis and Critical Control Point）に関する問題である。HACCPとは、食品等事業者自らが食中毒菌汚染や異物混入等の危害要因（ハザード）を把握した上で、原材料の入荷から製品の出荷に至る全工程の中で、それらの危害要因を除去、または低減させるために特に重要な工程を管理し、製品の安全性を確保しようとする衛生管理の手法である。HACCPの7原則12手順は以下のとおりである。手順1～5は原則1～7を進めるにあたっての準備である。

＜HACCPの7原則12手順＞

手順1．HACCPのチーム編成

手順2．製品説明書の作成

手順3．用途および対象となる消費者の確認

手順4．製造工程一覧図の作成

手順5．製造工程一覧図の現場確認

手順6．危害要因分析（HA）の実施（原則1）

手順7．重要管理点（CCP）の決定（原則2）

手順8．管理基準の設定（原則3）

手順9．モニタリング方法の設定（原則4）

手順10．改善措置の設定（原則5）

手順11．検証方法の設定（原則6）

手順12．記録と保存方法の設定（原則7）

ア ✕：「HACCPのチーム編成」は手順1であり、7原則に含まれない。

イ ✕：「製造工程一覧図の現場確認」は手順5であり、7原則に含まれない。

ウ ✕：「製造工程一覧図の作成」は手順4であり、7原則に含まれない。

エ ✕：「製品説明書の作成」は手順2であり、7原則に含まれない。

オ ○：正しい。「モニタリング方法の設定」は、7原則のうち原則4に該当する。よって、**オ**が正解である。

顧客セグメント分析に関する問題である。ロイヤルカスタマーとは特定の企業やブランドに対して、繰り返し購買する優良顧客であるとともに、心理面において忠誠心の高い顧客のことである。ただし、本問においては、購買金額や購買頻度からロイヤルカスタマーを定義する方法を検討するため、心理面については考慮しない。

ア ○：正しい。RFM分析は、顧客を「R：Recency（最終購買日）」「F：Frequency（購買頻度）」「M：Monetary（購買金額）」という3つの観点でそれぞれポイントを付け、その合計点により、顧客をランク付けして管理していく手法である。RFM分析の結果、ポイントが高い層には差別的に手厚いサービスを提供する。

イ ✕：ABC分析とは、売上高・コスト・在庫といった評価軸を一つ定め、多い順にA、B、Cと3つのグループ分けをし、優先度を決める方法である。**Aランク商品のみ購買している顧客の購買金額や購買頻度が高いとは限らず**、ロイヤルカスタマーの定義方法として適切とはいえない。

ウ ✕：デシル分析とは、顧客を購買金額の多い順に並べ、顧客層を10等分し、上位のデシル（10等分にされたセグメント）に属する顧客を優良とみなす手法である。日ごとの購買金額の標準偏差が大きいということは、**日々の購買金額のバラつきが大きいということであり、購買金額や購買頻度が高いとは限らず**、ロイヤルカスタマーの定義方法として適切とはいえない。

エ ✕：k平均法とは、類似するデータ同士でグループ分けされたクラスターの「平均的な位置（重心）」を求めて、データを任意のk個のクラスターに分ける手法である。顧客の年齢と性別のデータを用いてクラスターを形成したときに、顧客の所属が最も多いクラスターは、**このスーパーマーケットの主要な顧客層**ということであるが、このクラスターに所属するすべての顧客の購買金額や購買頻度が高いとは限らず、ロイヤルカスタマーの定義方法として適切とはいえない。

オ ✕：最も年齢層の高いデシルの購買金額や購買頻度が高いとは限らず、ロイヤルカスタマーの定義方法として適切といえない。
よって、**ア**が正解である。

令和 **4** 年度 問題

uestions

令和 4 年度 問題

第1問　　★重要★

管理指標に関する記述として、最も適切なものはどれか。

ア　検査によって不適合と判断された製品の数を検査によって適合と判断された製品の数で除して、不適合品率を求めた。

イ　産出された品物の量を投入された主原材料の量で除して、歩留りを求めた。

ウ　実績時間を標準時間で除して、作業能率を求めた。

エ　投下した労働量をその結果として得られた生産量で除して、労働生産性を求めた。

オ　副材料、消耗品、エネルギーなどの消費量を工数または製品量で除して、作業密度を求めた。

第2問　　★重要★

以下の文章を読んで、下記の設問に答えよ。

　要素作業 a ～ h の先行関係が下図に示される製品を単一ラインで生産する。稼働予定時間は700時間で、目標生産計画量は5,900個である。ただし、設定サイクルタイムは分単位の整数値とする。

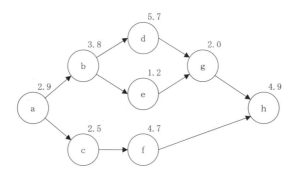

※○は要素作業、○の右上の数字は要素作業時間（分）を表す。

設問1　●●●

　目標生産計画量を達成することを前提に、生産ラインの各工程に要素作業を割り付けた。その割り付けの組み合わせとして、最も適切なものはどれか。

143

ア　第1工程：a　　　　　　　第2工程：b、c　　　　第3工程：d
　　第4工程：e、h　　　　　　第5工程：f、g

イ　第1工程：a、b　　　　　　第2工程：c、e　　　　第3工程：d
　　第4工程：f、g　　　　　　第5工程：h

ウ　第1工程：a、b　　　　　　第2工程：c、f　　　　第3工程：d、e
　　第4工程：g、h

エ　第1工程：a、b、c　　　　　第2工程：d、e、g　　　第3工程：f、h

オ　第1工程：a、b、e　　　　　第2工程：d、g　　　　第3工程：c、f
　　第4工程：h

設問2 ● ● ●

生産ラインの編成効率として、最も近い値はどれか（単位：％）。

ア　69　　イ　79　　ウ　89　　エ　97　　オ　99

第3問　　参考問題

製品設計に関する記述の正誤の組み合わせとして、最も適切なものを下記の解答群から選べ。

a　あらゆる業界で環境配慮型製品へのシフトが進み、製品設計・開発において、材料調達から出荷までのライフサイクル全体にわたって環境負荷を抑えることは企業の責任である。

b　機能設計では、製品の性能を実現するために必要な機能と、その機能を実現させる具体的な構造が決定される。

c　生産設計では、製品設計において決定された製品品質、生産量、納期を考慮した工程表や工程図が作成され、作業方法および生産設備が決定する。

d　製品寿命の短期化に対応するために、製品設計と生産設計を並行して行う手法であるエンジニアリング・アプローチを活用する。

[解答群]

	a	b	c	d
ア	a:正	b:正	c:正	d:誤
イ	a:正	b:誤	c:誤	d:誤
ウ	a:誤	b:正	c:正	d:誤
エ	a:誤	b:正	c:誤	d:正
オ	a:誤	b:誤	c:誤	d:正

第4問　　★重要★

生産方式に関する記述の正誤の組み合わせとして、最も適切なものを下記の解答群から選べ。

a　オーダエントリー方式は、生産工程にある半製品に顧客のオーダを引き当て、顧客が希望した仕様の製品として完成させるために、仕様に合わせた部品や作業を選択して生産する方式である。

b　生産座席予約方式は、設備の稼働状況を基に、顧客のオーダを到着順に生産する方式である。

c　モジュール生産方式は、あらかじめモジュール部品を複数用意し、受注後にそれらの組み合わせによって多品種の最終製品を生産する方式で、リードタイムの短縮が期待できる。

d　製番管理方式は、製品の組立を開始する時点で部品を引き当てる方式で、ロット生産にも利用可能で、特にロットサイズが大きい場合に適している。

[解答群]

	a	b	c	d
ア	a:正	b:正	c:誤	d:誤
イ	a:正	b:誤	c:正	d:正
ウ	a:正	b:誤	c:正	d:誤
エ	a:誤	b:正	c:誤	d:正
オ	a:誤	b:誤	c:正	d:正

統計的検定に関する以下の文章の空欄ＡとＢに入る語句の組み合わせとして、最も適切なものを下記の解答群から選べ。なお、検定においては、下のｔ表を使用すること。

ある製品特性の平均値は65.5である。この特性について、技術部門で新しい生産条件を設定して実験し、9個のサンプルを得た。その平均値は71.0、標準偏差は9.0であった。生産条件の変更によって特性の平均値が上がったか否かを、有意水準5％でｔ検定したところ、検定統計量の値は　Ａ　。これより、生産条件の変更によって平均値は上がったと　Ｂ　。

ｔ表

自由度	上側5％点
1	6.314
2	2.920
3	2.353
4	2.132
5	2.015
6	1.943
7	1.895
8	1.860
9	1.833
10	1.812

[解答群]

ア　Ａ：1.833以上となった　　　　Ｂ：いえる

イ　Ａ：1.833より小さくなった　　Ｂ：いえない

ウ　Ａ：1.860以上となった　　　　Ｂ：いえる

エ　Ａ：1.860より小さくなった　　Ｂ：いえない

オ　Ａ：1.860より小さくなった　　Ｂ：いえる

資材所要量計画に関する記述として、最も適切なものはどれか。

ア 従属需要品目とは、資材調達先企業からの要望に従い、生産する時期と数量が決定される品目のことである。

イ タイムバケットとは、外部企業からの資材の調達にかかる所要時間のことである。

ウ 独立需要品目とは、営業部門とは無関係に、生産部門や資材調達部門が独自の需要予測に基づいて、生産する時期と必要量を決定する品目のことである。

エ 部品構成表とは、購買部門が調達する資材と部品をリスト化した表のことである。

オ 部品展開とは、計画期間内に生産する最終製品の種類と数量が決まったとき、それらを生産するのに必要な構成部品の種類とその数量を求めることである。

下表は、あるプロジェクト業務を構成する各作業の要件を示している。CPM（Critical Path Method）を適用して、現状のプロジェクト完了までの最短時間を明らかにした上で、その最短時間を1時間短くするために必要な最小費用として、最も適切なものを下記の解答群から選べ（単位：万円）。

作業名	直前先行作業	所要時間 （時間）	単位時間当たりの 短縮費用（万円）
A	－	9	20
B	－	5	10
C	A	2	30
D	B	3	40
E	C	3	50
F	A，D	6	30
G	E，F	2	40

[解答群]

ア 10　　イ 20　　ウ 30　　エ 40　　オ 50

製品A〜Dの2つの工程の加工時間が下表のように与えられたとき、2工程のフローショップにおける製品の投入順序を検討する。

生産を開始して全ての製品の加工を完了するまでの時間（メイクスパン）を最小にする順序で投入した場合、メイクスパンに含まれる第1工程と第2工程の非稼働時間の合計値として、最も適切なものを下記の解答群から選べ。

	第1工程	第2工程
製品A	1	4
製品B	5	2
製品C	5	6
製品D	6	4

[解答群]
ア 2　イ 3　ウ 4　エ 5　オ 6

第9問

TOC（制約理論）における、ボトルネック工程やドラム、バッファ、ロープに関する記述として、最も不適切なものはどれか。

ア　ドラムは、一定で安定した生産活動を目指すために、製造プロセスの各工程において、一定のリズムに合わせて生産を進める役割を果たしている。

イ　バッファとは、設備故障や作業遅延など生産活動における不確実性に対する余裕分を含めたリードタイムのことである。

ウ　ボトルネック工程とは、工場全体の生産速度に決定的に影響する工程のことである。

エ　ロープは、ボトルネック工程の前後に隣り合う2つの工程間で生産指示や運搬指示を伝える役割を果たしている。

第10問 ★重要★

発注方式における発注点あるいは発注量の決定に関する記述として、最も適切なものはどれか。

ア　安全在庫は欠品を起こさないために決めるものであるが、保有在庫は安全在庫と

して決めた量を下回ることがある。

イ　経済的発注量は、累積入荷数量と累積出荷数量に基づいて決まる。

ウ　ダブルビン方式の発注量は、納入リードタイムを考慮して、その都度、決める。

エ　内示とは、発注後に納入日を提示することである。

オ　発注点とは、発注をする時点を示し、通常、日付のことである。

第11問　★重要★

QC7つ道具と新QC7つ道具に関する記述として、最も適切なものはどれか。

ア　管理図は、時系列データをヒストグラムで表した図である。

イ　散布図は、不具合を原因別に集計し、件数が多い順に並べた図である。

ウ　特性要因図は、原因と結果、目的と手段などが複雑に絡み合った問題の因果関係を表した図である。

エ　パレート図は、項目別に層別して出現頻度の高い順に並べるとともに、累積和を表した図である。

オ　連関図は、原因と結果の関係を魚の骨のように表した図である。

第12問

在庫管理に関する用語の記述として、最も適切なものはどれか。

ア　顧客へのサービス率は、（1－返品率）によって求められる。

イ　在庫回転率とは、標準在庫量を使用実績量で除したものである。

ウ　在庫引当とは、注文に対して在庫残高から注文量を割り当てて引き落とすことである。

エ　棚卸資産回転期間とは、棚卸を行った時点で保有している製品を在庫している期間のことである。

オ　発注残とは、発注の平準化のために、次の期に発注するために残している予定発注量のことである。

第13問　★重要★

部品Ａ、Ｂ、Ｃを用いて製品Ｘが製造される生産の流れについて、製品工程分析を行った結果を下図に示す。この図から読み取ることができる記述として、最も適切なものを下記の解答群から選べ。

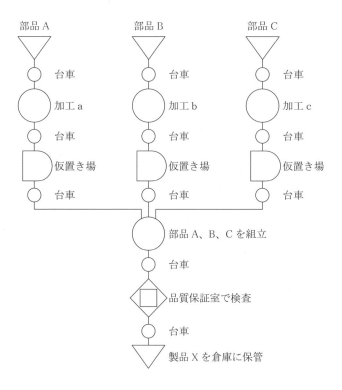

[解答群]

ア　加工 a 、b 、c は、同期して加工している。

イ　台車は11台である。

ウ　滞留を表す工程は、4カ所である。

エ　品質保証室での検査は、品質検査を主として行っているが、同時に数量検査も行っている。

オ　部品A、B、Cは、同じ倉庫にまとめて保管されている。

第14問　★重要★

　ある倉庫では、ある製品の入出庫管理が先入先出法で行われている。その製品の在庫状況を把握するために行った流動数分析の結果を下図に示す。この図から読み取ることができる記述として、最も適切なものを下記の解答群から選べ。

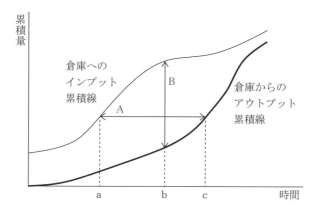

［解答群］

ア　Aが示す区間の値は、時点aにおける在庫量が倉庫に補充されるまでの期間である。

イ　Aが示す区間の値は、時点aに入庫した製品の倉庫における滞留期間である。

ウ　Bが示す区間の値は、時点bにおいて製品が倉庫に補充された量である。

エ　Bが示す区間の値は、時点bにおける製品が倉庫から出荷された量である。

オ　インプット累積線とアウトプット累積線における水平方向の間隔が広いほど、倉庫内の在庫が多い。

第15問

作業標準に関する記述の正誤の組み合わせとして、最も適切なものを下記の解答群から選べ。

a　作業標準の作成に当たっては、最善な作業方法で実行可能で、目的や目標値が具体的であることが重要であり、状況が変化した場合には常に改定されなければならない。

b　作業標準では、加工・組立・検査・準備段取作業などの直接的な作業に関する作業方法が規定されており、運搬や保全、異常処理作業などの間接的な作業に関する作業方法は含まれない。

c　作業標準は標準作業に基づいて作成されるもので、作業者の教育・訓練の基礎資料であるため、個別生産方式の職場では作成されない。

d　作業標準は文書化して保存しておくことが必要で、VTRや動画は現場の教育用として補助的に利用するものであり、正式な作業標準には含まれない。

［解答群］

ア　a：正　　b：正　　c：正　　d：誤

イ　a：正　　b：誤　　c：正　　d：誤

ウ　a：正　　b：誤　　c：誤　　d：誤

エ　a：誤　　b：正　　c：誤　　d：正

オ　a：誤　　b：誤　　c：誤　　d：正

第16問　　★重要★

　あるプレス工程では、1人の作業者が以下のような手順①、②で作業を行っている。

手順①　作業aの後に作業bを行い、これを5回繰り返す。

　　　　作業a：材料置き場から鉄板を1枚取り出し、プレス機に投入して加工する。

　　　　作業b：加工が終わった鉄板を取り出し、加工済みの鉄板を入れるパレットに移す。

手順②　加工済みの鉄板5枚を入れたパレットを仮置き場に移し、手順①に戻る。

　この手順①、②を1サイクルとして、ストップウオッチを使って時間研究を実施した結果、1サイクルの正味作業の観測時間の平均値は90秒、レイティング係数は110であった。次に、この作業者についてワークサンプリングを実施し、延べ500回の計測の中で余裕に該当するサンプルの数が60観測された。

　この結果を用いて標準時間を求めたとき、この1サイクルの標準時間として、最も適切なものはどれか。

ア　90秒未満

イ　90秒以上95秒未満

ウ　95秒以上100秒未満

エ　100秒以上

第17問 ★ 重要 ★

生産保全の観点から見た保全活動に関する記述として、最も適切なものはどれか。

ア　あらかじめ代替機を用意し、故障してから修理した方がコストがかからない場合は、予防保全を選択する。

イ　過去に発生した故障が再発しないように改善を加える活動は、事後保全である。

ウ　設備の劣化傾向について設備診断技術などを用いて管理することによって、保全の時期や修理方法などを決める予防保全の方法を状態監視保全という。

エ　掃除、給油、増し締めなどの活動は、設備の劣化を防ぐために実施される改良保全である。

第18問 ★ 重要 ★

ある設備について、1,000時間の負荷時間内での設備データを収集したところ下表が得られた。

基準サイクルタイム	5分／個
稼働時間	800時間
加工数量（不適合品を含む）	6,720個
不適合品率	20％

以下の改善施策を、期待される設備総合効率の高い順に並べたものとして、最も適切なものを下記の解答群から選べ。ただし、負荷時間は同じで、その他の条件も変わらないものとする。

a　不適合の原因を検討して、不適合品率を20％から15％にする。

b　速度低下の原因を改善して、加工数量を6,720個から7,680個にする。

c　段取作業を改善して、停止時間を半減させ、稼働時間を800時間から900時間にする。

```
[解答群]
ア　a－b－c　　イ　b－a－c　　ウ　b－c－a
エ　c－a－b　　オ　c－b－a
```

TPM（Total Productive Maintenance）に関する記述の正誤の組み合わせとして、最も適切なものを下記の解答群から選べ。

a　設備の高度化・複雑化に対応するために、生産部門と独立して保全部門を強化することが故障の未然防止につながる。

b　保全の技術・技能を高め、設備のMTTRをより長く、またMTBFをなるべく短くするような活動を進めることにより、故障ゼロ、不良ゼロを目指す。

c　設備総合効率は設備の実力を把握するための指標で、7大ロスを数値化したものである。

d　トップから第一線従業員に至るまで全員が参加し、重複小集団活動により実施する。

```
［解答群］
ア　a：正　　b：正　　c：正　　d：誤
イ　a：正　　b：正　　c：誤　　d：正
ウ　a：正　　b：誤　　c：正　　d：正
エ　a：誤　　b：正　　c：誤　　d：誤
オ　a：誤　　b：誤　　c：正　　d：正
```

第20問

作業改善における改善案作成のための原則に関する記述として、最も適切なものはどれか。

ア　ある設備における1年間のチョコ停事例の発生件数に基づいて、改善対象の優先順序をブレーンストーミングによって決定した。

イ　現在行われている検査項目について、5W1Hを活用し、まず最初に「How? Why?」の視点「どのようにしてその作業を行うのか?」を検討し、検査時間の短縮を実現した。

ウ　製品工程分析を実施し、動作経済の原則に基づいて作業順序を精査し、作業者の総移動距離が最小になるような配置に変更した。

エ　倉庫の仕分け工程について作業者工程分析を行い、ECRSの原則に基づいて簡素化できる作業方法を発見し、作業時間の短縮を実現した。

　環境問題に関する記述の正誤の組み合わせとして、最も適切なものを下記の解答群から選べ。

a　サーキュラー・エコノミー（循環経済）への移行を推進するためには、あらゆる主体におけるプラスチック資源循環等の取組（3 R＋Renewable）を促進し、資源循環の高度化に向けた環境整備を進めることが重要である。

b　エコアクション21は、中堅・中小事業者に配慮した、取り組みやすい継続的改善のためのPDCAサイクルを示しており、環境会計を公表することを義務付けている。

c　酸素は、発電・産業・運輸など、幅広く活用されるカーボンニュートラルのキーテクノロジーと位置付けられている。

```
[解答群]
ア　a：正　　b：正　　c：誤
イ　a：正　　b：誤　　c：正
ウ　a：正　　b：誤　　c：誤
エ　a：誤　　b：正　　c：正
オ　a：誤　　b：誤　　c：正
```

第22問　　参考問題

　下図は、経済産業省が公表している「2020年商業動態統計年報」を基に、2020年における百貨店、スーパー、コンビニエンスストアおよびドラッグストアの販売額を示したものである。

　図中のa～dに該当する小売業の組み合わせとして、最も適切なものを下記の解答群から選べ。なお、商業動態統計は2020年3月に改正されている。

問題

4年度

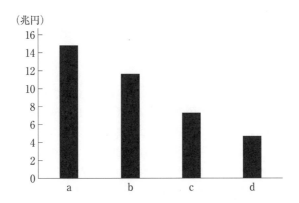

(兆円)

[解答群]
ア　a：コンビニエンスストア　　b：スーパー
イ　a：スーパー　　　　　　　　c：百貨店
ウ　b：コンビニエンスストア　　d：ドラッグストア
エ　c：ドラッグストア　　　　　d：百貨店

第23問

中心市街地活性化法に関する記述として、最も適切なものはどれか。

ア　この法律では、居住誘導区域の中に都市機能誘導区域を定める必要がある。
イ　この法律の対象となる区域を地区とする商工会または商工会議所は、当該区域の
　　中心市街地活性化協議会を組織することができない。
ウ　この法律の目的は、大規模小売店舗の立地に関して、その周辺の地域の生活環境
　　の保持をすることである。
エ　中心市街地整備推進機構の役割の１つは、中心市街地活性化にかかわる情報の提
　　供、相談、その他の援助などである。
オ　都道府県は、政府が定めた基本方針に基づき、基本計画を作成し、経済産業大臣
　　の認定を申請することができる。

第24問　　★重要★

都市計画法および建築基準法で定められている用途地域と建築物に関する記
述として、最も適切なものはどれか。なお、各記述における面積はその用途に
供する部分の床面積の合計を意味する。

ア　近隣商業地域には、100㎡（1階建て）の料理店を出店することができる。

イ　工業地域には、15,000㎡の店舗を出店することができる。

ウ　第一種住居地域には、500㎡（2階建て）のカラオケボックスを出店することができる。

エ　田園住居地域には、300㎡（1階建て）の農産物直売所を出店することができる。

第25問　★ 重要 ★

　A市とB市が、その中間にあるX町からどの程度の購買力を吸引するかを求めたい。下図の条件が与えられたとき、ライリーの法則を用いてA市とB市がX町から吸引する購買力の比率を求める場合、最も適切なものを下記の解答群から選べ。

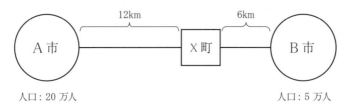

[解答群]

ア　A市：B市＝1：1

イ　A市：B市＝2：1

ウ　A市：B市＝1：2

エ　A市：B市＝8：1

オ　A市：B市＝1：8

第26問

　屋外広告物に関する記述の正誤の組み合わせとして、最も適切なものを下記の解答群から選べ。

a　屋外広告物法によれば、都道府県は、屋外広告物の形状、面積、色彩などの表示方法の基準を条例で定めることができる。

b　建築基準法によれば、広告塔を設置する場合、広告塔の高さにかかわらず、建築確認申請をする必要がある。

c　建築基準法によれば、防火地域内にある看板で、建築物の屋上に設けるものは、

主要部分を不燃材料で造るか不燃材料で覆わなければならない。

```
[解答群]
ア  a：正      b：正      c：正
イ  a：正      b：誤      c：正
ウ  a：正      b：誤      c：誤
エ  a：誤      b：正      c：誤
オ  a：誤      b：誤      c：正
```

第27問

　最寄品を取り扱う小売店の販売計画や計数管理に関する記述として、最も適切なものはどれか。

ア　カテゴリーマネジメントでは、店員の作業計画に基づき商品カテゴリー単位で販売計画を立案する。

イ　損益分岐点売上高を計算する際、変動費には売上原価は含まれない。

ウ　販売計画は年間で立案するものであり、月別や週別に細分化して立案する必要はない。

エ　販売計画立案時には、祝日のイベントや地域行事などの影響を考慮することが重要である。

オ　販売計画立案時の売上予測では、市場動向は考慮せず自店舗の過去の販売データのみを用いることが重要である。

第28問

　以下は、文房具店の店主X氏と中小企業診断士（以下、「診断士」という。）との間で行われた会話である。この会話に基づく下記の設問に答えよ。

X　氏：「最近は、近所の小学校の生徒数が少なくなっているので、子供向けの文房具の売上が落ちています。品揃えを変えていこうと考えているのですが、アドバイスをいただけますか。」

診断士：「品揃えの計画を立てるには、まず店舗の商圏における消費者のニーズを理解することが大事です。小学生が減っているということなので、新たな顧客層をターゲットにしたいですね。」

X　氏：「店舗の徒歩圏には高齢者が多く居住しているのですが、あまり来店していません。高齢者の方に使ってもらえる店にしていきたいと思います。」

診断士：「ニーズに合った商品を品揃えすることで、購買の機会を増やしたいですね。どのようなニーズがありそうですか。」

X　氏：「自治会では、高齢者の絵画サークルなどをやっているようなので、絵の具やデッサン用の鉛筆などの品揃えを増やそうと考えています。」

診断士：「買上点数を増やして<u>客単価を高めるために関連購買を促進できる取り組み</u>①をするのがよいでしょう。今はあまり来店されていないということなので、販売促進をして接客にも力を入れて常連客を増やすことが重要です。常連客の満足度を高めると、友人などへ口コミで店舗を薦めてもらえることも期待できます。」

X　氏：「分かりました。」

診断士：「ただ、文房具は毎日買うものではありません。そこで、別の取り組みとして、高齢者が好む菓子や飲み物など、<u>今まで販売していない商品カテゴリーの品揃え</u>②をしてはどうでしょうか。また、商品を販売するだけでなく、ワークショップなどを開いてもよいかもしれません。」

設問1 ● ● ●

会話の中の下線部①に記載されている関連購買の促進に関する記述として、最も適切なものはどれか。

ア　5回買うと特典を与えるスタンプカードによる販売促進を行う。

イ　同じデッサン用の鉛筆を10本買うと1本おまけをつける。

ウ　高齢者が好みそうな園芸用品を品揃えする。

エ　デッサン用の鉛筆と一緒に使う鉛筆削りと消しゴムを同じ棚に陳列する。

オ　来店目的になりやすい商品を品揃えする。

設問2 ● ● ●

会話の中の下線部②に記載されている、今まで販売していない商品カテゴリーの品揃えをするラインロビングに関する記述として、最も適切なものはどれか。

ア　今回のラインロビングの取り組みでは、近隣の商店へ影響することはない。

イ　今回のラインロビングの取り組みでは、顧客の来店目的に影響することはない。

ウ　今回のラインロビングを提案する主目的は、粗利益率を高めることにある。

エ　今回のラインロビングを提案する主目的は、買上点数を増やすことにある。

オ　今回のラインロビングを提案する主目的は、来店頻度を増やすことにある。

第29問　★重要★

スーパーマーケットの売場づくりに関する記述として、最も適切なものはどれか。

ア　買上点数を増やすために、レジ前売場には単価が低い商品よりも高い商品を陳列する。

イ　買物客の売場回遊を促すために、衝動購買されやすい商品は売場に分散配置する。

ウ　商品棚前の通路幅を広くすると、当該商品棚のゴールデンゾーンの範囲が広がる。

エ　販売促進を行うエンドの販売力は、主通路に面するよりもレジ前の方が高い。

オ　複数の入り口からレジまでの客動線を一筆書きのようにコントロールすることをワンウェイコントロールという。

第30問　★重要★

小売業の価格政策と特売に関する記述として、最も適切なものはどれか。

ア　EDLP政策の場合、プライスラインは1つしか設けない。

イ　定番価格を高く設定していても、特売を頻繁に繰り返すと顧客の内的参照価格は低下する。

ウ　特売による販売促進は、価格弾力性が低い商品ほどチラシなどで告知したときの集客効果が高い。

エ　ハイ・ロープライシング政策では、特売時における対象商品の販売数量を最大化することで店全体の利益率が高まる。

オ　端数価格には、買物客に安さを感じさせる心理的効果はない。

第31問　★重要★

小売店舗における在庫管理に関する以下の文章の空欄A～Cに入る用語の組み合わせとして、最も適切なものを下記の解答群から選べ。

　ある商品について、当該店舗の発注担当者は在庫量を毎日確認し、需要予測に基づいて必要と見込まれる数量を毎日発注している。ここで行われている発注方法を一般

的に　　A　　という。

　適正在庫を維持するためには、発注量を決めるための需要予測量を計算する期間を
　　B　　にする必要がある。また、毎日計算する発注量は、需要予測量と安全在庫の
合計数量から発注時の　　C　　を減算して求める必要がある。

[解答群]
ア　A：定期発注方式　　B：調達期間　　　　　　　　　　　C：手持在庫量
イ　A：定期発注方式　　B：調達期間と発注間隔の合計期間　C：手持在庫量
ウ　A：定期発注方式　　B：調達期間と発注間隔の合計期間　C：有効在庫量
エ　A：定量発注方式　　B：調達期間　　　　　　　　　　　C：有効在庫量
オ　A：定量発注方式　　B：調達期間と発注間隔の合計期間　C：手持在庫量

第32問　　★重要★

物品の輸送手段の特徴に関する記述として、最も適切なものはどれか。

ア　鉄道輸送において使用されるコンテナは、1種類に限定されている。
イ　トラックに積載した貨物をRORO船で輸送する際には、トラックがそのまま船内
　　へ入れないため、貨物を取り卸して船内に積み込む作業が発生する。
ウ　トラック輸送から鉄道輸送へのモーダルシフトを推進することにより、貨物の積
　　み替えが不要になる。
エ　トラック輸送の契約に関する「標準貨物自動車運送約款」では、運送の対価であ
　　る運賃と運送以外の役務等の対価である料金を区別している。
オ　路線便は、トラック1台を単独の荷主が貸し切りにして、発地から着地まで直行
　　する輸送方法である。

第33問　　★重要★

物流におけるユニットロードおよびその搬送機器に関する記述として、最も
適切なものはどれか。

ア　一貫パレチゼーションの推進は、荷役作業の効率化につながる。
イ　パレチゼーションの目的は、輸送中における貨物の温度管理をすることである。
ウ　平パレット1枚に積載できる貨物量は、積載する貨物のサイズによって決まり、
　　重量は無関係である。

161

エ　ユニットロード化を推進しようとすると、モーダルシフトが困難になる。

オ　ロールボックスパレットは、それ自体を上方向に積み重ねて使用することにより、商品の保管効率を高めることができる。

第34問　★重要★

チェーン小売業の物流センターの機能に関する記述として、最も適切なものはどれか。

ア　通過型物流センターの機能は、仕入先の在庫量と各店舗の在庫量を調整することである。

イ　通過型物流センターの入荷形態には、事前に商品を店舗別に仕分けて入荷する場合と、事前に仕分けをせずに総量をそのまま入荷する場合がある。

ウ　物流センターから店舗へのカテゴリー納品では、カテゴリー区分を細かく設定することにより、納品車両と商品が入った折りたたみコンテナ内の積載効率を高めることができる。

エ　物流センターを利用した取引では、商品の所有権の移転経路に一致するように物流経路を設定する必要がある。

オ　プロセスセンターは、在庫型物流センターの機能を補完するための小型拠点として、主に完成品の積替えと仕分けの機能を果たすセンターである。

第35問

トラックの積載率を改善させるために、取組案ａとｂを検討している。

現状では、物流センターＡと物流センターＢからそれぞれ別々にトラック１台が走行し、物流センターＣへ納品しており、各物流センターから輸送する際の実車の積載率は50％未満である。（下図参照）

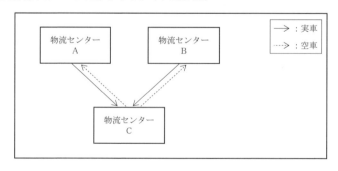

取組案aとbは、それぞれ以下のとおりである。

取組案a

　物流センターAの納品分を物流センターBに集めた後、物流センターBからまとめて物流センターCへ別のトラック1台で納品する。（下図参照）

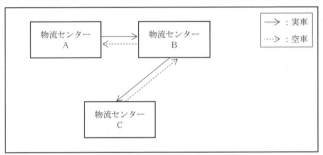

取組案b

　物流センターCから物流センターAと物流センターBをトラック1台が巡回して集荷し、物流センターCへ納品する。（下図参照）

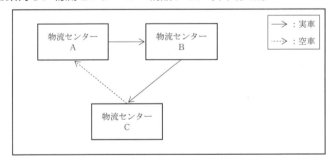

　上記の取組案aとbに関する記述として、最も適切なものはどれか。
　ただし、ここでいう積載率とは、「貨物を積載して走行するトラックの最大積載量に占める、実際に積載した貨物の量の割合」のことである。また、トラックの大きさ（最大積載量）は現状と取組案において全て同じである。

ア　トラックの積載率は、取組案aとbのいずれにおいても改善される。

イ　トラックの積載率は、取組案aでは改善されるが、bでは改善されない。

ウ　トラックの積載率は、取組案bでは改善されるが、aでは改善されない。

エ　トラックの積載率は、取組案aとbのいずれにおいても改善されない。

物流センターの運営に関する記述として、最も適切なものはどれか。

ア　3PLは、荷主が物流事業者に代わって物流センターを運営することである。

イ　ASNは、出荷する商品に誤りがないかを確認する出荷検品に利用される。

ウ　在庫管理の重点を決める手法として、ABC分析が利用される。

エ　種まき方式ピッキングは、オーダー別に商品を一品ごとに集品する方法である。

オ　マテハン機器のうち、パレタイザは保管用の機器であり、AGV（Automatic Guided Vehicle）は仕分用の機器である。

商品コード（GTIN）に関する記述として、最も適切なものはどれか。

ア　JANコードは国内のみで通用するコードであるので、例えばヨーロッパへ輸出する際にはEANコードなども別に表示する必要がある。

イ　インストアマーキングは、バーコードの中に価格データが入っていない「PLU」タイプと、バーコードの中に価格データが入っている「NonPLU」タイプの2種類に分けられる。

ウ　商品が製造または出荷される段階で、製造業者または発売元が商品包装にJANコードをJANシンボルにより表示することを、インストアマーキングという。

エ　ソースマーキングを行う際、先頭の2桁と最後の1桁以外は申請などをしなくても、自社商品や管理ルールに合わせた番号を自由に割り振ることが可能である。

オ　日本の企業のブランドで販売される場合であっても、実際の製造が海外で行われる商品には原産国の国番号を表示しなければならない。

　近年、商品識別に加えて、「製造年月日」や「品質保持期限日」といった属性情報もバーコードで表示して利用したい、という要求が高まっている。GS1では、これに対応するために、以下のシンボル例のカッコ内に示すGS1アプリケーション識別子（AI）を利用することで、商品識別コード以外の属性情報もバーコード化して伝達することを可能としている。

　AIに関する記述として、最も適切なものを下記の解答群から選べ。

(01)049＊＊＊＊＊＊＊＊＊＊(11)210707

＊シンボル例は実寸法ではなく、正確なバーコードを示しているわけではない。

＊カッコ内の０１や１１がAIであり、例えば（０１）は、次の（１１）の前まで
の記号列が商品識別コードであることを意味する。

［解答群］

ア　AIで規定されている情報項目では、固定長のデータのみ扱うことが可能で
ある。

イ　AIで表現できる情報項目では、漢字・かなといった特定の言語に依存する
テキストデータでも使用可能である。

ウ　AIはGS１が定めたグローバル標準であるため、国内に限らず、輸出入など
海外との取引においてもそのまま利用可能である。

エ　AIはGS１データマトリックスで利用可能であるが、GS１　QRコードでは利
用できない。

オ　属性情報のAIの番号は、昇順に設定しなければ認識されない。

第39問　★重要★

　ある小売店の一定期間におけるPOSシステムから得られた1,000件のレシー
トデータを分析する。このとき、商品ａと商品ｂの購買パターンについて、下
表のような結果が得られたとする。下記の設問に答えよ。

購買した商品	レシート件数
商品 ａ のみ	350件
商品 ｂ のみ	50件
商品 ａ と商品 ｂ の両方	250件

設問1 ● ● ●

　商品ａと商品ｂの購買パターンについての評価指標に関する記述として、
最も適切なものはどれか。

ア　商品 a からみた商品 b の信頼度（コンフィデンス）は、$\dfrac{5}{9}$ である。

イ　商品 a と商品 b を併買したパターンの支持度（サポート）は、0.25である。

ウ　商品 a を購買したパターンの支持度（サポート）は、0.45である。

エ　商品 b からみた商品 a の信頼度（コンフィデンス）は、$\dfrac{5}{7}$ である。

オ　商品 b を購買したパターンの支持度（サポート）は、0.35である。

設問2 ● ● ●

　商品 a と商品 b を併買した購買パターンのリフト値として、最も適切なものはどれか。

ア　$\dfrac{3}{10}$　　イ　$\dfrac{5}{13}$　　ウ　$\dfrac{5}{9}$　　エ　$\dfrac{5}{6}$　　オ　$\dfrac{25}{18}$

第40問

　商品の売上高の変化が関連しそうな2商品の組み合わせ3つ（以下、ペア番号1、2、3で示す。）について、POSデータを用いて分析を行い、下表のような相関係数を得た。ただし、これらのペア間で重複する商品は存在せず、全部で6種類の商品から構成される。

ペア番号	相関係数
1	0.1
2	0.8
3	−0.8

　また、いずれかのペアの月別売上高の関係を散布図で表したものが、以下の散布図 a、b、c である。

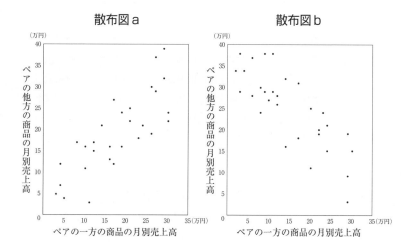

散布図 a

散布図 b

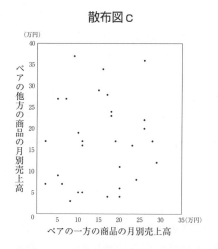

散布図 c

　このとき、ペア番号と対応する散布図の組み合わせとして、最も適切なもの
を下記の解答群から選べ。

［解答群］

ア　ペア番号１と散布図 a　　ペア番号２と散布図 b　　ペア番号３と散布図 c

イ　ペア番号１と散布図 b　　ペア番号２と散布図 a　　ペア番号３と散布図 c

ウ　ペア番号１と散布図 b　　ペア番号２と散布図 c　　ペア番号３と散布図 a

エ　ペア番号１と散布図 c　　ペア番号２と散布図 a　　ペア番号３と散布図 b

オ　ペア番号１と散布図 c　　ペア番号２と散布図 b　　ペア番号３と散布図 a

第41問

個人情報保護法の令和２年改正（令和４年４月全面施行）に関する以下の文章において、空欄Ａ〜Ｃに入る語句の組み合わせとして、最も適切なものを下記の解答群から選べ。

データの利活用において、従来から存在していた匿名加工情報よりも詳細な分析を比較的簡便な加工方法で実施したいというニーズの高まりを受け、　Ａ　が新たに創設された。匿名加工情報では、特定の個人を識別することができず、復元できないことが求められていたが、　Ａ　では　Ｂ　限り特定の個人を識別できないように加工されることが求められている。例えば、会員ID、氏名、職業、商品購買履歴で構成されるデータを加工する場合、　Ａ　では　Ｃ　を削除するなど個人が特定できないようにすることが必要となる。

［解答群］

ア　Ａ：仮名加工情報　Ｂ：インターネットで検索しない　　　　　Ｃ：職業

イ　Ａ：仮名加工情報　Ｂ：他の情報（対照表など）と照合しない　Ｃ：氏名

ウ　Ａ：仮名加工情報　Ｂ：他の情報（対照表など）と照合しない　Ｃ：職業

エ　Ａ：個人識別符号　Ｂ：インターネットで検索しない　　　　　Ｃ：職業

オ　Ａ：個人識別符号　Ｂ：他の情報（対照表など）と照合しない　Ｃ：氏名

令和 **4** 年度
解答・解説

nswers

令和 4 年度 解答

問題		解答	配点	正答率※	問題		解答	配点	正答率※	問題		解答	配点	正答率※
第1問		イ	2	B	第15問		ウ	2	B	第29問		ウ	2	D
第2問	(設問1)	イ	2	C	第16問		エ	3	C	第30問		イ	3	A
	(設問2)	イ	2	D	第17問		ウ	2	A	第31問		ウ	2	C
第3問		―	2	A	第18問		ウ	3	D	第32問		エ	2	B
第4問		ウ	2	A	第19問		オ	2	C	第33問		ア	2	A
第5問		エ	2	E	第20問		エ	2	B	第34問		イ	2	B
第6問		オ	2	C	第21問		ウ	3	B	第35問		ア	3	C
第7問		イ	3	B	第22問		エ	2	D	第36問		ウ	2	B
第8問		エ	2	D	第23問		エ	2	E	第37問		イ	2	B
第9問		エ	3	C	第24問		エ	3	D	第38問		ウ	2	B
第10問		ア	2	A	第25問		ア	2	C	第39問	(設問1)	イ	2	B
第11問		エ	2	B	第26問		イ	2	B		(設問2)	オ	3	D
第12問		ウ	2	B	第27問		エ	2	A	第40問		エ	3	A
第13問		エ	2	A	第28問	(設問1)	エ	2	A	第41問		イ	2	C
第14問		イ	3	B		(設問2)	オ	2	A					

※TACデータリサーチによる正答率
　正答率の高かったものから順に、A～Eの5段階で表示。
A：正答率80％以上　　　　　　B：正答率60％以上80％未満　　　C：正答率40％以上60％未満
D：正答率20％以上40％未満　　E：正答率20％未満

解答・配点は一般社団法人日本中小企業診断士協会連合会の発表に基づくものです。
※令和4年8月30日に同協会より、第3問は、すべての受験者の解答を正解として取り扱う旨が発表
　されました。

令和 **4** 年度
解説

第1問

管理指標に関する問題である。

ア ✕：不適合品率は、検査によって不適合と判断された製品の数を、**検査した製品の総数**で除して求める。

イ ○：正しい。歩留りは、産出された品物の量を、投入された主原材料の量で除して求める。

ウ ✕：作業能率は、標準時間を実績時間で除して求める。

エ ✕：労働生産性は、結果として得られた生産量を投下した労働量で除して求める。生産性を測定するためにはいくつかの方法があり、ひとつは生産するものの大きさや重さ、あるいは個数などといった物量を単位とする場合で、物的生産性という。物的生産性における労働生産性は以下の式で計算される。

$$労働生産性 = \frac{生産量}{労働者数}$$

次に、企業が新しく生み出した金額ベースの価値、つまり付加価値を単位とする場合があり、これを付加価値生産性という。付加価値生産性における労働生産性は以下の式で計算される。

$$労働生産性 = \frac{付加価値額}{労働者数}$$

本肢は、物的生産性における労働生産性の計算方法について問う選択肢であったと考えられる。ただし、物的生産性のことが分からなくても、正誤判断は可能であった。生産性指標は共通して産出量（output）を投入量（input）で除して求めるが、本肢は産出量と投入量が逆になっているためである。

オ ✕：作業密度は、作業者1人あたりの作業量を作業時間で除して求める。

よって、**イ**が正解である。

第2問

ライン生産に関する問題である。先行関係を表す図が示される出題パターンは、令和元年度第5問でも出題されている。

2つの設問を解く際に共通する必要情報は、サイクルタイムとなる。サイクルタイムは、以下のように求められる。

$$\text{サイクルタイム} = \frac{\text{生産期間}}{\text{(生産期間中の) 生産量}}$$

$$= \frac{700\text{(時間)} \times 60\text{(分／時間)}}{5{,}900\text{（個）}}$$

$$= 7.1\cdots\text{（分）}$$

サイクルタイムは「生産ラインに資材を投入する時間間隔」であるが、通常、製品が産出される時間間隔と等しくなる。本問の場合、「700時間で5,900個生産するためには、1個あたり約7.1分で生産する必要がある」と解釈できる。

また、本問の問題文には「設定サイクルタイムは分単位の整数値とする」とあるので、約7.1分を**7分**として、**設定サイクルタイムとする**（700時間で5,900個生産するためには、1個あたり7分で生産すれば達成できるが、1個あたり8分で生産すると間に合わなくなる）。

設問1 ● ● ●

各工程への要素作業の割り当てが問われている。与えられた条件を満たす割り付けを探す必要がある。考慮すべき条件は、次の3点である。

① 先行関係が適切であること（工程順が逆になっていないこと）

② 全体の作業時間を確保できる工程数であること（最小作業工程数を満たしていること）

③ 各工程の所要時間がサイクルタイム7分以下であること

① 先行関係が適切であること（工程順が逆になっていないこと）

選択肢**ア**の第4工程「h」と第5工程「g」は与えられた図と逆順になっているため、不適切となる。

② 全体の作業時間を確保できる工程数であること（最小作業工程数を満たしていること）

最小作業工程数は以下のように求められる。

$$\text{最小作業工程数} = \frac{\text{各作業の所要時間合計}}{\text{サイクルタイム}}$$

$$= \frac{2.9 + 3.8 + 2.5 + 5.7 + 1.2 + 4.7 + 2.0 + 4.9 (= 27.7)\,\text{（分）}}{7\,\text{（分）}}$$

$$= 3.9\cdots$$

最小作業工程数は切り上げた整数となるため、4となる。選択肢**エ**は工程が3つ

しかないため不適切となる。

③　各工程の所要時間がサイクルタイム 7 分以下であること

　　各工程の所要時間はサイクルタイム 7 分以下である必要がある。**選択肢ウ**の第 2
工程（c、f）と**選択肢オ**の第 1 工程（a、b、e）は 7 分を超えているため不適切と
なる。

　　3 つの条件をクリアするのは**選択肢イ**だけである。**選択肢イ**の割り付けをピッチダ
イアグラムにすると、以下のようになる。

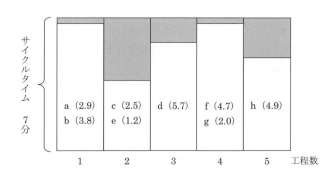

よって、**イ**が正解である。

設問2 ● ● ●

編成効率を求める問題である。編成効率は以下のように求められる。

$$編成効率 = \frac{各工程の所要時間の合計}{サイクルタイム \times 作業工程数}$$

$$= \frac{27.7}{7 \times 5}$$

$$= 0.791\cdots（約79\%）$$

よって、**イ**が正解である。

第3問

製品設計に関する問題である。

a　**✗**：あらゆる業界で環境配慮型製品へのシフトが進んでいることは正しい。製品
　設計・開発において、材料調達から**出荷、ユーザーの使用、使用後の廃棄**に至るま
　でのライフサイクル全体にわたって環境負荷を抑えることは企業の責任ということ
　ができる。

解答・解説

4年度

b　○：正しい。機能設計とは「期待する製品の性能を発揮するのに必要な機能とそれらの関連とを求め、各機能を実現させる構造を求める活動、又はその構造図」（JIS Z 8141-3109）のことをいう。

c　✕：本肢は、**工程設計**の説明である。生産設計とは「機能設計の内容について、生産に対する容易性・経済性などを考慮して設計する活動、又はその設計図」（JIS Z 8141-3110）のことである。

d　✕：本肢は、**コンカレントエンジニアリング**の説明である。コンカレントエンジニアリングは「製品設計と製造、販売などの統合化、同時進行化を行うための方法」（JIS Z 8141-3113）のことである。

よって、**a**：誤、**b**：正、**c**：誤、**d**：誤の組み合わせとなるが、解答群に正解肢が存在せず、本問は成立しない。そして、令和4年8月30日に、本問は全員正解とすることが中小企業診断協会から発表された。

第4問

生産方式に関する問題である。

a　○：正しい。オーダエントリー方式とは「生産工程において生産中の製品に顧客のオーダを引き当て、顧客の要求に応じて生産中の製品仕様を選択又は変更する生産方式」（JIS Z 8141-3207）のことである。ほぼ定義どおりの表現である。

b　✕：生産座席予約方式とは「受注したオーダを顧客が要求する納期どおりに生産するため、製造設備の使用日程・資材の使用予定などに割り付けて生産する方式」（JIS Z 8141-3208）のことである。予約表を見ながら空いている日程にオーダを割り付ける予約方式であり、**到着順に生産するとは限らない**。

c　○：正しい。モジュール生産方式とは「複数種類の部品又はユニットのモジュールをあらかじめ生産しておき、受注後にモジュールの組合せによって多品種の製品を生産する方式」（JIS Z 8141-3205）のことである。受注後に各部品をゼロから組み合わせて生産するよりも、リードタイムを短縮することができる。

d　✕：製番管理方式は「製造命令書において、対象製品に関する全ての加工及び組立の指示書を準備し、同一の製造番号をそれぞれにつけて管理する方式」（JIS Z 8141-3212）のことである。**製品の組立を開始する時点で部品を引き当てるわけではない**。また、**個別生産**や**小ロット生産に適した生産方式**とされる。

よって、**a**：正、**b**：誤、**c**：正、**d**：誤の組み合わせとなるため、**ウ**が正解である。

第5問

統計的検定の1つである t 検定に関する問題である。 t 検定とは、2つの母集団の

平均値に違いがあるかどうかの検定に用いられる。「2つの標本の母分散が未知であるが等しいこと」がt検定を用いる前提である（本問ではこの前提まで意識する必要はない）。

確認したい内容を対立仮説とし、その反対を帰無仮説として設定する。

・帰無仮説　「生産条件の変更によって（製品）特性の平均値は変化していない」

・対立仮説　「生産条件の変更によって（製品）特性の平均値が上がった」

設定した帰無仮説について検定を行う。本問では、「（製品）特性の平均値が変わったか（大きくなったり小さくなったり）」ではなく、「大きくなったか」を検証するため、両側検定ではなく右片側検定を行う。

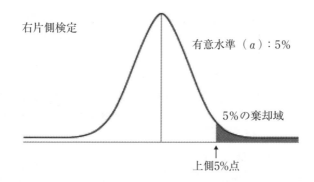

右片側検定

有意水準（a）：5％

5％の棄却域

上側5％点

まずは、与えられた設定条件より、検定統計量tの値を求める。検定統計量tは、データの平均を・、母平均をμ、標準偏差をs、サンプルサイズnとすると、以下のように算出される。

$$t = \frac{\bar{x} - \mu}{\frac{s}{\sqrt{n}}} = \frac{71 - 65.5}{\frac{9}{\sqrt{9}}} = \frac{5.5}{3} \fallingdotseq 1.833$$

この検定統計量t値が、棄却域に含まれるか否かで、帰無仮説「生産条件の変更によって（製品）特性の平均値は変化していない」が棄却されるか否かを判断する。

次に、棄却域の境界（上側5％点）を、与えられたt表から求める。検定に用いる自由度とは、自由に動けるサンプルサイズのことをいい、t検定では「自由度はサンプルサイズから1を引いた値」となる（中小企業診断士試験における検定に関する問題では、（自由度＝サンプルサイズ−1）と考えて差し支えない）。本問においては、サンプルサイズが9個と示されているので、自由度は8となる。よって、上側5％点は1.860となる。

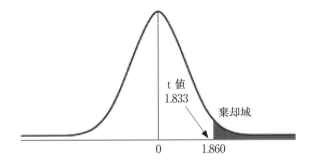

t 値
1.833

棄却域

0   1.860

　以上より、検定統計量の値は、棄却域に含まれていないと判断できる。したがって、検定統計量の値が「1.860より小さくなった」（空欄A）。これにより帰無仮説が棄却されず、生産条件の変更によって平均値は上がったと「いえない」（空欄B）。

　よって、**エ**が正解である。

第6問

　資材所要量計画に関する用語の定義を問う問題である。資材所要量計画とは、製造業で用いられる「どの資材を」、「いつ」、「どれだけ発注するか」を決定するプログラムでありMRP（Material Requirements Planning）とよばれている。

ア　×：在庫には使用意図による以下の分類がある。

分　類	内　　　容
独立需要品目	・「受注又は予測に基づいて、その必要量と必要時期とを決定する品目」（JIS Z 8141-2103） ・他の品目の需要とは直接的な関係がなく需要が発生する品目 ・製品やアフターサービスに用いる部品などが該当する
従属需要品目	・「その品目に対する需要（必要量及び必要時期）が、独立需要品目又は上位品目の需要から算定される品目」（JIS Z 8141-2104） ・他の品目の需要に関連して需要が発生する品目 ・生産に用いる材料や部品などが該当する

　資材調達先企業からの要望に従い、生産する時期と数量が決定される品目は**独立需要品目**である。

イ　×：MRPでは、ある一定期間ごとに区切って所要量を算定するが、この期間の単位をタイムバケットという。外部企業から資材の調達にかかる所要時間は、**調達リードタイム**である。

ウ　×：上表のとおり、独立需要品目は、他の品目の需要とは直接的な関係がなく需要が発生する品目であり、**営業部門と無関係に決定されるものではない**。

エ ×：部品構成表は「製品又は親部品を生産するのに必要な子部品の、種類及び数量を示したもの」（JIS Z 8141-3307）と定義される。したがって、**購買部門が調達する資材と部品をリスト化した表ではない。**

オ 〇：正しい。部品展開は「計画期間内に生産しなければならない最終製品の種類及び数量が決まったとき、BOMを基に、それらの製品を作るために必要な構成部品又は資材の種類とその数量とを求める行為」（JIS Z 8141-3306）と定義される。

よって、**オ**が正解である。

第7問

PERTに関する問題である。解法は以下のとおりである。

＜手順①＞ アローダイアグラムを作成し、クリティカルパスを確認する。

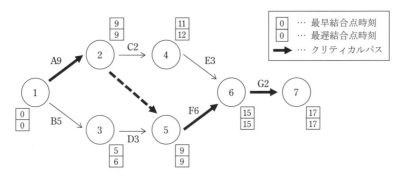

設定した最早結合点時刻（EPST）と再遅結合点時刻（LPST）が同じ値となるノード（1→2→5→6→7）を結ぶことによって、クリティカルパスを認識することができる。クリティカルパスは、A→F→Gである。

＜手順②＞クリティカルパスの中から、短縮費用が最小の作業を探す。

単位時間あたりの短縮費用は、Aが20万円、Fが30万円、Gが40万円である。プロジェクト全体を1時間短縮するための最小費用はAの20万円となる。

よって、**イ**が正解である。

第8問

ジョンソン法の問題である。問題で問われている「非稼働時間」の解釈がポイントとなる。

【順序決定の手順】

① すべての製品の作業の中で加工時間が最小なのは、製品Aの第1工程(1)である。第1工程（前工程）に最小時間が来ているので、製品Aは最初に着手する。

② 残った製品の作業の中で加工時間が最小なのは、製品Bの第2工程(2)である。第2工程（後工程）に最小時間が来ているので、製品Bは最後に着手する。

③ 残った製品の作業の中で加工時間が最小なのは、製品Dの第2工程(4)である。第2工程（後工程）に最小時間が来ているので、製品Dはなるべく後（3番目）に着手する。

④ 残った製品Cが残った順序である2番目の着手となる。

以上より、着手順は、A→C→D→Bとなる。

この着手順と与えられた加工時間より、ガントチャートを作成し、全体の所要時間および非稼働時間を図示する。

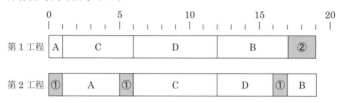

非稼働時間は、計4回、合計5である。

よって、**エ**が正解である。

第9問

TOC（Theory Of Constraints、制約条件の理論）の用語に関する問題である。

ア ○：正しい。各生産工程においては、ボトルネック工程（最も負荷が高く、所要時間を要する工程）のペースに合わせて生産を行うことによって、ムダな仕掛品在庫を抑制することができる。そのため、各工程を同期させ、同じスピードで生産を進めることが必要である。この考え方や仕組みを「ドラム」（音を出し合図して、全体のリズム、スピードを合わせる）という。

イ ○：正しい。バッファとは、生産活動における不確実性を吸収するために設定された余裕時間のことをいう。

ウ ○：正しい。ボトルネック工程は、生産工程において、最も負荷が高く、所要時間を要する工程のことである。工場全体の生産速度は、ボトルネック工程の処理速度以上に上げることはできないため、全体に決定的に影響する工程といえる。

エ ×：ロープは、**ボトルネック工程よりも前の工程**において、ボトルネックと同期するように生産指示や運搬指示を伝える役割を果たしている。ボトルネック工程よりも後ろの工程は、ボトルネック工程を超える速度で生産することができないため、ロープで結ぶ（生産指示や運搬指示を伝える）必要はない。

よって、**エ**が正解である。

第10問

発注方式における発注点あるいは発注量の決定に関する問題である。

ア ○：正しい。安全在庫は「需要変動又は補充期間の不確実性を吸収するために必要とされる在庫」（JIS Z 8141-7304）のことである。需要変動または補充期間の不確実性が存在しなければ、保有在庫量は常に安全在庫量を上回るが、想定外に需要が増加した場合などには安全在庫を消費して対応するため、保有在庫は安全在庫として決めた量を下回ることがある。

イ ✕：定量発注方式における発注量は、経済的発注量が用いられる。経済的発注量は、以下のように求められる。

$$経済的発注量 = \sqrt{\frac{2 \times 1回の発注費用 \times 1期当たりの推定所要量}{1個1期当たりの在庫保管費}}$$

上式より、経済的発注量は「1回の発注費用」、「1期当たりの推定所要量」、「1個1期当たりの在庫保管費」の3つの要素に基づいて決まる。

ウ ✕：ダブルビン方式は、定量発注方式の簡易版である。同容量の在庫が入った容器（ビン）を2つ用意しておき、一方の容器が空になった時点（在庫量が残り1容器の容量になった時点）で1容器の容量を発注する方式である。したがって**発注量は、納入リードタイムは考慮されず、都度決める必要もない**。

エ ✕：内示（内示発注）とは「発注先に**事前に予約的に注文品目、量の概算を知らせること**」（JIS Z 8141-7212　注釈2）である。

オ ✕：発注点とは、定量発注方式における**発注時期を決定する在庫水準のことで**ある。発注点は、以下のように求められる。

発注点＝調達期間中の推定需用量＋安全在庫量

よって、**ア**が正解である。

第11問

QC7つ道具と新QC7つ道具に関する問題である。QC7つ道具は、発生した不良の原因を追究し、その原因を除去することで工程の改善を図っていく解析アプローチであるのに対して、新QC7つ道具は複雑に絡み合った要因を、あらかじめ予測して因果関係を整理する設計的アプローチである。

ア ✕：管理図は、連続した量や数値として計測できるデータを時系列に並べたものであるが、**管理線を記入してこれが異常であるかどうかを判断する**。管理図ではヒストグラムは用いない。

イ ✕：本肢の内容は、**パレート図の説明である**。散布図は、2つの特性をタテ軸と

ヨコ軸とし、観測値を打点してつくるグラフ表示である。

ウ ✕：本肢の内容は、**連関図**の説明である。特性要因図は、ある結果（特性）をもたらす一連の原因（要因）を階層的に整理するもので、矢印の先に結果を記入して、多くの原因が、結果に対してどのような因果関係になっているのかを視覚的に図示する手法である。その形状から魚の骨とも呼ばれる。

エ 〇：正しい。パレート図は、項目別に層別して出現頻度の高い順に並べるとともに、累積和を表した図である。

オ ✕：本肢の内容は、**特性要因図**の説明である。連関図は、問題の発生原因が複雑に絡み合っているときに、その因果関係を明確にすることで原因を特定する手法である。

よって、**エ**が正解である。

第12問

在庫管理に関する問題である。

ア ✕：（顧客への）サービス率とは、顧客からの出荷要請に対して品切れすることなく対応することができるかを示す尺度である。サービス率は、一般的に以下のように求められる。

$$\text{サービス率} = \frac{\text{出荷要請された数量} - \text{品切数量}（= \text{実際に出荷できた数量}）}{\text{出荷要請された数量}}$$

イ ✕：在庫回転率は「一定期間における在庫の回転回数」（JIS Z 8141-7303）のことである。在庫回転率は、**一定期間の所要量を平均在庫量で除して**求める。

ウ 〇：正しい。在庫引当は「注文又は出庫要求に対して、在庫台帳の在庫残高にその量を割り当て引き落とす行為」（JIS Z 8141-7310）のことである。

エ ✕：棚卸資産回転期間は、棚卸資産が在庫として企業内に滞留している日数（または月数）を表す指標である。

$$\text{棚卸資産回転期間} = \frac{\text{棚卸資産}}{\text{平均売上高}}$$

分母の平均売上高には、棚卸を行った時点で保有していない製品（一時的に欠品している製品など）の売上高も含まれる。したがって、**棚卸を行った時点で保有していない製品も含めた指標**である。

オ ✕：発注残は「**発注済みであるがまだ手元にない在庫量**」（JIS Z 8141-7308）のことである。

よって、**ウ**が正解である。

工程分析の基本図記号に関する問題である。

【基本図記号】

要素工程	記号の名称	記号	意味
加 工	加 工	◯	原料、材料、部品または製品の形状、性質に変化を与える過程を表す。
運 搬	運 搬	○	原料、材料、部品または製品の位置に変化を与える過程を表す。※運搬記号の直径は、加工記号の直径の1/2〜1/3とする。◯のかわりに⇨を用いてもよい。
停 滞	貯 蔵	▽	原料、材料、部品または製品を計画により貯えている過程を表す。
	滞 留	D	原料、材料、部品または製品が計画に反して滞っている状態を表す。
検 査	数量検査	□	原料、材料、部品または製品の量または個数を測って、その結果を基準と比較して差異を知る過程を表す。
	品質検査	◇	原料、材料、部品または製品の品質特性を試験し、その結果を基準と比較してロットの合格、不合格または個品の良、不良を判定する過程を表す。

複合記号は、主となる要素工程の記号を外側に、従となる要素工程の記号を内側に示す。

【複合記号の例】

記号	意味
◇□	品質検査を主として行いながら数量検査もする。
⇨◯	加工を主として行いながら運搬もする。

ア ✕：製品工程分析から、各工程の生産速度や稼働時間、それに対する材料の供給時刻などが一致（同期）していることは読み取ることができない。

イ ✕：図中に、台車による移動は11か所あるが、同一の台車を重複利用していることが想定される。よって、図中から台車の数を読み取ることはできない。

ウ ✕：滞留は３か所である。上表のとおり、停滞には貯蔵と滞留があり、貯蔵を表す工程は、４か所である。

エ ◯：正しい。複合記号は、主となる要素工程の記号を外側に、従となる要素工程

の記号を内側に示す。品質保証室の検査は、外側に品質検査、内側に数量検査の記号となっている。

オ ✕：各部品が、同じ倉庫にまとめて保管されていること（もしくは、別々の倉庫に保管されていること）は、**図中から読み取ることができない**。

よって、**エ**が正解である。

流動数分析に関する問題である。流動数分析は、同じ製品を継続的に生産する場合の進捗管理や問題のある工程の特定などに用いられるが、本問のように在庫管理に用いることも可能である。

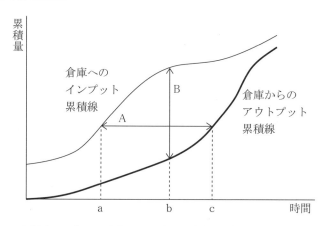

ア ✕：Aが示す区間の値は、時点aに入庫した製品が時点cにおいて出荷されるまでの倉庫における滞留期間である。

イ 〇：正しい。

ウ ✕：Bが示す区間の値は、時点bにおける**累積インプット量（入庫量）と累積アウトプット量（出庫量）との差分**であるため、倉庫の在庫量を示している。

エ ✕：選択肢**ウ**の解説のとおりである。

オ ✕：インプット累積線とアウトプット累積線における水平方向の間隔が広いほど、倉庫内の在庫の滞留期間が長いことを示す。倉庫内の在庫が多い場合は、インプット累積線とアウトプット累積線における垂直方向の間隔が広くなる。

よって、**イ**が正解である。

作業標準に関する問題である。作業標準は「製品又は部品の各製造工程を対象に、

作業条件、作業方法、管理方法、使用材料、使用設備、作業要領などに関する基準を規定したものである。」（JIS Z 8141-5501　注釈1）と定義される。

a　○：正しい。記述のとおりである。

b　×：作業標準を設定する対象は、職場内で行われるすべての**直接作業（加工、組立、検査など）**と間接作業（運搬、清掃、保全など）に及ぶ。

c　×：標準作業は、「製品又は部品の製造工程全体を対象にした、作業条件、作業順序、作業方法、管理方法、使用材料、使用設備、作業要領などに関する基準の規定」（JIS Z 8141-5501）と定義される。作業標準が各工程を対象とした規定であるのに対し、標準作業は製造工程全体を対象にした規定である。したがって、作業標準が標準作業に基づいて作成されることや、作業者の教育・訓練の基礎資料であることは正しい。しかし、**個別生産方式の職場では作成されない**ということはない。個別生産であっても共通の作業は存在するため、作業標準が作成されることがある。

d　×：VTRや動画により作業標準書が作成されることもある。動画にすることにより、細かい動作などを伝えやすく、作業内容をイメージしやすいなどのメリットがある。

　　　よって、**a**：正、**b**：誤、**c**：誤、**d**：誤の組み合わせが適切であるため、**ウ**が正解である。

第16問

ストップウォッチ法による標準時間設定の問題である。作業手順が詳細に記載されているが、内容を把握する必要はなく、与えられた数値データから標準時間を算出するのみの問題であった。

① 正味時間の算出

正味時間は、次の式で求めることができる。

正味時間＝観測時間の代表値×レイティング係数

$$= 90 \times 110 (\div 100)$$

$$= 99 (秒)$$

② 余裕率の算出

ワークサンプリングの結果を用いて、余裕率を算出する。内掛け法と外掛け法のいずれを用いてもよい。

$$余裕率（内掛け法） = \frac{余裕回数}{全サンプル数} = \frac{60}{500} = 0.12$$

$$余裕率（外掛け法） = \frac{余裕回数}{全サンプル数 - 余裕回数} = \frac{60}{440} = \frac{3}{22}$$

外掛け法の余裕率は割り切れない数値となるため、分数で計算するとよい。

③　標準時間の算出

①②の結果を使い標準時間を算出する。

$$標準時間（内掛け法）＝正味時間×\frac{1}{1－余裕率}＝99×\frac{1}{1－0.12}＝112.5（≧100）$$

$$標準時間（外掛け法）＝正味時間×（1＋余裕率）＝99×（1＋\frac{3}{22}）$$

$$＝\overset{9}{99}×\frac{25}{\underset{2}{22}}$$

$$＝112.5（≧100）$$

よって、**エ**が正解である。

第17問

　生産保全の観点から見た保全活動に関する問題である。生産保全とは、「生産目的に合致した保全を経営的視点から実施する、設備の性能を最大に発揮させるための最も経済的な保全方式」（JIS Z 8141-6203）と定義され、生産保全の目的は、設備の計画、設計・製作から運用・保全を経て廃棄、再利用に至る過程で発生するライフサイクルコストを最小にすることによって経営に貢献することである。生産保全は次のとおり分類される。

【生産保全の分類】

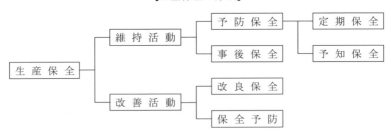

（出所：中央職業能力開発協会編『ビジネス・キャリア検定試験　標準テキスト【専門知識】生産管理プランニング（生産システム・生産計画）2級』社会保険研究所一部改変）

ア　**✕**：あらかじめ代替機を用意し、故障してから修理したほうがコストを抑えられる場合は、**事後保全**を選択する。予防保全は「アイテムの劣化の影響を緩和し、か

つ、故障の発生確率を低減するために行う保全」（JIS Z 8141-6205）である。

イ ✕：過去に発生した故障が再発しないように改善を加える活動は、**改良保全**である。事後保全とは「フォールト検出後、アイテムを要求どおりの実行状態に修復させるために行う保全」（JIS Z 8141-6204）のことである。

ウ ◯：正しい。予知保全は、状態監視保全とも呼ばれ、「設備の劣化傾向を設備診断技術などによって管理し、故障に至る前の最適な時期に最善の対策を行う予防保全の方法」（JIS Z 8141-6209）と定義されており、JIS定義に準じた説明である。

エ ✕：清掃、給油、増し締めなどの活動は、機器に対する**予防保全**に含まれる。
よって、**ウ**が正解である。

第18問

複数の改善施策を設備総合効率の高い順に並べる問題である。設備総合効率とは、「設備の使用効率の度合を表す指標 JIS Z 8141-6501」のことであり、設備がどの程度効率よく使用され、付加価値を生み出す時間に貢献しているか測定する指標である。設備が動くべき時間である負荷時間の中には、下図のようなロスがある。

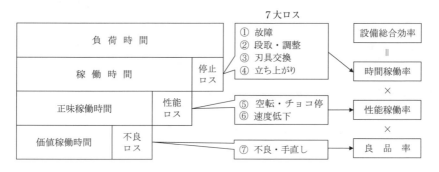

停止ロスの大きさを時間稼働率、性能ロスの大きさを性能稼働率、不良ロスの大きさを良品率によって評価する。

$$時間稼働率＝\frac{稼働時間}{負荷時間}$$

$$性能稼働率＝\frac{基準サイクルタイム×加工数量}{稼働時間}$$

$$良品率＝\frac{良品数量}{加工数量}$$

改善施策 aは不良ロスの低減（良品率の改善）、改善施策 bは性能ロスの低減（性

能稼働率の改善）、改善施策 c は停止ロスの低減（時間稼働率の改善）であることが分かる。また、「負荷時間は同じで、その他の条件も変わらないものとする」という問題文の記載から、設備総合効率を構成する 3 つの指標のうち、1 つの指標を変化させたときに他の 2 指標に変化はない（たとえば、良品率を改善させたとき、性能稼働率、時間稼働率は一定）と考えてよい。

【改善施策実施前】

$$時間稼働率 = \frac{稼働時間}{負荷時間} = \frac{80}{1,000} \times 100 = 80\%$$

$$性能稼働率 = \frac{基準サイクルタイム \times 加工数量}{稼働時間} = \frac{5 \times 6,720}{800 \times 60^{※}} \times 100 = 70\%$$

$$良品率 = \frac{良品数量}{加工数量} = \frac{6,720 \times (1 - 0.2)}{6,720} \times 100 = 80\%$$

※稼働時間 = 800（時間）= 800（時間）×60（分/時間）= 48,000（分）
良品率は不適合品率が20%と与えられているので、100−20 = 80% と計算してもよい。

【改善施策 a】
不適合品率を20%から15%に低減させるということは、良品率を80%から85%に改善することと同義である。
　設備総合効率 = 時間稼働率 × 性能稼働率 × 良品率 = 80% × 70% × 85% = 47.6%

【改善施策 b】

$$性能稼働率 = \frac{基準サイクルタイム \times 加工数量}{稼働時間} = \frac{5 \times 7,680}{800 \times 60} \times 100 = 80\%$$

　設備総合効率 = 時間稼働率 × 性能稼働率 × 良品率 = 80% × 80% × 80% = 51.2%

【改善施策 c】

$$時間稼働率 = \frac{稼働時間}{負荷時間} = \frac{900}{1,000} \times 100 = 90\%$$

　設備総合効率 = 時間稼働率 × 性能稼働率 × 良品率 = 80% × 70% × 90% = 50.4%
以上の計算結果より、b、c、a の順に設備総合効率の値が大きくなる。

よって、**ウ**が正解である。

なお、以下の式を使って設備総合効率を求める場合は注意したい。

設備総合効率＝時間稼働率×性能稼働率×良品率

$$= \frac{稼働時間}{負荷時間} \times \frac{基準サイクルタイム×加工数量}{稼働時間} \times \frac{良品数量}{加工数量}$$

$$= \frac{基準サイクルタイム×良品数量}{負荷時間}$$

　上式に稼働時間が含まれないため、【改善施策ｃ】の稼働時間の増加は、一見して設備総合効率が改善されないように思える。しかし、稼働時間の増加に伴い、加工数量も増加していると考える必要がある（加工数量が不変とすると、増加した稼働時間100時間は機械を空転させていたことになる）。したがって、次のとおり加工数量を算出する。

$$改善後の加工数量＝改善前の加工数量×\frac{改善後の稼働時間}{改善前の稼働時間} = 6,720 \times \frac{900}{800} = 7,560$$

次に良品数量を算出する。

良品数量＝加工数量×良品率

　　　　＝加工数量×（1－不適合品率）

　　　　＝7,560×（1－0.2）

　　　　＝7,560×0.8＝6,048（個）

この数値を設備総合効率の式に代入する。

$$設備総合効率＝\frac{基準サイクルタイム×良品数量}{負荷時間} \times 100（\%） = \frac{5 \times 6,048}{60,000} \times 100$$

$$＝50.4\%$$

以上より、前述の【改善施策ｃ】の計算結果と一致していることの確認が取れる。

第19問

　TPM（Total Productive Maintenance）に関する問題である。TPMとは、全員参加の生産保全（PM: Productive Maintenance）のことであり、以下のとおり定義される。

① 生産システム効率化の極限追及（総合的効率化）する企業体質づくりを目標にして、

② 生産システムのライフサイクル全体を対象とした"災害ゼロ・不良ゼロ・故障ゼロ"などあらゆるロスを未然防止する仕組みを現場現物で構築し、

③ 生産部門をはじめ、開発、営業、管理などのあらゆる部門にわたって、

④ トップから第一線従業員に至るまで全員が参加し、

⑤ 重複小集団活動により、ロス・ゼロを達成すること

a ✕：TPMでは、日常保全（掃除・給油・増し締め・点検など）はオペレーターが担当し、設備の検査（診断）や修理は保全部門が担当する。したがって、**保全部門のみの強化を推進しているわけではない**。

b ✕：MTBF（Mean Operating Time Between Failures、平均故障間動作時間）をより長く、MTTR（Mean Time To Restoration、平均修復時間）をなるべく短くするような活動を進めることが重要である。

c 〇：正しい。設備総合効率は、設備が時間的、速度的、品質の面から総合的に見て、付加価値を生み出す時間にどれだけ貢献しているかを示す尺度である。設備総合効率は、7大ロス（下図①～⑦）を数値化することによって、設備がどの程度効率よく使用されているかを表している。

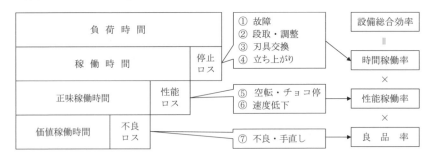

d 〇：正しい。解説文冒頭の定義の④⑤に該当する。

よって、**a**：誤、**b**：誤、**c**：正、**d**：正の組み合わせが適切であるため、**オ**が正解である。

第20問

作業改善の原則に関する問題である。

ア ✕：ブレーンストーミングとは、与えられたテーマについて一定のルールのもとにさまざまなアイデアを生み出す技法であり、**発生件数に基づいて改善対象の優先順位を決定する技法ではない**。

イ ✕：5W1Hは、「改善活動を行うときの指針で、what（何を）、when（いつ）、who（誰が）、where（どこで）、why（なぜ）、how（どのようにして）の問いか

けのこと」（JIS Z 8141-5305）と定義される。5W1Hのはじめの問いかけは
What？ Why？（その仕事はなぜ必要か？）である。

ウ ✕：製品工程分析とは「原材料、部品などの生産対象物が製品化される過程を工
程図記号で表して調査・分析する手法」（JIS Z 8141-5202）と定義される。動作経
済の原則は、動作のあり方についての法則であり、**生産対象の物を分析する手法で
はない。**

エ 〇：正しい。作業者工程分析は「作業者を中心に作業活動を系統的に工程図記号
で表して調査・分析する手法」（JIS Z 8141-5203）と定義される。ECRSとは、改
善の4原則のことで、工程、作業、動作を対象とした分析に対する改善の指針であ
る。Sは簡素化（Simplify）のことを指す。したがって、ECRSの原則に基づき、
作業方法を簡素化し、時間短縮を実現することは適切な内容である。

よって、**エ**が正解である。

環境問題に関する問題である。

a 〇：正しい。サーキュラー・エコノミー（循環経済）とは、従来の3Rの取組に
加え、資源投入量・消費量を抑えつつ、ストックを有効活用しながら、サービス化
等を通じて付加価値を生み出す経済活動であり、資源・製品の価値の最大化、資源
消費の最小化、廃棄物の発生抑止等を目指すものである。我が国では、2019年5月
に「3R+Renewable」の基本原則を掲げ、プラスチック資源循環の高度化を目指
した「プラスチック資源循環戦略」を策定して政府としての対応の方向性を示し、
リデュースの徹底、効果的・効率的で持続可能なリサイクル、再生素材やバイオプ
ラスチックなど代替素材の利用促進といった観点から、戦略の具体化を進めている。

b ✕：エコアクション21とは、環境省が中小事業者にも取り組みやすいよう策定し
た日本独自の環境マネジメントシステムである。環境マネジメントシステム、環境
パフォーマンス評価および環境報告を1つに統合し、その結果を「**環境経営レポー
ト**」として取りまとめて公表することを要件として規定している。

c ✕：カーボンニュートラルは、温室効果ガスについて、排出を全体としてゼロに
することであり、具体的には「排出量から吸収量と除去量を差し引いた合計をゼロ
にする」ことを意味する。排出を完全にゼロに抑えることは現実的に難しいため、
排出せざるを得なかった分については同じ量を「吸収」または「除去」することで、
差し引きゼロ、つまり「ニュートラル（中立）」をめざすということである。カー
ボンニュートラルのキーテクノロジーに位置付けられているのは**水素**である。

よって、**a**：正、**b**：誤、**c**：誤の組み合わせが適切であるため、**ウ**が正解である。

経済産業省が公表している「2020年商業動態統計年報」からの出題である。商業動態統計は、全国の商業を営む事業所および企業の販売活動などの動向を明らかにすることを目的として実施されている。

2020年商業動態統計年報によると、選択肢に含まれる4業態の販売額は以下のとおりである。

業　態	販売額（百万円）
スーパー	14,811,200
コンビニエンスストア	11,642,288
ドラッグストア	7,284,078
百貨店	4,693,751

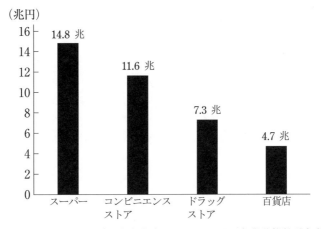

（経済産業省ホームページ　商業動態統計年報　参照）

図中のaはスーパー、bはコンビニエンスストア、cはドラッグストア、dは百貨店が該当する。

よって、**エ**が正解である。

中心市街地活性化法に関する問題である。中心市街地活性化法は、中心市街地が地域の経済および社会の発展に果たす役割の重要性にかんがみ、近年における急速な少子高齢化の進展、消費生活の変化等の社会経済情勢の変化に対応して、中心市街地に

おける都市機能の増進および経済活力の向上を総合的かつ一体的に推進する法律である。

ア ✕：居住誘導区域や都市機能誘導区域を定めるのは**都市再生特別措置法**（立地適正化計画）である。居住誘導区域の中に都市機能誘導区域を定めるのは正しい。

イ ✕：中心市街地活性化協議会は、経済活力の向上を推進する**商工会・商工会議所**、都市機能の増進を推進する中心市街地整備推進機構、まちづくり会社等が共同で組織する。

ウ ✕：大規模小売店舗の立地に関して、その周辺の地域の生活環境の保持を目的とするのは、**大規模小売店舗立地法**である。

エ ○：正しい。中心市街地整備推進機構の役割のひとつに、中心市街地の整備改善に関する事業を行う者に対し、情報の提供、相談その他の援助を行うことが規定されている。

オ ✕：**市町村**は、政府が決めた基本方針に基づき、基本計画を作成し、**内閣総理大臣**の認定を申請することができる。

よって、**エ**が正解である。

第24問

都市計画法および建築基準法で定められている用途地域と建築物に関する問題である。

用途地域は、エリアごとの特性に応じて建築の規制をする地域であり、13の地域に分類される。

ア ✕：料理店を出店することができるのは、**商業地域と準工業地域のみ**である。なお「料理店」は、飲食物を主として提供する「飲食店」とは異なり、遊興を主として飲食物を提供する店舗のことである。

イ ✕：工業地域には、**10,000㎡を超える店舗は出店できない**。

ウ ✕：第一種住居地域には、床面積の合計にかかわらず**カラオケボックスは出店できない**。

エ ○：正しい。田園住居地域には、2階建てかつ150㎡以下の店舗・飲食店および500㎡以下の農産物直売所、農家レストランといった農業関連の店舗、飲食店を出店することができる。

よって、**エ**が正解である。

第25問

商圏分析モデルの1つであるライリーの法則に関する問題である。ライリーの法則

は小売引力の法則とも呼ばれ、2つの都市の間にある都市から販売額（顧客）を吸引する割合は、その2つの都市の人口に比例し、距離の2乗に反比例するというもので、計算式は以下のとおりである。

B_a：都市Aに吸収される販売額の割合

B_b：都市Bに吸収される販売額の割合

P_a：都市Aの人口

P_b：都市Bの人口

D_a：都市Aとの距離

D_b：都市Bとの距離

$$\frac{B_a}{B_b} = \frac{P_a}{P_b} \times \left(\frac{D_b}{D_a}\right)^2$$

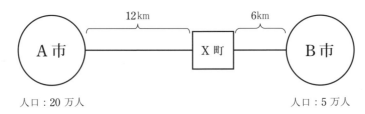

人口：20万人　　　　　　　　　　　　　　　　　　人口：5万人

与えられた条件をライリーの法則の式に当てはめる。

$$\frac{B_a}{B_b} = \frac{20}{5} \times \left(\frac{6}{12}\right)^2 = \frac{4}{1} \times \frac{1}{4} = \frac{1}{1}$$

以上より、A市とB市がX町から吸引する購買力の比率は、1：1であることがわかる。

よって、**ア**が正解である。

屋外広告物に関する問題である。屋外広告物とは、常時または一定の期間継続して、屋外で、公衆に表示されるものであって、看板、立て看板、はり紙およびはり札ならびに広告塔、広告板、建物その他の工作物等に掲出され、または表示されたものならびにこれらに類するものをいう。

屋外広告物を無秩序に放置すれば、屋外広告物が氾濫し、まちの美観や自然の風致を損なうおそれがあるため屋外広告物法により規制されている。また建築基準法では

屋外広告物の設置における確認申請や防火措置等について規制している。

a ○：正しい。都道府県は、条例により屋外広告物の形状、面積、色彩、意匠その他の表示・設置の方法を定めることができる。

b ×：高さが4mを超える広告塔、広告板は、建築基準関係規則に適合するものであることについて、都道府県知事または市町村長が任命した建築主事に確認申請書を提出しなければならない。

c ○：建築基準法では、「看板等の防火措置」として、防火地域内にある看板、広告塔、装飾塔等は、その主要部分を不燃材料で造るか不燃材料で覆わなければならない、と義務づけている。

　　よって、**a**：正、**b**：誤、**c**：正の組み合わせとなるため、**イ**が正解である。

第27問

　最寄品を扱う小売店の販売計画と計数管理に関する問題である。最寄品は、日常的に使用・消費する商品のうち、自宅や職場の付近で購入する安価で購買頻度の高い商品のことである。そもそも安価であり他の店と価格差がないため、店舗間で比較することなく最寄の店舗で購入される商品である。

ア ×：カテゴリーマネジメントでは、商品カテゴリー単位で販売計画を立案した後、店員の作業計画を立案し、実践していく。

イ ×：損益分岐点売上高を算出する際、費用を固定費と変動費に分ける必要がある。変動費は売上高や販売数量の変動に応じて発生する費用であり、小売業の場合、売上原価、販売手数料、運送費などが含まれる。

ウ ×：販売計画は年間で立案し、更に月別や週別に細分化して立案すべきである。

エ ○：正しい。祝日のイベントや地域行事には多くの来場者が見込まれるため、店舗近隣で開催されるのであれば来店客数の増加が期待できる。最寄品であれば売り切れによる販売機会のロスを起こしてしまわないように販売計画を立案しなければならない。したがって、販売計画立案時には、祝日のイベントや地域行事などの影響を考慮することが重要となる。

オ ×：販売計画立案時には、自店舗で取り扱っていない商品の新規取り扱いを検討する。新たに取り扱う商品は、自店舗の過去の販売データのみから売上予測することは難しい。また、既存商品の売上も市場動向に影響を受ける。したがって、販売計画立案時の売上予測では、市場動向を考慮することが重要である。

　　よって、**エ**が正解である。

小売店の品揃えや接客サービスの見直しによる、新規顧客層の獲得および顧客生涯価値の向上を目的とした施策に関する問題である。会話文中の診断士の助言は以下のように整理できる。

目的		助言の方向性	具体的内容
新規顧客層獲得		ニーズに合った商品カテゴリー追加による購買機会創出	絵の具やデッサン用の鉛筆の取扱い（X氏発言）
顧客生涯価値向上	客単価向上	関連購買促進による買上点数増加	デッサン用商品を同じ棚に陳列する"クロスマーチャンダイジング"
	常連客化（購買期間長期化）	顧客満足度、顧客ロイヤルティの向上（副次的効果として、口コミ促進による新規顧客増加）	接客サービスの強化ワークショップの開催
	来店頻度向上	購買間隔が短い日用品等の取扱い	菓子や飲み物の取扱いワークショップの開催

設問1 ● ● ●

関連購買の促進に関する問題である。関連購買とは、買った、あるいはこれから買おうとしている商品との関連性から必要性を感じて合わせて購入するという消費行動である。各選択肢の施策の目的・効果を判断する必要がある。

ア ✕：5回買うと特典を与えるスタンプカードによる販売促進は、**既存顧客の来店回数を増加させる施策**である。

イ ✕：同じデッサン用の鉛筆を10本買うと1本おまけにつけることは、**同じ商品の買上点数を増加させる施策**である。

ウ ✕：高齢者が好みそうな園芸用品を品揃えすることは、**新規顧客数の増加**や、**既存顧客の買上点数の増加につながる施策**である。

エ 〇：正しい。デッサン用の鉛筆と鉛筆削り、消しゴムは異なるカテゴリーの商品であるが、同一の場面で使用されることが想定されるため、これらを同じ棚に陳列することは関連購買を促進することとなる。カテゴリーにこだわらず関連商品をあわせて陳列することにより、関連購買を促進する販売手法をクロスマーチャンダイジングという。

オ ✕：来店目的になりやすい商品を品揃えすることは、**来店頻度を増加させる施策**である。

よって、**エ**が正解である。

設問2 ●●●

ラインロビングに関する問題である。ラインロビングとは、これまで自店で扱っていなかったライン（商品カテゴリーや特定の品種）を新たに扱うことで、ロビング（他店から売上とシェアを奪うこと）をねらった品揃え戦略のことである。

ア ✗：今回のラインロビングの取り組みによって、同種の商品カテゴリーを扱う近隣の商店から売上を奪うことが期待できる。

イ ✗：今回のラインロビングの取り組みによって、**高齢者が好む菓子や飲み物など**を求めて顧客が来店することを期待できる。

ウ ✗：今回のラインロビングの取り組みによって、店全体の粗利益率が高まるか否かは新たな商品カテゴリーの個々の商品の粗利益率に依存する。よって、**提案の主目的は、粗利益率を高めることではない**。

エ ✗：文房具を購買する目的で来店した高齢者が菓子や飲み物も併買し、買上点数が増加することは期待できる。しかし、診断士が発言した「文房具は毎日買うものではありません」という内容により、今回のラインロビングの提案は、**買上点数の増加を主目的としたものではなく、来店頻度の向上を主目的としたものである**ことが読み取れる。

オ 〇：正しい。選択肢**エ**の解説でも触れたとおり、診断士が発言した「文房具は毎日買うものではありません」という内容から、「菓子や飲み物は毎日買うようなもの」であることが発言の主旨と思われる。毎日のように購買する購買間隔が短い商品を取り扱うことは、来店頻度の向上を主目的とする。

よって、**オ**が正解である。

第29問

スーパーマーケットの売場づくりに関する問題である。陳列や回遊性、動線コントロールなど売場に関する幅広い知識が問われている。

ア ✗：レジ前売場には、レジ待ちの買物客が手に取りやすく、買上点数を増加させやすい**単価が低い商品を陳列する**のが望ましい。単価が高い商品は、購買の意思決定に時間を要するためレジ前売場には適していない。

イ ✗：買物客の売場回遊を促すには、衝動購買されやすい商品よりも**計画購買されやすい商品を売場に分散配置**したほうが有効である。

ウ 〇：正しい。ゴールデンゾーンとは有効陳列範囲のうち、特に最も顧客の手の届きやすい位置をいう。店内の通路幅は、陳列棚と顧客との距離に影響を与える。

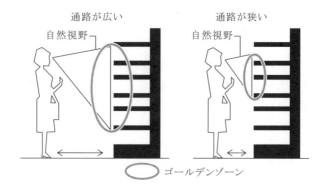

通路が広い　　　　通路が狭い

自然視野　　　　　自然視野

ゴールデンゾーン

　上図のとおり、商品棚前の通路幅を広くすると、当該商品棚のゴールデンゾーンの範囲は広がる。

エ ✕：レジ前のエンドは、レジで精算する顧客の背面に位置すると考えられる。レジを通過する顧客が必ずしも背面の棚（エンド）を確認するわけではない。よって、販売促進を行うエンドの販売力は、**主通路に面するよりもレジ前の方が高いとはいえない**。

オ ✕：ワンウェイコントロールとは、1つの入口からレジまでの客動線を一筆書きのようにコントロールする動線管理の手法である。

　よって、**ウ**が正解である。

第30問

　小売業の価格政策と特売に関する問題である。価格政策や特売の実施においては、顧客に与える心理的な効果を考慮する必要がある。

ア ✕：EDLP政策とは、Everyday Low Priceの略であり、特売を行わず、毎日、全商品を一定の低価格で販売する価格戦略のことである。プライスラインとは、同じ商品カテゴリー内の価格設定のことであり、**EDLP政策は同一カテゴリー内の価格を1つに絞るものではない**。

イ 〇：正しい。参照価格とは、顧客が商品を購入する際に基準とする価格のことである。特に顧客の過去の購買行動から記憶された価格を内的参照価格という。当初は定番価格で販売していても、特売を頻繁に繰り返すと、その特売価格が顧客の記憶に残ってしまい内的参照価格は低下していく。

ウ ✕：価格の弾力性とは、価格を一定割合変化させたときの販売数量の変化の割合のことである。価格の弾力性が低い商品とは、価格の下げ幅に対して、需要の増加幅が小さい商品であり、チラシなどによる集客効果は期待できない。特売による販

売促進は、**価格の弾力性が高い商品ほどチラシなどで告知したときの集客効果が高い**。

エ ×：ハイ・ロープライシング政策とは、期間を定めた特売を行うことで、集客を増やす価格政策のことである。特売を行うと、対象商品の利益率は通常時よりも下がる。したがって、対象商品の販売数量を最大にすると、**店全体の売上高は高まるが、利益率は低下する**。

オ ×：端数価格とは、500円とか1,000円のようにキリのよい価格ではなく、480円や980円のように端数を設けることで安さを演出する価格政策である。買物客に安さを感じさせる**心理的効果をねらっている**。

よって、**イ**が正解である。

第31問

小売店舗における在庫管理に関する問題である。発注方式と在庫調整期間、発注量の算出の方法について、問われている。

空欄A　「定期発注方式」が入る。一定の期間ごとに（本問では毎日）在庫調査および需要量を予測し、それに基づいて発注する方式は、定期発注方式である。

空欄B　「調達期間と発注間隔の合計期間」が入る。定期発注方式における発注量の考え方は、「今回の発注量と現在の在庫量との合計で、次回発注分が納品されるまでの期間をしのぐ」というものである。次回発注分が納品されるまでの期間は、次回の発注までの期間（発注間隔）と、次回の発注から納品までの期間（調達期間）を合わせたものである。

空欄C　「有効在庫量」が入る。定期発注方式の発注方式は以下の式で算出される。

> 発注量＝（発注間隔＋調達期間）中の推定需要量－発注残－手持在庫量＋安全在庫量
> 　手持在庫量：現品が手元にある在庫量
> 　発注残：発注済みだがまだ手元に届いていない在庫量

次に、有効在庫は以下の式で表される。

> 有効在庫＝手持在庫－引当量＋発注残
> もしくは
> 有効在庫＝手持在庫＋発注残

　　したがって、発注量は、需要予測量と安全在庫の合計数量から発注時の有効在庫を減算して求める。

よって、**ウ**が正解である。

物品の輸送手段の特徴に関する問題である。

ア ✕：鉄道輸送に使用されるコンテナは、大きさ別に代表的な12フィートコンテナ、容量の大きい20フィートコンテナ、大型トラックと同等の積載容量の31フィートコンテナなどがある。また用途別に冷凍コンテナ、冷蔵コンテナなどがある。このようにコンテナには、**複数の種類がある**。

イ ✕：RORO船とは、貨物を積載した**トラック、トレーラーをそのまま船内に積み込み、輸送することが可能な船舶**である。したがって、**貨物を取り卸して船内に積み込む作業は不要である**。

ウ ✕：モーダルシフトとは、従来、トラックで行われていた貨物輸送をより環境負荷の小さい鉄道や海運へと転換する輸送方法のことである。トラック輸送は、貸切便であれば貨物の積み替えは発生しない。また、モーダルシフトは、下図の転換拠点において**積み替えが発生する**。

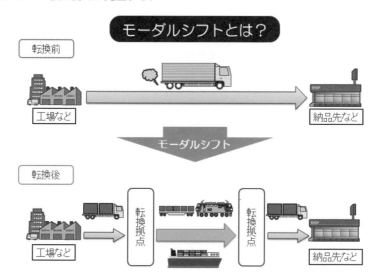

（国土交通省　https://www.mlit.go.jp/seisakutokatsu/freight/modalshift.html）

エ 〇：正しい。国土交通大臣が定める「標準貨物自動車運送約款」では、荷主の正当な利益の保護のため、貨物自動車運送業者の責任など基本的な取引条件が定められている。そこでは運送の対価である運賃と運送以外の役務等の対価である料金を区別している。

オ ✕：本肢は、**貸切便**の説明である。路線便とは、１台のトラックに複数の荷主の荷物を混載し、運送する輸送方法である。拠点に複数の荷主の荷物を集め、目的地

の方面別に仕分けてトラックに積載し、拠点間を輸送する。

よって、**エ**が正解である。

物流におけるユニットロードおよびその搬送機器に関する問題である。

ア ○：正しい。一貫パレチゼーションとは、パレット積みのまま発送地から到着地
での荷下ろしまで一貫して輸送する方法である。その目的は、荷役作業の効率化で
ある。

イ ✕：パレチゼーションとは、パレットに荷物を載せることで、荷姿の標準化を図
り、またフォークリフトで荷役作業ができる輸送方法のことであり、輸送中の貨物
の温度管理を行うものではない。

ウ ✕：平パレットは、形状や素材により、耐荷重の基準を設けている。

エ ✕：ユニットロード化の推進により荷姿が標準化されるので、モーダルシフトが
容易になる。

オ ✕：ロールボックスパレットとは、外周3面を柵で覆い、1面が開口になってい
るキャスター付きの台車であり、カゴ車とも呼ばれている。天井がなく上部が開放
されているため、ロールボックスパレット自体を上方向に積み重ねて使用すること
はない。

【ロールボックスパレット】

((一社)日本パレット協会　https://www.jpa-pallet.or.jp/about/#a02)

よって、**ア**が正解である。

チェーン小売業の物流センターの機能に関する問題である。

ア ✕：本肢の内容は、在庫型物流センターの説明である。通過型物流センターの機

能は、入荷した荷物を店別に仕分け、出荷することである。

イ　○：正しい。通過型センターの入荷形態は、ベンダー側がセンターの出荷先である店舗別に事前に仕分けたものを入荷する「ベンダー仕分け型」と、ベンダーで仕分けせずに総量をそのまま入荷し、センターで店舗別に仕分けを行う「センター仕分け型」に分類することができる。

ウ　✕：カテゴリー区分を細かく設定すると、商品の総量は変わらず、必要な折りたたみコンテナの数が増える（１つひとつのコンテナの中には空きスペースができる）ため、**積載効率は低下する。**

エ　✕：小売チェーンが自社で物流センターを整備し、商品をメーカーから物流センターへ直接配送させて、物流センターで店舗別仕分けをし、各店舗に配送する方法では、形式的な取引関係においてメーカーと小売店との間に卸売業者が介在していることになっている。この場合、物流センターに保管された商品は卸売業者の在庫とされ、**所有権の移転経路と物流経路は必ずしも一致するわけではない。**

オ　✕：プロセスセンターは、食品のカットや包装、アパレルの値付けなどの**流通加工を行うセンター**である。プロセスセンターが、在庫型物流センターの機能を補完する小型拠点であることは正しいが、「主に完成品の積替えと仕分けの機能を果たす」のはプロセスセンターではなく、通過型物流センターである。

よって、**イ**が正解である。

第35問

トラックの積載率の改善の取組に関する問題である。問題文では、積載率を「貨物を積載して走行するトラックの最大積載量に占める、実際に積載した貨物の量の割合」と定義している。仮に現状の各物流センターから輸送する際の実車の積載率を30％とした場合、全体的な稼働率は以下のとおりとなる。

【現状】

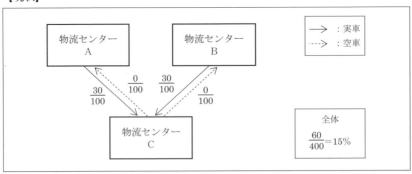

【取組案 a】（共同輸配送の一種）

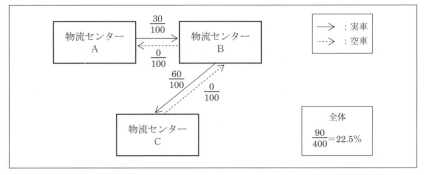

【取組案 b】（巡回集荷（ミルクラン方式）の一種）

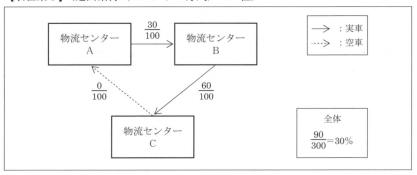

以上より、トラックの積載率は、取組案 a と b のいずれにおいても改善される。

よって、**ア**が正解である。

第36問

物流センターの運営に関する問題である。

ア ✕：3PL（Third Party Logistics）は、荷主にかわって、最も効率的な物流戦略の企画立案や物流システムの構築の提案を行い、かつ、それを包括的に受託し、実行することである。**荷主でもなく、単なる運送業者でもない第三者として物流部門を代行する業者**である。物流施設を所有せず戦略構築に特化したノン・アセット型など、**必ずしも物流センターを運営するとは限らない**。

イ ✕：ASNは、送り先に対して商品を出荷する前に電子データで伝達する**出荷案内データ（事前出荷明細）**である。出荷する商品に誤りがないか確認するものではない。

ウ ◯：正しい。ABC分析は、多くの在庫品目を取り扱うときそれを品目の取り扱

い金額または量の大きい順に並べて、A、B、Cの3種類に分類し管理の重点を決めるときに用いられる分析手法である。

エ ✗：本肢の内容は、**摘み取り方式ピッキング（シングルピッキング）**の説明である。種まき方式ピッキングは、トータルピッキングと呼ばれ、出荷する商品を一度にピッキングして、その後出荷先別に仕分けする方法である。

オ ✗：パレタイザとは、**商品を自動で整列させ、パレットに積む機械**であり、保管用の機器ではない。AGV（Automatic Guided Vehicle）とは、事前にプログラムされたソフトウェアによって制御される**無人搬送車**であり、仕分用の機器ではない。

よって、**ウ**が正解である。

第37問

商品コード（GTIN）に関する問題である。

ア ✗：JANコードは、国際的にはEAN（European Article Number）とよばれる国際的な標準商品コードであるため、**ヨーロッパへの輸出の際にEANコードなどを別に表示する必要はない**。両者は呼称が異なるだけであり、同一のコードである。

イ ○：正しい。インストアマーキングは、小売店内で印刷された独自のバーコードである。インストアマーキングは、バーコードの中に価格データの入っていない「PLU」タイプと、バーコードの中に価格データの入っている「NonPLU」タイプの2種類がある。

ウ ✗：本肢の内容は、**ソースマーキング**の説明である。

エ ✗：ソースマーキングを行う際には、JANコード（13桁標準タイプ）であれば、先頭の7～10桁はGS1事業者コードを表記する。GS1事業者コードはGS1 JAPANが事業者に対し貸与するため、**先頭2桁と最後の1桁以外は自由に割り振ることができるわけではない。**

コードの桁数	1	2	3	4	5	6	7	8	9	10	11	12	13
7桁GS1事業者コードの場合のGTIN-13の例	GS1事業者コード							商品アイテムコード					チェックデジット
	4	9	1	2	3	4	5	9	9	9	9	9	3
9桁GS1事業者コードの場合のGTIN-13の例	GS1事業者コード										商品アイテムコード		チェックデジット
	4	5	6	9	9	5	1	1	1	0	0	1	6
10桁GS1事業者コードの場合のGTIN-13の例	GS1事業者コード											商品アイテムコード	チェックデジット
	4	5	9	5	1	2	3	4	5	6	9	9	6

なお、先頭の2桁はブランドオーナーの国コードを表し、最後の1桁はチェックデジットと規定されている。

オ ✗：JANコードの最初の2桁は国コードであり、現在「49」と「45」が日本の国

コードとなっている。国コードは原産国を表しているわけではなく、商品のブランドオーナー／販売元／製造元等である供給責任者がどこの国の企業かを表している。実際の製造が海外で行われる商品であっても原産国の国コードを表示する必要はない。

よって、**イ**が正解である。

GS1アプリケーション識別子（Application Identifier、AI）に関する問題である。AIとはGS1が標準化した、さまざまな情報の種類とフォーマット（データの内容、長さ、および使用可能な文字）を管理する2桁から4桁の数字のコードである。商品製造日、ロット番号などのデータの先頭に付けて使用する。AIを使うと、商品識別コードやさまざまな属性情報を、どこの誰とどのシステムとの間でも共通化された方式で、バーコード化して伝達することができる。

ア ✕：AIで規定されている情報項目には、**固定長のデータと可変長のデータがある**。

イ ✕：AIで表現できる情報項目は、商品識別コードや資産識別コードなどの「識別コード」や「日付をYYMMDDの6桁で表す」などの、表示形式や桁数（文字数）が決められた属性情報である。「漢字・かな」などの特定の言語に依存するテキストデータは使用できない。

ウ 〇：正しい。AIは、世界110か国以上が加盟するGS1が定めたグローバル標準であり、国内に限らず、輸出入など海外との取引においてもそのまま利用可能である。

エ ✕：AIが使えるGS1標準のバーコードシンボルは、GS1-128（本問のシンボル例）、GS1データバー拡張型、GS1データバー合成シンボル、GS1データマトリックス、GS1 QRコードの5種類である。

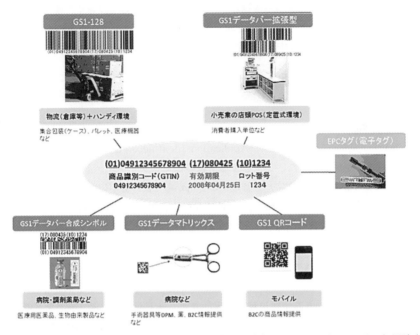

(出所：（一財）流通システム開発センター「AIが使えるバーコードシンボルと用途」

https://www.gs1jp.org/standard/identify/ai/explanation02.html)

オ ✕：AIの番号を昇順に設定しなければならないということはない。AIのデータ
の並び順には、大まかな原則があり、次のとおりである。

> 商品識別コード（GTIN）＋属性情報（固定長）＋属性情報（可変長）＋属性情報（可
> 変長）＋…
>
> 1）商品コードを最初に、属性情報はその後ろに表示する
> 2）固定長と可変長の属性情報がある場合、固定長データを先に表示する
> ※ 固定長データが複数ある場合の固定長データの順番は、表示する側の自由
> 設定
> ※ 可変長データが複数ある場合の可変長データの順番は、表示する側の自由
> 設定

よって、**ウ**が正解である。

第39問

POSシステムから得られたレシートデータの分析に関する問題である。2つの商品
間の併買分析について、支持度、信頼度、リフト値の算出が求められている。本問で

はレシート件数が与えられているので、レシート件数を用いて算出する。なお、問題
文では下記のデータが与えられていないことに注意する。

購買した商品	レシート件数
商品 a 全件数	600 件（350 ＋ 250）
商品 b 全件数	300 件（50 ＋ 250）

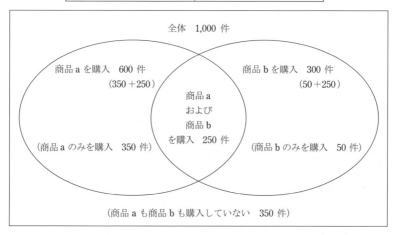

設問1 ● ● ●

ア　×：商品 a からみた商品 b の信頼度（コンフィデンス）は、商品 a を購買した人
が商品 b を同時購買する確率であり、以下の式で求めることができる。

$$\text{信頼度（商品 a → 商品 b）} = \frac{\text{商品 a および商品 b を購入したレシート件数}}{\text{商品 a を購入したレシート件数}}$$

$$= \frac{250}{600} = \frac{5}{12}$$

イ　○：正しい。支持度とは、全レシート件数のうち特定の商品の組み合わせを購入
した人数を表す。商品 a と商品 b を併買したパターンの支持度（サポート）は以下
の式で求めることができる。

$$\text{支持度} = \frac{\text{商品 a および商品 b を購入した顧客数}}{\text{全顧客人数}} \times 100 （\%）$$

$$= \frac{250}{1,000} = 0.25$$

ウ　×：商品 a を購買したパターンの支持度（サポート）とは、商品 a の購買率のこ
とと考えられる。商品 a の購買率は、以下の式で求めることができる。

205

$$商品 \, a \, の購買率 \; = \; \frac{商品 \, a \, を購入したレシート件数}{全レシート件数} \times 100 \; (\%)$$

$$= \; \frac{600}{1{,}000} = 0.6$$

エ ✕：商品 b からみた商品 a の信頼度（コンフィデンス）は、以下の式で求めることができる。

$$信頼度（商品 \, b \rightarrow 商品 \, a）\; = \; \frac{商品 \, a \, および商品 \, b \, を購入したレシート件数}{商品 \, b \, を購入したレシート件数}$$

$$= \; \frac{250}{300} = \frac{5}{6}$$

オ ✕：商品 b を購買したパターンの支持度（サポート）とは、商品 b の購買率のことと考えられる。商品 b の購買率は、以下の式で求めることができる。

$$商品 \, b \, の購買率 \; = \; \frac{商品 \, b \, を購入したレシート件数}{全レシート件数} \times 100 \; (\%)$$

$$= \; \frac{300}{1{,}000} = \frac{3}{10} = 0.3$$

よって、**イ**が正解である。

設問2 ● ● ●

リフト値（商品 a → 商品 b）とは、「商品 a を購入した人のうち商品 b を購入した人の割合」（分子）が「全顧客数のうち商品 b を購入した人の割合」（分母）の何倍になるのかを示した値であり、以下の式で求めることができる。

$$リフト値（商品 \, a \rightarrow 商品 \, b）\; = \; \frac{\dfrac{商品 \, a \, と商品 \, b \, を購入したレシート数}{商品 \, a \, を購入したレシート件数}}{\dfrac{商品 \, b \, を購入したレシート件数}{全レシート件数}}$$

$$= \; \frac{信頼度（商品 \, a \rightarrow 商品 \, b）}{全レシート件数を対象とした商品 \, b \, の購入率}$$

$$= \; \frac{\dfrac{5}{12}}{\dfrac{3}{10}} = \frac{5}{12} \div \frac{3}{10} = \frac{25}{18}$$

なお、リフト値（商品 a → 商品 b）とリフト値（商品 b → 商品 a）は同値になるた

め、どちらで計算しても問題ない。

　よって、**オ**が正解である。

第40問

　相関係数と対応する散布図の組み合わせ問題である。2つの変量がどの様な関係性を持っているかを分析する方法のひとつに、相関係数によって比例的な関係性を数値で示す方法がある。相関係数は－1から1までの値を取り、以下のような特徴を持つ。

(1)　正の相関が強いと相関係数が1に近づく

(2)　負の相関が強いと相関係数が－1に近づく

(3)　相関係数が1または－1のときは完全相関という

(4)　相関係数が0の付近は相関がないといえる

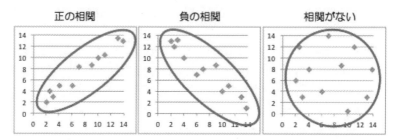

（出所：総務省統計局　https://www.stat.go.jp/naruhodo/10_tokucho/hukusu.html）

　以上より、散布図 a は強い正の相関（相関係数は1に近い）、散布図 b は強い負の相関（相関係数は－1に近い）、散布図 c は相関がない（相関係数は0に近い）ことを読み取ることができ、ペア番号と対応する散布図の組み合わせは以下のとおりとなる。

ペア番号	相関係数	散布図
1	0.1	散布図 c
2	0.8	散布図 a
3	－ 0.8	散布図 b

　よって、**エ**が正解である。

第41問

　令和2年に改正、令和4年4月に全面施行された個人情報保護法に関する問題である。

　今回の改正では、本人の権利保護の強化、事業者の責務の追加、特定の分野を対象

とする認定団体制度の創設、データの利活用の促進、法令違反の罰則の強化、外国の事業者に対する罰則の追加等が行われた。本問は、データの利活用の促進に関する問題である。

空欄A 「仮名加工情報」が入る。個人情報保護法では、これまで個人が特定できる「個人情報」の取り扱いにはさまざまな義務を課し、特定の個人を識別できない「匿名加工情報」の取り扱いには緩やかで制限の小さいルールを適用してきた。しかし、「個人情報」を「匿名加工情報」に加工するには、厳しい条件を守る必要があり、「匿名加工情報」の利用が進まなかった。そこで今回、匿名加工情報よりも比較的簡便な加工方法で加工できる「仮名加工情報」が新たに創設された。

空欄B 「他の情報（対照表など）と照合しない」が入る。仮名加工情報は、他の情報（対照表など）と照合しない限り特定の個人を識別できないように加工することが求められている。

空欄C 「氏名」が入る。仮名加工情報では、会員ID、氏名、職業、商品購買履歴で構成されるデータを加工する場合、氏名を削除するなど個人が特定できないようにすることが必要となる。

なお、他の選択肢にある個人識別符号とは、それだけで個人が特定できる指紋、声帯、光彩等の身体的特徴やマイナンバー、運転免許証番号、基礎年金番号など個人に割り当てられた番号や記号をいう。

よって、**イ**が正解である。

令和 **3** 年度問題

uestions

令和 3 年度 問題

第1問

　5Sに関する以下の文章において、空欄A～Cに入る用語の組み合わせとして、最も適切なものを下記の解答群から選べ。

　　　A　　は必要なものを必要なときにすぐ使用できるように、決められた場所に準備しておくことである。　　B　　は　　C　　が繰り返され、汚れのない状態を維持していることである。

```
［解答群］
　ア　A：整頓　　B：清潔　　C：躾→整理→整頓
　イ　A：整頓　　B：清潔　　C：整理→整頓→清掃
　ウ　A：整頓　　B：清掃　　C：整理→清潔→躾
　エ　A：整理　　B：清潔　　C：整理→整頓→清掃
　オ　A：整理　　B：清掃　　C：躾→整理→整頓
```

第2問　　**★ 重要 ★**

　生産管理における基本的な理論および考え方を用いた施策に関する記述として、最も適切なものはどれか。

ア　今までは顧客が定めた仕様の製品を生産していたが、今後は市場の需要を見越して企画・設計した製品を生産し、不特定な顧客を対象として市場に製品を出荷する受注生産への切り替えを検討した。

イ　生産活動を効率的に行うため、標準化、単純化、平準化の3Sの考え方を導入した。

ウ　多品種少量生産に大量生産的効果を与えるため、ベンチマーキングを実施して、多種類の部品をその形状、寸法、素材、工程などの類似性に基づいて分類した。

エ　同期化を徹底して、各工程の生産速度、稼働時間や、それに対する材料の供給時刻などをすべて一致させ、仕掛品の滞留、工程の遊休などが生じないようにした。

問題

3年度

211

生産現場におけるレイアウトのための分析手法に関する記述として、最も適切なものはどれか。

ア　DI分析では、横軸に製品、縦軸に生産量をとり、グラフを作成する。
イ　SLPにおける相互関係図表は、アクティビティ間の立体的な大きさについて評価する。
ウ　流れ線図は、対象物の移動経路を工場配置図または機械配置図の上に、工程図記号を使って線図で記入し作成する。
エ　フロムツウチャートは、列を機械設備、行を製品とし、セルに各設備の生産量を示して作成する。

第4問

以下の文章を読んで、下記の設問に答えよ。

ある工作機械において、現行の加工条件よりさらに良い条件を探すため、2水準系のL8直交配列表を用いた実験を計画することとなった。調べたい因子および交互作用は、以下のとおりである。

因　　子：A、B、C、D
交互作用：A×B、A×C

設問1 ● ● ●

以下の標準的な線点図を用いて、因子Aを1列目、因子Bを2列目に割り付けるとき、3列目〜7列目に割り付く因子、交互作用、誤差の組み合わせとして、最も適切なものを下記の解答群から選べ。

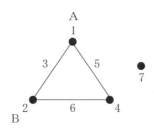

[解答群]

ア　3列目：A×B　　4列目：C　　　5列目：A×C
　　6列目：誤差　　7列目：D

イ　3列目：A×B　　4列目：D　　　5列目：A×C
　　6列目：誤差　　7列目：C

ウ　3列目：A×B　　4列目：誤差　　5列目：C
　　6列目：D　　　7列目：A×C

エ　3列目：C　　　4列目：A×C　　5列目：誤差
　　6列目：D　　　7列目：A×B

オ　3列目：C　　　4列目：D　　　5列目：A×B
　　6列目：A×C　　7列目：誤差

設問2 ●●●

　実験の結果を分散分析し、下表を得た。平均平方および分散比を計算して検定をした結果、有意水準5％（下表右参照）で有意となる要因の数として、最も適切なものを下記の解答群から選べ。なお、分散比計算後、プーリングは行わないこととする。

要因	平方和	自由度	平均平方	分散比
	S	ϕ	V	F_0
A	6	1		
B	25	1		
C	3	1		
D	21	1		
A×B	2	1		
A×C	2	1		
誤差	4	1		−
T	63	7	−	−

$F (1,1 ; 0.05) = 161$

$F (1,2 ; 0.05) = 18.5$

$F (1,3 ; 0.05) = 10.1$

$F (1,4 ; 0.05) = 7.71$

$F (1,5 ; 0.05) = 6.61$

$F (1,6 ; 0.05) = 5.99$

[解答群]
　ア　0　イ　1　ウ　2　エ　3　オ　6

ある単一品種ラインにおいて、1か月864個の生産を計画している。当該の計画生産能力を25日／月、8時間／日、稼働率90%として作業編成を行った結果、下表となった。このときのライン編成効率の範囲として、最も適切なものを下記の解答群から選べ。

ワークステーションNo.	作業時間（分）
1	11.3
2	11.2
3	12.5
4	11.5

[解答群]

ア　70.0%未満　　　　　　イ　70.0%以上80.0%未満

ウ　80.0%以上90.0%未満　　エ　90.0%以上

ジャストインタイムに関する以下の文章において、空欄A～Cに入る用語の組み合わせとして、最も適切なものを下記の解答群から選べ。

ジャストインタイムは、すべての工程が　 A 　工程の要求に合わせて、必要な物を、必要なときに、必要な量だけ生産する方式である。この方式の実現のためには、　 B 　工程の生産量を平準化することが重要である。また、この方式は　 A 　工程から引き取られた量を補充するため、　 C 　方式とも呼ばれている。

[解答群]

ア　A：前　　B：最終　　C：引張

イ　A：前　　B：第一　　C：押出し

ウ　A：後　　B：最終　　C：押出し

エ　A：後　　B：最終　　C：引張

オ　A：後　　B：第一　　C：引張

　生産される製品の品種数・生産量に応じて、適切な工場レイアウトのタイプは異なってくる。下図は、品種数と生産量の多少に対応する工場レイアウトのタイプを示したものである。

　この図の空欄A〜Dに入る工場レイアウトのタイプの組み合わせとして、最も適切なものを下記の解答群から選べ。

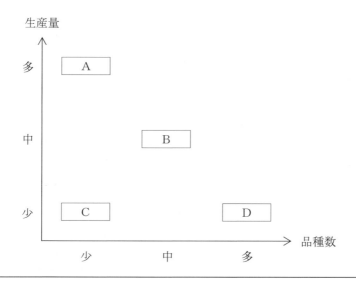

[解答群]
　ア　A：工程別レイアウト　　　B：グループ別レイアウト
　　　C：製品固定型レイアウト　　D：製品別レイアウト
　イ　A：工程別レイアウト　　　B：製品固定型レイアウト
　　　C：グループ別レイアウト　　D：製品別レイアウト
　ウ　A：製品別レイアウト　　　B：グループ別レイアウト
　　　C：製品固定型レイアウト　　D：工程別レイアウト
　エ　A：製品別レイアウト　　　B：製品固定型レイアウト
　　　C：グループ別レイアウト　　D：工程別レイアウト

問題

3
年度

需要量の時系列データを用いる需要予測法に関する記述として、最も適切なものはどれか。

ア　移動平均法の予測精度は、個々の予測値の計算に用いるデータ数に依存しない。

イ　移動平均法では、期が進むにつれて個々の予測値の計算に用いるデータ数が増加する。

ウ　指数平滑法では、過去の需要量にさかのぼるにつれて重みが指数的に減少する。

エ　指数平滑法では、過去の予測誤差とは独立に将来の需要量が予測される。

第9問　★重要★

最終製品Ｚの部品構成表が下図に与えられている。（　）内の数は親1個に対して必要な子部品の個数を示している。製品Ｚを10個生産するのに必要な部品Ａの数量の範囲として、最も適切なものを下記の解答群から選べ。

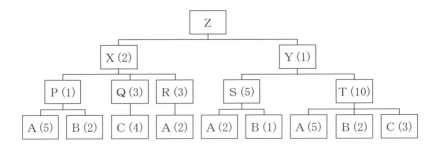

[解答群]

ア　100未満　　　　　　イ　100以上200未満

ウ　200以上800未満　　エ　800以上

あるジョブは7つの作業工程A〜Gで構成されている。各作業工程の作業時間と作業工程間の先行関係が下表に示されるとき、このジョブの最短完了時間の値として最も適切なものを下記の解答群から選べ。

作業工程	作業時間	先行作業
A	6	
B	5	
C	2	A
D	3	A,B
E	1	C
F	3	D
G	2	E,F

[解答群]

　ア　11　　イ　13　　ウ　14　　エ　22

2機械ジョブショップにおいて、各ジョブの作業時間と作業順序が下表に与えられている。各ジョブのジョブ投入順序をLPT（最長作業時間）ルールで決定したとき、総所要時間の値として最も適切なものを下記の解答群から選べ。

	作業時間		作業順序
	機械1	機械2	
ジョブ1	6	6	機械1→機械2
ジョブ2	5	5	機械1→機械2
ジョブ3	4	4	機械2→機械1
ジョブ4	3	3	機械2→機械1

[解答群]

　ア　18　　イ　19　　ウ　20　　エ　21　　オ　22

発注方式における発注点あるいは発注量の決定に関する記述として、最も適切なものはどれか。

ア　ダブルビン方式における発注量として、発注点の2倍を用いた。

イ　定量発注方式における発注点として、調達期間中の平均的な払い出し量を用いた。

ウ　定量発注方式における発注量として、経済発注量を用いた。

エ　定期発注方式における発注量として、（発注間隔＋調達期間）中の需要量の推定値に安全在庫を加えた量を用いた。

現品管理の活動に関する記述の正誤の組み合わせとして、最も適切なものを下記の解答群から選べ。

a　原材料の品質を保持するため、置き場の環境改善を徹底した。

b　仕掛品量の適正かつ迅速な把握のため、RFIDを導入した。

c　仕掛在庫を減らすため、運搬ロットサイズを小さくした。

d　在庫量の適正化を図るため、発注方式の変更を検討した。

[解答群]

ア　a：正　　b：正　　c：誤　　d：誤

イ　a：正　　b：正　　c：誤　　d：正

ウ　a：正　　b：誤　　c：正　　d：正

エ　a：正　　b：誤　　c：正　　d：誤

オ　a：誤　　b：正　　c：正　　d：正

　流動数分析に関する記述の正誤の組み合わせとして、最も適切なものを下記の解答群から選べ。

a　流動数図表では、横軸は累積量である。

b　流動数図表では、縦軸は経過時間である。

c　累積流入量は常に累積流出量以上である。

d　流動数分析は見込生産と受注生産のいずれでも使える。

　[解答群]
　ア　a：正　　　b：正　　　c：誤　　　d：誤
　イ　a：正　　　b：誤　　　c：正　　　d：誤
　ウ　a：誤　　　b：正　　　c：誤　　　d：正
　エ　a：誤　　　b：誤　　　c：正　　　d：正
　オ　a：誤　　　b：誤　　　c：正　　　d：誤

　標準時間に関する以下の文章において、空欄①と②に入る記述a〜eの組み合わせとして、最も適切なものを下記の解答群から選べ。

　標準時間は、正味時間と余裕時間の合計で表される。　　①　　時間は正味時間で、　②　　時間は余裕時間である。

a　部品や材料に直接加工を行うために必要な

b　ロットごとまたは始業の直後・終業の直前に発生する作業のために必要な

c　規則的・周期的に繰り返される作業のために必要な

d　作業を遂行するために必要と認められる遅れの

e　目的とする生産に直接関係ない作業により生ずる遅れの

　[解答群]
　ア　①：a　②：b　　イ　①：a　②：e　　ウ　①：b　②：d
　エ　①：c　②：b　　オ　①：c　②：d

職務設計に関する記述として、最も適切なものはどれか。

ア 職務設計においては、高生産性と同時に作業者のモラールの向上が実現されるように、作業者に分担させる仕事の内容を計画しなければならない。

イ 職務設計においては、作業者の心理的要因を十分考慮し、「仕事を人に合わせる」という考え方ではなく「仕事に人を合わせる」というアプローチが必要とされる。

ウ 多工程持ちは変種変量生産への対応において効果的な方策であるが、作業者には負担感が大きく、モラールを低下させる１つの要因となる。

エ フォードシステムを導入することにより、流れ作業と分業化によって作業の効率化が進められると同時に、職務拡大や職務充実が図られる。

第17問　★重要★

作業測定に関する記述として、最も適切なものはどれか。

ア PTS法では、作業設計が終了した後、その作業を正確に再現して実測しなければ標準時間を求めることができない。

イ 間接測定法である標準時間資料法は、過去に測定された作業単位ごとに資料化されている時間値を使って標準時間を求めるもので、類似の作業が多い職場に適している。

ウ 直接測定法であるストップウォッチ法は、作業を要素作業または単位作業に分割して直接測定する方法で、サイクル作業には適していない。

エ 人と機械が共同して行っているような作業における手待ちロスや停止ロスの改善を実施する場合には、人と機械に１人ずつ観測者がついて工程分析を行う必要がある。

第18問　★重要★

ある部品の検査工程では、部品のふたを取り外して中身の配線に異常がないかをチェックする作業をしている。この工程のレイアウトを下図に、作業手順①〜④を図の右に示している。この作業をサーブリッグ分析した結果を下表に示す。この分析結果から得られる判断に関する記述として、最も適切なものを下記の解答群から選べ。

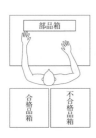

【作業手順】

① 部品箱から１個部品を取り出す。

② ふたを取り外し、異常がないかを検査する。

③ ふたを本体に付ける。

④ 異常があったら不合格品箱へ、異常がなかったら合格品箱に入れる。

図　レイアウト

表　サーブリッグ分析

	左手の動作要素	記号	目	記号	右手の動作要素
1	部品箱に手を伸ばす	TE 〜		UD ⌒	手待ち
2	（部品を選ぶ）		ST →		（部品を選ぶ）
3	部品をつかむ	G ∩			手待ち
4	部品を手元に運ぶ	TL ℧			
5	保持	H ⨅		TE 〜	ふたに手を伸ばす
6				G ∩	ふたをつかむ
7				DA ╫	ふたを取り外す
8	（検査）		I ◇		（検査）
9				TL ℧	本体にふたを運ぶ
10				P 𝟫	位置決めする
11				A ╫	ふたを本体に付ける
12				RL ⌒	手を放す
13	箱に部品を運ぶ	TL ℧		TE 〜	手を戻す
14	手を放す	RL ⌒		UD ⌒	手待ち
15	手を戻す	TE 〜			

［解答群］

ア　最初に改善すべきは、第１類に分類される「保持」と「手待ち」である。

イ　左手の動作要素５から12に保持があるので、両手作業が可能な保持具を導入する。

ウ　部品箱、合格品箱、不合格品箱の配置を見ると、すべて正常作業域に配置されているため、レイアウトは改善しなくてよい。

エ　右手の分析結果より、仕事をするうえで必要な動作要素は８つである。

初期導入された設備ＡとＢを240時間利用したときの稼働および故障修復について、下図のような調査結果が得られた。この2台の設備に関する記述ａ～ｃの正誤の組み合わせとして、最も適切なものを下記の解答群から選べ。

	0	10	20	30	40	50	60	70	80	90	100	110	120	130	140	150	160	170	180	190	200	210	220	230	240
設備A	稼働				修復			稼働					修復	稼働					修復		稼働				
設備B	稼働		修復	稼働						修復	稼働							修復		稼働					

ａ　MTBF（平均故障間隔）は設備Ｂのほうが長い。

ｂ　MTTR（平均修復時間）は設備Ｂのほうが長い。

ｃ　アベイラビリティ（可用率）は設備Ｂのほうが高い。

[解答群]

ア　ａ：正　　　ｂ：正　　　ｃ：誤

イ　ａ：正　　　ｂ：誤　　　ｃ：正

ウ　ａ：正　　　ｂ：誤　　　ｃ：誤

エ　ａ：誤　　　ｂ：正　　　ｃ：正

オ　ａ：誤　　　ｂ：正　　　ｃ：誤

第20問　　★重要★

ある工程が規格に対して満足な状態かどうかを管理するために、この工程で生産される製品の品質特性の発生頻度を測定した。その結果、平均2.05、標準偏差0.05であった。この品質特性については、規格の中心が2.05、規格下限値が1.8、規格上限値が2.3と決められている。この調査結果から分かることに関する記述として、最も適切なものを下記の解答群から選べ。

ここで、工程能力指数は以下の式で求められるものとする。

$$工程能力指数 = \frac{規格の幅}{6 \times 標準偏差}$$

また、工程能力の評価基準として1.33を用いるものとする。

[解答群]

　ア　　この工程の工程能力指数は1.33を上回っているので規格値からはみ出
　　　す製品があり、十分な工程能力があるとはいえず、改善が必要である。

　イ　　この工程の工程能力指数は1.33を上回っているので十分な工程能力が
　　　あり、工程は満足な状態で管理されている。

　ウ　　この工程の工程能力指数は1.33を下回っているので規格値からはみ出
　　　す製品があり、十分な工程能力があるとはいえず、改善が必要である。

　エ　　この工程の工程能力指数は1.33を下回っているので十分な工程能力が
　　　あり、工程は満足な状態で管理されている。

第21問

　循環型社会形成のための事業者が取り組む施策に関する記述として、<u>最も不適切なもの</u>はどれか。

ア　循環型サプライチェーンによって3R（リデュース・リユース・リサイクル）を推進することは、新たな製品や部品・素材を加工するためのエネルギーの削減とCO_2削減に寄与すると期待されている。

イ　循環型社会形成推進基本法により、自ら生産する製品等について販売後、消費者の手に渡るまで一定の責任を負う「拡大生産者責任」の一般原則が確立された。

ウ　製造段階では、使用済みの製品を回収して新しい製品の生産に活用する循環型生産システムの構築が要請されている。

エ　調達段階における企業の取り組みとして、環境負荷が少ない製品を優先的に購入するグリーン調達の推進が推奨されている。

オ　販売・流通段階では環境負荷の少ない輸配送システムの整備や販売方法の見直しに加えて、顧客を巻き込んだ販売・流通システムの構築も必要とされている。

問　題

3
年
度

わが国のショッピングセンター（SC）の現況（2020年末）について、一般社団法人日本ショッピングセンター協会が公表している『SC白書2021（デジタル版）』から確認できる記述として、最も適切なものはどれか。

ア　1 SC当たりの平均テナント数は約300店舗である。

イ　1 SC当たりの平均店舗面積は約10万m²である。

ウ　1核SCの中で最も数が多いキーテナントは百貨店である。

エ　キーテナント別SC数では1核SCの割合が最も低い。

オ　ディベロッパーの業種別SC数で最も多い業種は小売業である。

都市再生特別措置法における立地適正化計画に関する記述として、最も適切なものはどれか。

ア　居住誘導区域を設定する際には、市町村合併の経緯や市街地形成の歴史的経緯にとらわれることなく、市町村の主要な中心部のみを区域として設定することが望ましい。

イ　市街化調整区域とは、医療・福祉・商業等の都市機能を都市の中心拠点や生活拠点に誘導し集約することにより、これらの各種サービスの効率的な提供を図る区域である。

ウ　都市計画上の区域区分を行っていない市町村においては、その代替措置として立地適正化計画を活用することはできない。

エ　立地適正化計画では、原則として、居住誘導区域の中に都市機能誘導区域を定める必要がある。

オ　立地適正化計画の区域は、都市計画区域と重複してはならない。

　ある地域に住む消費者Xが、ある店舗に買い物に出かける確率を考えたい。その地域には店舗Aおよび店舗Bの2店舗のみが存在すると仮定する。このとき、消費者Xが店舗Aに買い物に出かける確率を計算したい。以下で示す条件が与えられたとき、修正ハフモデルを用いて上記の確率を求める場合、最も適切なものを下記の解答群から選べ。なお、店舗の魅力度については売場面積を使用する。

店舗Aの売場面積　　　　：1,000m²
店舗Aと消費者Xとの距離：1,000m
店舗Bの売場面積　　　　：2,000m²
店舗Bと消費者Xとの距離：2,000m
距離抵抗係数　　　　　　：2

[解答群]

　ア　$\dfrac{1}{2}$　　　イ　$\dfrac{1}{3}$　　　ウ　$\dfrac{2}{3}$　　　エ　$\dfrac{1}{4}$

　食品リサイクル法に基づく新たな基本方針（「食品循環資源の再生利用等の促進に関する基本方針」令和元年7月）に関する記述の正誤の組み合わせとして、最も適切なものを下記の解答群から選べ。

a　基本理念において食品ロスが明記され、食品関連事業者および消費者の食品ロス削減に係る役割が記載された。

b　事業系食品ロスについては、2050年度を目標年次として、サプライチェーン全体で2000年度の半減とする目標が新たに設定された。

c　食品廃棄物等多量発生事業者は、国に食品廃棄物等の発生量および食品循環資源の再生利用等の実施量を、都道府県別および市町村別に報告することになった。

[解答群]

　ア　a：正　　b：正　　c：誤

　イ　a：正　　b：誤　　c：正

　ウ　a：正　　b：誤　　c：誤

　エ　a：誤　　b：正　　c：誤

　オ　a：誤　　b：誤　　c：正

第26問　　★ 重要 ★

　照明に関する以下の文章において、空欄A～Cに入る語句の組み合わせとして、最も適切なものを下記の解答群から選べ。

　自然光や人工照明で照らされた場所の明るさを　 A 　という。JISでは、スーパーマーケットにおける店内全般の維持　 A 　の推奨値は　 B 　ルクスである。また、光で照明された物体の色の見え方を　 C 　という。

[解答群]

　ア　A：光度　　　B：500　　　C：演色

　イ　A：光度　　　B：2,000　　C：演色

　ウ　A：光度　　　B：2,000　　C：光色

　エ　A：照度　　　B：500　　　C：演色

　オ　A：照度　　　B：2,000　　C：光色

第27問　　★ 重要 ★

　商品の売上と利益の管理に関する記述として、最も適切なものはどれか。ただし、仕入れた商品をすべて売り切ることを前提に答えよ。

ア　一定の利益幅を仕入原価に上乗せして販売価格を設定する方法をマークアップ法という。

イ　最初の販売価格で売れ残った商品を当初の値入率より低い値引き率で特売すると粗利益額がマイナスになることがある。

ウ　仕入れた商品を販売したときの粗利益額は、仕入時に設定した値入額を上回ることが多い。

エ 値入率が異なる複数商品の販売計画を立てる場合、仕入数量が決まらなくても全体の値入率を計算することができる。

第28問　★重要★

下表は、店舗Xにおける1日の作業全体をまとめたものである。この表に基づく以下の【人時生産性の改善策】A〜Dに関する記述として、最も適切なものを下記の解答群から選べ。ただし、改善策による売上高・粗利益額の変動はないものとして答えよ。

作業	発注	商品陳列	レジ接客	清掃	その他
1人当たりの作業時間	6時間	4時間	5時間	3時間	4時間
作業担当人数	2人	3人	4人	2人	4人

【人時生産性の改善策】

A 自動発注システムを導入し、発注の担当人数を1人減らす。

B 商品陳列に段ボール陳列やシェルフレディパッケージを導入して、1人当たりの作業時間を25%削減する。

C セルフレジを導入してレジ接客の担当人数を1人減らし、1人当たりの作業時間を20%削減する。

D 清掃ロボットを導入して清掃の1人当たりの作業時間を50%削減する。

[解答群]

ア AからDのすべての改善策を行うと、全体の人時生産性は2倍以上に高まる。

イ 改善策Aと改善策Bを同時に行う場合と、改善策Cと改善策Dを同時に行う場合とで人時生産性の改善効果は同じである。

ウ 改善策Bと改善策Dの人時生産性の改善効果は同じである。

エ 改善策Bと改善策Dを同時に行う場合の人時生産性の改善効果は、改善策Cを単独で行うよりも大きい。

オ 人時生産性の改善効果が最も高いのは、改善策Aである。

ビジュアル・マーチャンダイジング（VMD）における３つの表現区分①〜③とその役割に関する記述a〜cの組み合わせとして、最も適切なものを下記の解答群から選べ。

① IP（Item Presentation）
② PP（Point of Sales Presentation）
③ VP（Visual Presentation）

a　ショーウインドーやステージなど特定の場所で行い、客の目をひきつけ誘導する。
b　商品の特徴や機能を明示し、選択のヒントを示して客の判断を手助けする。
c　単品商品を分類・整理し、見やすく、分かりやすく、選びやすく陳列し、購買欲求を高める。

［解答群］
　ア　①とa　　イ　①とc　　ウ　②とa　　エ　③とb　　オ　③とc

以下は、ベーカリーを３店舗経営するＸ氏と中小企業診断士（以下、「診断士」という。）との間で行われた会話である。この会話を読んで、下記の設問に答えよ。

Ｘ　氏：「創業から自家製パンを販売してきましたが、最近は売上不振の店舗があり困っています。店舗ａは好調に売上を伸ばしていますが、他の店舗は年々売上が減少しています。」

診断士：「これまでのように３店舗とも同じ品揃えでは対応が難しくなっているのではないですか。店舗により品揃えを変えて、売上の悪い店舗では　　Ａ　　ことを考えてはどうでしょうか。」

Ｘ　氏：「ただ、いつも置いてある商品がなくなると困るお客さまがいるのではないかと心配で、なかなか難しいです。」

診断士：「例えば、店舗ｂで最も売上が少ない商品の販売数は、１日に２個から３個です。１個も売れていない日もありますね。一方で、一番売れている商品は、毎日15個近く売れていて廃棄ロスがほと

んどありません。早い時間に売り切れてしまう日はありません
か。」

X　氏：「確かに午後早い時間で売り切れてしまう日もあるようです。」

診断士：「売れ筋商品が売り切れていると、お客さまは仕方なく他の商品
　　　　を買うことにしたり、買うのをやめてしまったりしているのかも
　　　　しれません。まずは売れ筋商品が品切れしないように、陳列量を
　　　　増やしてみませんか。そうすることで、　　B　　売上を増やすこと
　　　　が見込めます。」

X　氏：「では、来週はそのように対応してみます。」

診断士：「良い成果を聞けることを楽しみにしています。」

設問1 ● ● ●

　会話の中の空欄AとBに入る語句の組み合わせとして、最も適切なものはど
れか。

ア　A：多くの新商品を追加で品揃えする　　B：機会ロスを減らして
イ　A：多くの新商品を追加で品揃えする　　B：新規顧客を増やして
ウ　A：品揃えする商品数を絞りこむ　　　　B：機会ロスを減らして
エ　A：品揃えする商品数を絞りこむ　　　　B：新規顧客を増やして

設問2 ● ● ●

　会話の下線部で診断士がX氏に勧めていたような売上改善の手法として、最
も適切なものはどれか。

ア　カテゴリーアセスメント
イ　カテゴリーマネジメント
ウ　単品管理
エ　ラインロビング
オ　ロイヤルティ・マーケティング

令和3年4月1日以降、消費税転嫁対策特別措置法（平成25年10月1日施行）の特例の適用がなくなった後の商品の価格表示に関する記述として、最も適切なものはどれか。

ア　商品の値札には、商品の本体価格と消費税率が記載されていればよい。

イ　商品の値札には、商品の本体価格と消費税額がそれぞれ分かるように記載しなければならない。

ウ　商品の値札には、商品の本体価格と消費税額を合わせた総額を表示しなければならない。

エ　新聞折込チラシに掲載する商品の価格は、消費税額を含めず商品の本体価格を記載すればよい。

オ　量り売りで商品を販売する場合、単位当たりの価格を表示する値札には、消費税額を含めず商品の本体価格を記載すればよい。

最寄品を主に取り扱う小売店舗における在庫管理に関する記述として、最も適切なものはどれか。

ア　1回当たりの発注量が一定の場合、サイクル在庫は一定になる。

イ　欠品を防止するために設定する安全在庫量は、需要量の標準偏差が2倍になると半分になる。

ウ　定期発注方式を採用した場合、販売量を一定とすると、1回当たりの発注量は発注から納品までの調達期間が長くなるほど少なくなる。

エ　定量発注方式を採用した場合、発注量の決定には発注間隔があらかじめ決定されている必要がある。

オ　発注点と補充点を設定して発注する方式を採用した場合、1回当たりの発注量は販売量の増減にかかわらず一定になる。

物品の輸送手段に関する記述として、最も適切なものはどれか。

ア　RORO（roll-on roll-off）船は、港湾でのコンテナの積み降ろしに専用のクレーンを必要とする。

イ　出発時間や到着時間を荷主の都合で指定したいときには、特別積合せ運送よりも、トラックの貸切運送を選択した方がよい。

ウ　宅配便は、消費者間で物品を配送するときに利用されるサービスであり、企業間では利用されない。

エ　鉄道輸送では、短距離で少量の輸送の場合に、輸送量当たりの輸送料金がトラック輸送よりも低い傾向がある。

オ　トラック輸送から鉄道輸送へのモーダルシフトは、パレチゼーションを阻害する。

トラック運送における共同輸配送に関する以下の【取組内容】と、取組前よりも改善が期待される【生産性指標】の組み合わせとして、最も適切なものを下記の解答群から選べ。

【取組内容】
①　取組前には、荷主Aと荷主Bそれぞれの貨物を異なるトラックに積んでも、両方のトラックに他の貨物を積載する余裕があったため、荷主Aと荷主Bの貨物を同じトラックに積み合せることにした。

②　取組前には、荷主Cの貨物を着地でトラックから降ろした後に帰り荷がなかったため、荷主Cの納品後に荷主Dの貨物を帰り荷として積載することにした。

③　取組前には、荷主Eの貨物を積載したトラックが、発地X・着地Y間を宿泊を伴いながら往復運行し、荷主Fの貨物を積載したトラックが、発地Y・着地X間を宿泊を伴いながら往復運行していた。このため、両方のトラックが発着地X・Y間の中間地点で出会い、互いの貨物を積み替えて宿泊を伴わずに輸送することにした。ただし、トラック1台に乗車するドライバーは1人とする。

【生産性指標】
a　実働率（トラックの運行可能な時間に占める、走行や荷役、手待ちなど実際に稼働した時間の割合）

b　実車率（トラックの走行距離に占める、実際に貨物を積載して走行した距離の

割合）

c　積載率（貨物を積載して走行するトラックの最大積載量に占める、実際に積載
した貨物の量の割合）

[解答群]
ア　①とa　　②とb　　③とc
イ　①とa　　②とc　　③とb
ウ　①とb　　②とc　　③とa
エ　①とc　　②とa　　③とb
オ　①とc　　②とb　　③とa

第35問　　★重要★

チェーン小売業の物流センターの機能に関する記述として、最も適切なもの
はどれか。

ア　仕入先から物流センターへの納品頻度は、在庫型物流センターよりも通過型物流
センターを利用する方が少なくしやすい。
イ　通過型物流センターには、各仕入先からの納品に対する店舗での荷受作業を集約
する機能はない。
ウ　店舗での発注から納品までのリードタイムは、通過型物流センターよりも在庫型
物流センターを利用する方が短くしやすい。
エ　物流センターから店舗へ多頻度小口配送を推進すると、店舗の平均在庫量は増加
する。
オ　物流センターから店舗へのカテゴリー納品を行うと、店舗への納品回数は多くな
る。

第36問　　★重要★

物流におけるユニットロードに関する以下の文章において、空欄A～Cに入
る語句の組み合わせとして、最も適切なものを下記の解答群から選べ。

ユニットロードシステムとは、パレットやコンテナなどの機材を用いて貨物をユニ
ットロードにすることにより、　 A 　を機械化し、輸送や保管などを一貫して効率
化する仕組みである。ユニットロードシステムの構築には、物流のモジュール化が必

要であり、ユニットロードの標準的な B を決定する必要がある。

一方、ユニットロードシステムには対処すべき問題が発生する可能性がある。例えば、平パレットを利用して貨物をトラックで輸送する場合、トラックの積載効率が低下したり、 C ことがある。

[解答群]

ア　A：荷役　　　　　B：寸法
　　C：貨物をトラックから取り卸す時間が長くなったりする
イ　A：荷役　　　　　B：寸法
　　C：納品後の平パレットの回収などの管理が必要になったりする
ウ　A：荷役　　　　　B：販売価格
　　C：貨物をトラックから取り卸す時間が長くなったりする
エ　A：包装　　　　　B：寸法
　　C：納品後の平パレットの回収などの管理が必要になったりする
オ　A：包装　　　　　B：販売価格
　　C：納品後の平パレットの回収などの管理が必要になったりする

第37問　　★重要★

物流センターの運営に関する記述として、最も適切なものはどれか。

ア　ABC分析は、ASN（Advanced Shipping Notice）に基づいて在庫管理の重点を決めるのに用いる。
イ　固定ロケーション管理は、フリーロケーション管理に比べて商品の保管効率が高いという特徴がある。
ウ　棚卸は、実際の在庫（数量など）と在庫台帳の内容とを照合する作業である。
エ　摘み取り方式ピッキングは、商品ごとの注文総数を一括してピッキングする作業である。
オ　デジタルピッキングは、適切な商品を適切な数だけコンテナ等に自動的に投入し梱包する装置である。

一般財団法人流通システム開発センターの定める「新しいGTINの設定が必要になる10の基準」では、従来使用していたJANコード（GTIN-13）および、集合包装用商品コード（GTIN-14）について、新たに設定が必要となる基準を定めている。このうち従来のJANコードは変更する必要はなく、従来の集合包装用商品コードのみを変更すべき例として、最も適切なものはどれか。

ア　集合包装の入数を変更した場合

イ　商品の包装の外寸、または総重量の20%以上を変更した場合

ウ　商品表示の変更をともなう正味内容量を変更した場合

エ　商品表示の変更をともなう成分や機能を変更した場合

オ　ブランドを変更した場合

小売業におけるCRMと、それに関連する分析方法や手法に関する記述として、最も適切なものはどれか。

ア　CRMにおいて、RFM分析などを利用して、優良顧客層のような着目すべき顧客層を識別することは重要である。

イ　FSPは、EDLPにとっては有効な手法の1つであるが、CRMには関係がない。

ウ　RFM分析のFの評価値は、顧客の購買額の分散値が大きな値であることによって、高い評価値と判断することができる。

エ　顧客の購買機会ごとの購買額と購買商品数の相関係数が大きければ、RFM分析におけるRの評価値も高いと考えられる。

オ　優良顧客層を特定するために、顧客の年齢や性別などの属性データを説明変数としてクラスター分析を行うことは、CRMにとって重要である。

食品衛生法等の一部を改正する法律（平成30年法律第46号）により令和３年
６月１日から、原則としてすべての食品等事業者はHACCPに沿った衛生管理
に取り組むことになり、小規模な営業者であってもHACCPを取り入れた衛生
管理が求められている。一方で、公衆衛生に与える影響が少ない営業として衛
生管理計画および手順書の作成が義務付けられていない営業者が存在する。以
下の①〜④のうち、そのような営業者の組み合わせとして、最も適切なものを
下記の解答群から選べ。

① 器具容器包装の輸入または販売業
② 飲食店等で食品を調理する営業者
③ 食品または添加物の輸入業
④ 食品を分割して容器包装に入れ、または包んで小売販売する営業者

[解答群]
　ア　①と②　　イ　①と③　　ウ　②と③　　エ　②と④　　オ　③と④

第41問

「中小企業共通EDI標準」は、中小企業の生産性をより一層向上させること
を目的として、特定非営利活動法人ITコーディネータ協会から公開されている。
このEDI標準の制定に至る経過に関する以下の文章において、空欄Ａ〜Ｄに入
る用語の組み合わせとして、最も適切なものを下記の解答群から選べ。

企業間取引のデジタル化は、1985年の通信自由化を起点として、専用線やISDNに
よる　Ａ　方式（発注者１対受注者１の接続方式）が利用された。しかしこの方式
では、EDI利用者が高額なEDI送受信設備投資を必要としたため、取引量の大きな大
企業間取引にしか、普及しなかった。また受注者は顧客ごとに対応する必要があり、
いわゆる　Ｂ　問題が発生した。2000年頃よりインターネットの普及に伴い、受注
者はインターネット接続環境が整った接続可能なパソコンがあれば利用可能な
　Ｃ　方式（発注者１対受注者多数の接続方式）が普及し始めた。しかしこの方式
は、発注者ごとに固有の仕様が導入され、提供されるデジタル注文データのフォーマ
ットもバラバラであったため、いわゆる　Ｄ　問題が発生した。

[解答群]
　ア　A：WEB-EDI　　　B：多画面　　　C：個別EDI　　　D：多端末
　イ　A：WEB-EDI　　　B：多端末　　　C：個別EDI　　　D：多画面
　ウ　A：個別EDI　　　B：多画面　　　C：WEB-EDI　　　D：多端末
　エ　A：個別EDI　　　B：多端末　　　C：WEB-EDI　　　D：多画面

第42問

　電子タグを活用して商品を個体で管理するために必要なコードが、GS１標準の識別コードに対応して整備されている。これらのコードに関する以下の文章において、空欄A〜Cに入る略語の組み合わせとして、最も適切なものを下記の解答群から選べ。

　　　A　　は、GS１で標準化された電子タグに書き込むための識別コードの総称であり、　　B　　等のGS１が定める標準識別コードが基礎となっている。そのため、既存のバーコードシステムとの整合性を確保しながら、電子タグシステムを構築することが可能である。

　　　A　　の一例である　　C　　は、商品識別コードである　　B　　にシリアル番号（連続番号）を付加したものであり、　　B　　が同じ商品でもそれぞれ１つ１つを個別に識別することが可能である。

[解答群]
　ア　A：EPC　　B：GRAI　　C：SSCC
　イ　A：EPC　　B：GTIN　　C：SGTIN
　ウ　A：EPC　　B：GTIN　　C：SSCC
　エ　A：GCN　　B：GRAI　　C：SSCC
　オ　A：GCN　　B：GTIN　　C：SGTIN

令和 **3** 年度
解答・解説

nswers

問題	解答	配点	正答率※	問題	解答	配点	正答率※	問題	解答	配点	正答率※
第1問	イ	2	A	第15問	オ	3	D	第30問 (設問1)	ウ	2	A
第2問	エ	2	C	第16問	ア	2	B	第30問 (設問2)	ウ	2	E
第3問	ウ	2	B	第17問	イ	2	B	第31問	ウ	3	B
第4問 (設問1)	ア	3	C	第18問	イ	3	B	第32問	ア	2	D
第4問 (設問2)	ア	2	E	第19問	イ	2	A	第33問	イ	2	A
第5問	エ	3	C	第20問	イ	2	C	第34問	オ	3	A
第6問	エ	2	A	第21問	イ	2	B	第35問	ウ	2	A
第7問	ウ	2	A	第22問	オ	2	B	第36問	イ	2	A
第8問	ウ	2	B	第23問	エ	3	B	第37問	ウ	2	A
第9問	エ	2	A	第24問	ウ	3	D	第38問	ア	2	B
第10問	ウ	3	B	第25問	イ	2	D	第39問	ア	3	B
第11問	ア	3	D	第26問	エ	2	C	第40問	イ	2	B
第12問	ウ	2	C	第27問	ア	2	C	第41問	エ	2	A
第13問	ア	2	E	第28問	ウ	3	C	第42問	イ	2	C
第14問	エ	2	D	第29問	イ	2	B				

※TACデータリサーチによる正答率

　正答率の高かったものから順に、A～Eの5段階で表示。

A：正答率80%以上　　　　B：正答率60%以上80%未満　　　C：正答率40%以上60%未満

D：正答率20%以上40%未満　　E：正答率20%未満

解答・配点は一般社団法人日本中小企業診断士協会連合会の発表に基づくものです。

第1問

5Sに関する問題である。5Sはそれぞれ、以下のような内容となっている。

① 整理：必要なものと不必要なものを区分し、不必要なものを片付けること
② 整頓：必要なものを必要なときにすぐ使用できるように、決められた場所に準備しておくこと
③ 清掃：必要なものについた異物を除去すること
④ 清潔：整理・整頓・清掃が繰り返され、汚れのない状態を維持していること
⑤ 躾（しつけ）：決めたことを必ず守ること

上記より空欄Aには「整頓」が入り、空欄Bには「清潔」が入り、空欄Cには「整理→整頓→清掃」が入る。

よって、**イ**が正解である。

第2問

生産管理の用語や生産形態に関する問題である。

ア ✕：本肢前半は受注生産の定義である。受注生産は「顧客が定めた仕様の製品を生産者が生産する形態」（JIS Z 8141-3204）と定義される。また、本肢後半は見込生産の定義である。見込生産は「生産者が市場の需要を見越して企画・設計した製品を生産し、不特定な顧客を対象として市場に出荷する形態」（JIS Z 8141-3203）と定義される。本肢最後の「受注生産への切り替えを検討した」の部分の受注生産が見込生産であれば、適切な内容となる。

イ ✕：3Sは生産の合理化における基本原則であり、標準化、単純化、**専門化**の3つを指す。

ウ ✕：本肢は、ベンチマーキングの説明ではなく、**グループテクノロジー（GT）**の説明である。GTとは、多種類の部品をその形状、寸法、素材、工法などの類似性に基づいて分類し、多種少量生産に大量生産的効果を与える管理手法のことである。また、ベンチマーキングとは、競合他社などの優れた製品やビジネスプロセスなどを指標として自社のそれらと比較、分析する改善手法のことである。

エ ○：正しい。同期化とは、「生産において分業化した各工程（作業）の生産速度（作業時間、移動時間など）、稼働時間（生産開始・終了時刻など）、それに対する材料の供給時刻などを全て一致させ、仕掛品の滞留、工程の遊休などが生じないようにする行為」（JIS Z 8141-1212）のことである。本肢は、ほぼ同期化の定義どおりで

ある。

よって、**エ**が正解である。

第3問

生産現場のレイアウト分析に関する問題である。

ア ✕：DI分析（Distance-Intensity分析）とは、運搬物の重量と距離の関係を図示し、工場のレイアウトを評価する手法のことであり、横軸に各設備間の距離、縦軸に運搬量をとる。本肢の、**横軸に製品、縦軸に生産量をとる代表的なグラフにはP-Q分析がある。**

イ ✕：SLP（Systematic Layout Planning）で使われる相互関係図表（アクティビティ相互関係図表）は、生産にかかわるさまざまなアクティビティの特徴から相互関係を評価するために使用する分析ツールであり、**アクティビティ間の立体的な大きさは評価しない。**

ウ ◯：正しい。

エ ✕：フロムツウチャートは、多品種少量生産の職場における機械設備や作業場所の配置計画をするときに用いられるツールであり、**行に前工程の機械設備、列に後工程の機械設備をレイアウト順に記入する。セルには運搬重量または運搬距離を記入する。**

よって、**ウ**が正解である。

第4問

実験計画法に関する問題である。実験計画法とは、効率の良いデータの採取方法を計画し、適切な解析結果を与えることを目的とする統計的手法のことである。製品開発の場面などで用いられている手法である。本問は補足的説明が与えられておらず、題意をとらえることさえも容易ではなかったと思われる。

設問1 ●●●

実験において測定の対象となる品質などの特性に影響を及ぼすものとして、実験で取り上げる寸法、温度などの条件を因子という。多くの因子を取り上げて実験を行う際には、因子の組み合わせが膨大な数となり、すべての組み合わせについて実験を行うと時間やコストが甚大となる。そこで、実験結果の精度を維持しつつ、実験の組み合わせを最小化し、一部の組み合わせだけで実験を行う方法を直行配列表実験という。

また、直行配列表実験で取り上げる因子について、主効果を点で、交互作用を点と点を結ぶ線で表現したのが線点図である。本問では問題文や解答群にある条件から、

A～Dの4つの主効果および、「AとB」、「AとC」の組み合わせによる交互作用を対象に、線点図に割り付けることが求められている。なお、線点図において割り付け対象とならない列は誤差と認識される。

まず、Aを1列目、Bを2列目に割り付けることが問題文および図に示されている。この内容から、3列目には「AとBの交互作用（A×B）」を割り付けることが想定される。

次に、「AとCの交互作用（A×C）」も割り付け対象となっていることから、4列目にC、5列目に「A×C」を割り付けることが想定される。

そして、ここまで各因子を点に割り付けてきたことを思えば、点7（7列目）に残った因子Dを割り付けることが想定できる（残った誤差を6列目に割り付ける）。

以上の手順により、**ア**が正解である。

設問2 ● ● ●

検定結果における有意判断について問われている。表の項目は以下のとおりである。

　平　方　和：各データ値と平均との乖離の2乗和

　自　由　度：自由に決めることができる値の数。自由度は「データ数−1」で示される。

　平均平方：平方和を自由度で除した値

　分　散　比：平均平方を誤差の値で除した値

平均平方と分散比を算出すると以下のとおりとなる。

要因	平方和	自由度	平均平方	分散比	
	S	φ	V	F₀	
A	6	1	6	1.5	F（1,1 ; 0.05）＝161
B	25	1	25	6.25	F（1,2 ; 0.05）＝ 18.5
C	3	1	3	0.75	F（1,3 ; 0.05）＝ 10.1
D	21	1	21	5.25	F（1,4 ; 0.05）＝ 7.71
A×B	2	1	2	0.5	F（1,5 ; 0.05）＝ 6.61
A×C	2	1	2	0.5	F（1,6 ; 0.05）＝ 5.99
誤差	4	1	4	−	
T	63	7	−	−	

詳細は割愛するが、検定の結果が優位となるのは、分散比（F₀値）をF値（表の右の数値）で除した値が1よりも大きい場合である。換言すると、分散比の値がF値よりも大きい場合である。

要因Aを例に挙げると、「1.5＜161」であり、分散比の値がF値よりも小さいため、

241

有意ではないと判断される。要因Bは「6.25＜18.5」であり、要因Aと同様に有意ではない。このように各要因について検証すると、すべての要因について有意ではないと判断できる。

よって、有意となる要因の数は0であり、**ア**が正解である。

第5問

ライン生産方式における編成効率の算出問題である。手順は以下のとおりである。
＜手順＞
① サイクルタイムの算出
② 編成効率の算出
① サイクルタイムの算出
※稼働率90％ということは、生産期間は計画生産能力の90％となる
※問題に与えられた作業時間と同じ「分」単位に換算する

$$
\begin{aligned}
サイクルタイム &= \frac{生産期間}{（生産期間中の）生産量} \\
&= \frac{25（日／月）\times 8（時間／日）\times 60（分／時間）\times 90\%}{864} \\
&= 12.5 分
\end{aligned}
$$

② 編成効率の算出

$$
\begin{aligned}
編成効率 &= \frac{各工程の所要時間の合計}{サイクルタイム \times 作業ステーション数} \\
&= \frac{11.3 + 11.2 + 12.5 + 11.5}{12.5 \times 4} \\
&= 0.93 （93\%）
\end{aligned}
$$

よって、**エ**が正解である。

第6問

ジャストインタイム生産方式（JIT）に関する問題である。ジャストインタイムは、JISでは以下のように定義されている。「すべての工程が、**後工程**の要求に合わせて、必要な物を、必要なときに、必要な量だけ生産（供給）する生産方式。狙いは、作りすぎによる中間仕掛品の滞留、工程の遊休などを生じないように、生産工程の流れ化（スムーズに流れること）と生産リードタイムの短縮にある。ジャストインタイムを

実現するためには、**最終組立工程**の生産量を平準化すること（平準化生産）が重要である。後工程が使った量だけ前工程から引き取る方式であることから、後工程引取方式（プルシステム）ともいう」（JIS Z 8141-2201）。また、後工程引取方式以外にも、**引張方式**ということもある。

上記より空欄Aには「後」が入り、空欄Bには「最終」が入り、空欄Cには「引張」が入る。

よって、**エ**が正解である。

第7問

工場のレイアウトに関する問題である。

グラフから空欄A〜Dの特徴を見ていくと以下のような生産形態であることがわかる。

空欄A：生産量が多く、品種は少ないため、少品種多量生産。

空欄B：生産量が中程度であり、品種も中程度のため、中品種中量生産。

空欄C：生産量が少なく、品種も少ないため、船舶や大型機械などの大型製品の生産。

空欄D：生産量は少なく、品種は多種になるため、多品種少量生産。

上記の生産形態にそれぞれに適するレイアウトを考えると以下のようになる。

空欄Aには「製品別レイアウト」が入り、空欄Bには「グループ別レイアウト」が入り、空欄Cには「製品固定型レイアウト」が入り、空欄Dには「工程別レイアウト」が入る。

よって、**ウ**が正解である。

第8問

需要予測法に関する問題である。

ア ✕：移動平均法の予測精度を高めるためには、個々の予測値の計算に用いるデータ数を適切に設定する必要がある。たとえば、需要変動が大きいものの需要予測をする場合には、直近の需要動向を重視するため、遠い過去のデータを用いずに、直近の少ないデータ数（たとえば、直近3か月分のデータ）を用いることが望ましい。一方、需要変動が小さい安定需要型のものの需要予測をする場合、少ないデータ数で需要予測を行うと、例外的な数値の影響を強く反映させてしまうおそれがある。この場合ある程度のデータ数（たとえば、直近6か月分のデータ）を用いて分析することが望ましい。このように、**予測精度はデータ数に依存する**、といえる。

イ ✕：移動平均法では、期が進むにつれて個々の予測値の計算に用いる**データ数が増加するわけではない**。たとえば、直近3か月の需要データを用いて翌月の需要予測を行う場合、4月の予測値は、直近の1、2、3月の需要データを用いる。そし

て、5月の予測値は、2、3、4月の需要データを用いる（1、2、3、4月の需要データを用いるわけではないので、データ数が増加するわけではない）。

ウ　○：正しい。指数平滑法は、観測値が古くなるにつれて指数的に重みを減少させる重みづけ移動平均法である。本肢は、指数平滑法の説明そのものである。

エ　×：指数平滑法を用いて需要予測をする場合、以下のような計算を行う。

当期予測値＝前回予測値＋a（前回実績値－前回予測値）

上式の後半にある「（前回実績値－前回予測値）」は「過去の予測誤差」であり、この誤差を用いて将来の需要量が予測されるため、過去の予測誤差とは独立に将来の需要量が予測されるとはいえない。

よって、**ウ**が正解である。

第9問

部品構成表に関する問題である。問題文にもあるとおり、（　）内は親1個に対して必要な子部品の個数であるので、それぞれの部品について下の階層から積を求めることで必要個数を算出することができる。

製品Zを1つつくるのに必要な部品Aの個数は以下のようになる。

（5×1×2）＋（2×3×2）＋（2×5×1）＋（5×10×1）＝82個

製品Zは10個生産するため、

82×10＝820個

よって、**エ**が正解である。

第10問

PERTに関する問題である。アローダイアグラムを作成し、最短完了期間を求める。

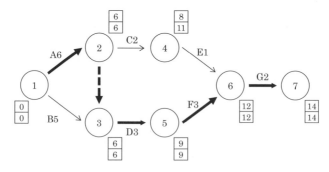

上図より、ジョブの最短完了時間は14である。

よって、**ウ**が正解である。

　ディスパッチング法によるスケジューリングの問題である。各ジョブのジョブ投入順序をLPT（最長作業時間）ルールで決定する、という制約が与えられている。LPTとは、各工程で着手可能なジョブのうち、最も長い作業時間のジョブを先に着手する、というルールである。

【順序決定の手順】

① 作業順序で機械1を先とするジョブ1、ジョブ2のうち、機械1の作業時間が長いジョブ1を先に着手する。

② 作業順序で機械2を先とするジョブ3、ジョブ4のうち、機械2の作業時間が長いジョブ3を先に着手する。

③ 機械2で最初に着手したジョブ3の作業時刻4の経過後に、機械2に着手できるのはジョブ4のみであるためジョブ4に着手する（作業時刻4の時点で、ジョブ1は機械1の加工中であり、ジョブ2は作業順序で先の機械1を未加工のため、機械2の加工を施せない）。

④ 機械1で最初に着手したジョブ1の作業時刻6の経過後に、機械1に着手できるのはジョブ2と、機械2の加工を終えたジョブ3である（作業時刻6の時点で、ジョブ4は先に加工すべき機械2を未加工のため、機械1の加工を施せない）。着手可能なジョブ2、ジョブ3のうち、機械1の作業時間が長いジョブ2に着手する。

⑤ 機械2で2番目に着手したジョブ4の加工終了時刻7時点で、着手できるのはジョブ1のみであるためジョブ1に着手する（作業時刻7の時点で、ジョブ2は機械1の加工中のため、機械2の加工を施せない）。

⑥ 機械1で2番目に着手したジョブ2の加工終了時刻11時点で、着手可能なジョブ3、ジョブ4のうち、機械加工1の作業時間が長いジョブ3を先に着手する。

⑦ 機械1で残ったジョブ4に着手する。

⑧ 機械2で残ったジョブ2に着手する。

　以上のように着手順を決定し、その結果、総所要時間は18となる。

　よって、**ア**が正解である。

解答・解説

3年度

発注方式における発注点あるいは発注量の決定に関する問題である。

ア ✕：ダブルビン方式は、定量発注方式の簡易版である。同容量の在庫が入った容器（ビン）を2つ用意しておき、一方の容器が空になった時点（在庫量が残り1容器の容量になった時点）で1容器の容量を発注する方式である。したがって、**発注量＝発注点**となる。

イ ✕：定量発注方式は、「発注時期になるとあらかじめ定められた一定量を発注する在庫管理方式。注釈　一般には、発注点方式を指す。」（JIS Z 8141-7312）と定義されている。定量発注方式における発注時期を決定する在庫水準である発注点は、以下のように算出する。

> 発注点＝調達期間中の推定需要量＋安全在庫量

上式の「調達期間中の推定需要量」は、「調達期間中の平均的な払い出し量」であり、それに**安全在庫を加えた量を発注点**とする。

ウ 〇：正しい。定量発注方式における発注量は、経済発注量（経済的発注量、EOQ）が用いられる。EOQは、以下のように算出する。

$$経済的発注量 = \sqrt{\frac{2 \times 1回の発注費用 \times 1期当たりの推定所要量}{1個1期当たりの在庫保管費用}}$$

エ ✕：定期発注方式は、在庫調査間隔をあらかじめ定めておき、定期的な在庫調査の都度、発注量を決定する在庫管理方式のことである。定期発注方式の発注量の算出式は、以下のとおりである。

> 発注量＝（発注間隔＋調達期間）中の推定需要量－発注残－手持在庫量＋安全在庫量
> 手持在庫量：現品が手元にある在庫量
> 発注残：発注済みだがまだ手元に届いていない在庫量

本肢の説明には、**手持在庫量と発注残を減算する点が書かれていないため不適切**である。

よって、**ウ**が正解である。

現品管理に関する問題である。現品管理とは、「資材、仕掛品、製品などの物について運搬・移動又は停滞・保管の状況を管理する活動　注釈1　現品の経済的な処理並びに数量及び所在の確実な把握を目的とする。現物管理ともいう」（JIS Z 8141-4102）と定義されている。具体的には、対象品の質、量、所在地を確実に把握する、と考えればよい。

a 〇：正しい。「原材料の品質を保持」するための置き場環境改善は、現品管理の一環といえる。

b 〇：正しい。「仕掛品量の適正かつ迅速な把握」のため、電子タグなどのRFIDを用いたシステムを導入することは、現品管理の一環といえる。

c ✕：「仕掛在庫を減らす」ため、運搬ロットサイズを小さくする改善活動は、**現品管理の範囲ではなく、在庫管理である**。

d ✕：「在庫量の適正化を図る」ため、発注方式の変更を検討する行為は、**現品管理の範囲ではなく、在庫管理である**。

よって、**a**：正、**b**：正、**c**：誤、**d**：誤であるため、**ア**が正解である。

第14問

流動数分析に関する問題である。流動数分析は、前工程からの仕掛品の累積受入数量と次工程への累積払出数量を日時で比較し、その差から仕掛品の在庫量や過小過多、停滞時間などを把握するものである。

【流動数図表の例】

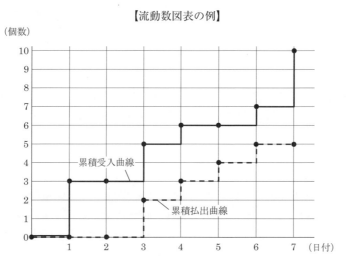

a ✕：流動数図表では、**横軸は経過時間**である。

b ✕：流動数図表では、**縦軸は累積量**である。

c 〇：正しい。当該工程への流入を上回って流出することはできないため、累積流入量は常に累積流出量以上である。

d 〇：正しい。流動数分析は見込生産と受注生産のいずれでも使える。

よって、**a**：誤、**b**：誤、**c**：正、**d**：正であるため、**エ**が正解である。

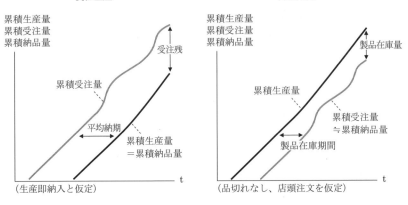

【受注生産と見込生産の流動数図表の例】

受注生産

累積生産量
累積受注量
累積納品量

受注残

累積受注量

平均納期

累積生産量
＝累積納品量

t

（生産即納入と仮定）

見込生産

累積生産量
累積受注量
累積納品量

製品在庫量

累積生産量

累積受注量
≒累積納品量

製品在庫期間

t

（品切れなし、店頭注文を仮定）

（参考文献：藤本隆宏『生産マネジメント入門Ⅰ』日本経済新聞出版社）

第15問

　標準時間に関する用語を問う問題である。正味時間は「主体作業、準備段取作業を遂行するために直接必要な時間」（JIS Z 8141-5503）と定義される。また、余裕時間は「作業を遂行するために必要と認められる遅れの時間」（JIS Z 8141-5504）と定義される。

a 　部品や材料に直接加工を行うために必要な作業は「主作業」である。正味時間には、主作業だけでなく、付随作業や準備段取作業に必要な時間も含まれるため、不適切である。

b 　ロットごとまたは始業の直後・終業の直前に発生する作業のために必要な時間は「準備段取作業時間」である。

c 　規則的・周期的に繰り返される作業のために必要な時間は「正味時間」（空欄①）である。問題文にあるとおり、標準時間は、正味時間と余裕時間の合計である。このうち、規則的・周期的に繰り返される作業のための時間が正味時間であり、不規則・偶発的に発生する作業のための時間が余裕時間とされる。

d 　作業を遂行するために必要と認められる遅れの時間は「余裕時間」（空欄②）である。これは前述の定義どおりである。

e 　目的とする生産に直接関係ない作業により生ずる遅れの時間は「職場余裕時間」である。
　よって、空欄①には**c**、空欄②には**d**が該当するため、**オ**が正解である。

職務設計に関する問題である。職務設計は「作業者の欲求を満足させ、勤労意欲を高揚させるために、作業者が担当する仕事内容を計画する行為

注釈1　職務設計の主な考え方を、次に示す。

－職務の幅を広げる水平的な職務拡大（job enlargement）。

－計画及び統制のような管理的要素を含めて、職務遂行を垂直的に拡大し作業者の自主性に任せる職務充実（job enrichment）。

－種々の職務に配置転換して、多くの知識及び経験を積ませるとともに、同一職務の繰返しによる単調感を防ぐことを目的とするジョブローテーション（job rotation，職務交替制）。」（JIS Z 8141-5112）と定義されている。

ア　〇：正しい。職務設計において、高生産性を実現する仕事の分担が望ましいことは正しい。また、作業者のモラールの向上に関する文言は、上記の定義の太字部分のとおりである。

イ　✗：職務設計においては、作業者の心理的要因を十分考慮し、「**仕事に人を合わせる**」という考え方ではなく「**仕事を人に合わせる**」という人本位のアプローチが必要とされる。本肢は、**太字部分が逆になっている**ため、不適切である。

ウ　✗：多工程持ち（作業）は、作業者が作業の流れの順に多工程を受けもつことを指す。つまり、複数の異なる作業を担当するということである。多工程持ちが変種変量生産への対応において効果的な方策であることは正しい。また、多工程持ちは、単一作業のみ担当することと比較した場合、作業に対する単調性を感じにくくなるため、**モラールを向上させ易い**とされる。

エ　✗：フォードシステムとは、H.Fordが発明した自動車量産システムのことである。その核となる要素として、製品品種の絞り込み（単一製品化）、作業の機械化、作業の標準化、ベルトコンベヤによる運搬、作業の流れとの物の流れの同期化などが含まれ、現在の効率的な大量生産システムの基礎となったシステムといえる。フォードシステムを導入することにより、流れ作業と分業化によって作業の効率化が進められるとする本肢前半の記述は正しいが、**職務の幅を広げる職務拡大、職務遂行を作業者の自主性に任せる職務充実が図られるとされる本肢後半の記述は不適切**である。

よって、**ア**が正解である。

標準時間の設定に関する問題である。

ア　✗：PTS法は「人間の作業を、それを構成する基本動作にまで分解し、その基本

解答・解説

3年度

動作の性質と条件とに応じて、あらかじめ決められた基本となる時間値から、その作業時間を見積もる方法」(JIS Z 8141-5205) と定義されている。太字部分のとおり、PTS法では規定の時間値を積み上げて標準時間を算出するのであり、原則的に、作業時間を実測する必要はない。

イ ○：正しい。標準時間の設定方法は、作業時間を直接測定する「直接測定法」と、直接観測はしない「間接観測法」に分類することができる。直接測定法には、ストップウォッチ法やVTR法などがある。標準時間資料法は、間接測定法の１つである。標準時間資料法は、「作業時間のデータを分類・整理して、時間と変動要因との関係を数式、図、表などにまとめたものを用いて標準時間を設定する方法」(JIS Z 8141-5506) と定義されている。標準時間資料法では、資料化された時間値を用いて、標準時間を求める。同じ作業を繰り返し行う職場には、ストップウォッチ法などの直接観測法が適しているが、同じ作業の繰り返しではないものの類似作業が多い職場には、標準時間資料法は適している。

ウ ✕：ストップウォッチ法は、作業を要素作業または単位作業に分割して、直接、作業時間を測定する方法であり、直接測定法に分類されることは正しい。ストップウォッチ法では、観測した作業時間にレイティング修正を加え、余裕率を加味することで標準時間を設定する。そして、設定された標準時間を繰り返し用いることを前提とするため、**サイクル作業（同じ作業を繰り返し行う作業）に適した標準時間設定法**といえる。

エ ✕：人と機械が共同して行っているような作業を把握し、改善するための分析手法を、連合作業分析という。人と機械は同じ場所で作業が行われるため、**両者を１人の観測者が観測することも可能である**ことが多い。

よって、**イ**が正解である。

第18問

IEの動作研究に含まれる作業空間、両手動作分析、サーブリッグ分析などを横断的に問う問題である。サーブリッグ分析は、あらゆる作業に共通する基本動作を18種類の動素（サーブリッグ）に分解して分析する手法である。

サーブリッグ記号

分類	名　称		略字	記号	記号の意味
第1類	手を伸ばす	transport empty	TE	⌣	空の皿の形
	つかむ	grasp	G	∩	ものをつかむ形
	運ぶ	transport loaded	TL	⌣	皿にものを載せた形
	組み合わす	assemble	A	♯	ものを組み合わせた形
	使う	use	U	U	使う（use）の頭文字
	分解する	disassemble	DA	╫	組合せから1本取り去った形
	放す	release load	RL	⌒	皿からものを落とす形
	調べる	inspect	I	◯	レンズの形
第2類	探す	search	SH	⊂⊃	眼でものを探す形
	見出す	find	F	◉	眼でものを探し当てた形
	位置決め	position	P	9	ものが手の先にある形
	選ぶ	select	ST	→	指し示した形
	考える	plan	PN	℅	頭に手を当てて考える形
	前置き	pre-position	PP	⌂	ボーリングのピンを立てた形
第3類	保持	hold	H	⊔	磁石がものを吸い付けた形
	休む	rest	R	℅	人が椅子に腰掛けた形
	避けられない遅れ	unavoidable delay	UD	⌒	人がつまずいて倒れた形
	避けられる遅れ	avoidable delay	AD	⌐◯	人が寝た形

（『生産管理用語辞典』（社）日本経営工学会編　（財）日本規格協会）

【作業手順】

① 部品箱から1個部品を取り出す。

② ふたを取り外し、異常がないかを検査する。

③ ふたを本体に付ける。

④ 異常があったら不合格品箱へ、異常がなかったら合格品箱に入れる。

図　レイアウト

	左手の動作要素	記号		目	記号		右手の動作要素
1	部品箱に手を伸ばす	TE	⌣		UD	⌀	手待ち
2	（部品を選ぶ）			ST →			（部品を選ぶ）
3	部品をつかむ	G	∩				手待ち
4	部品を手元に運ぶ	TL	∽				
5	保持	H	⊓		TE	⌣	ふたに手を伸ばす
6					G	∩	ふたをつかむ
7					DA	✝	ふたを取り外す
8	（検査）			I ◯			（検査）
9					TL	∽	本体にふたを運ぶ
10					P	9	位置決めする
11					A	♯	ふたを本体に付ける
12					RL	⌒	手を放す
13	箱に部品を運ぶ	TL	∽		TE	⌣	手を戻す
14	手を放す	RL	⌒		UD	⌀	手待ち
15	手を戻す	TE	⌣				

ア　✕：「保持」および「手待ち」は、ともに**第3類**（作業を行わない要素）に属する。なお、手待ちは、前出のサーブリッグ記号の表ではUD（避けられない遅れ）と表現されている。

イ　◯：正しい。選択肢**ア**の解説にもあるとおり、「保持」は第3類に属し、改善の優先度が高い。物を持って位置を保つ行為は、保持具を導入して代替することが望ましい。

ウ　✕：作業者が作業を行う範囲には、正常作業域および最大作業域がある。

【正常作業域および最大作業域】

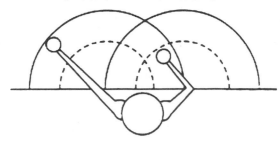

最大作業域（上図の実線内）：固定した肩を中心に、手を最大に伸ばして届く範囲

正常作業域（上図の点線内）：上腕を身体に近づけ、前腕を自然な状態で動かした範囲

問題に与えられた図では、**部品箱**は固定した肩を中心に、手を最大に伸ばしても届いておらず、**正常作業域の外である**ことはもちろんであり、最大作業域の範囲にも収まっていない。また、**合格品箱および不合格品**は作業者の背後に設置されており、こちらも**正常作業域外かつ最大作業域外である**。正常作業域内に収めるためには、部品箱は作業者の近くに引き寄せて設置する必要があり、合格品箱および不合格品箱は、作業者の右斜め前および左斜め前に配置する必要がある。

エ ✕：右手の分析結果のうち、仕事をするうえで必要な動作要素（第1類）は、7つである。具体的には、No.5（ふたに手を伸ばす）、No.6（ふたをつかむ）、No.7（ふたを取り外す）、No.9（本体にふたを運ぶ）、No.11（ふたを本体に付ける）、No.12（手を放す）、No.13（手を戻す）が第1類に該当する。

よって、**イ**が正解である。

設備の信頼性などに関する問題である。問われている用語は以下のとおりである。

0	10	20	30	40	50	60	70	80	90	100	110	120	130	140	150	160	170	180	190	200	210	220	230	240

設備A：稼働／修復／稼働／修復／稼働／修復／稼働

設備B：稼働／修復／稼働／修復／稼働／修復／稼働

MTBF（平均故障間隔）：

設備の信頼性を評価する指標のひとつであり、故障設備が修復されてから、次に故障するまでの動作時間の平均値を表す。

$$MTBF = \frac{総動作時間}{総故障数}$$

本問に与えられた数値で数値を求めると、

$$設備 A の MTBF = \frac{40 + 50 + 50 + 40}{3} = 60$$

$$設備 B の MTBF = \frac{20 + 50 + 80 + 50}{3} = 66.66\cdots$$

したがって、MTBFは設備Bのほうが長いため、**a**は正しい。

MTTR（平均修復時間）：

設備の保全性を評価する指標のひとつであり、故障した設備を運用可能状態へ修復するために必要な時間の平均値を表す。

$$MTTR = \frac{総修復時間}{総修復数}$$

本問に与えられた数値で数値を求めると、

設備 A の MTTR $= \dfrac{30 + 10 + 20}{3} = 20$

設備 B の MTTR $= \dfrac{10 + 10 + 20}{3} = 13.33\cdots$

したがって、MTBFは設備Aのほうが長いため、**b**は誤りである。

アベイラビリティ（可用率）：

　要求どおりに遂行できる状態にあるアイテムの能力（JIS Z 8141-6506）。

　アベイラビリティ $= \dfrac{\text{MTBF}}{\text{MTBF} + \text{MTTR}}$

本問に与えられた数値で数値を求めると、

　設備 A のアベイラビリティ $= \dfrac{60}{60 + 20} = 0.75$

　設備 B のアベイラビリティ $= \dfrac{66.66\cdots}{66.66\cdots + 13.33\cdots} = 0.83\cdots$

したがって、アベイラビリティは設備Bのほうが高いため、**c**は正しい。

よって、**a**：正、**b**：誤、**c**：正であるため、**イ**が正解である。

なお、本問において、MTBFを「平均故障間隔」、アベイラビリティを「可用率」としているが、JIS定義の改正に伴い、それぞれ「平均故障間動作時間」「可用性、可動率、または稼働率」に変更されている。

第20問

　工程能力指数に関する問題である。工程能力指数は、定められた規格の範囲内で製品を生産できる能力を表す指標である。本問で問われているのは、以下の2点である。

　① 工程能力指数が1.33を上回っているか下回っているか

　② 工程能力指数は大きいとよいか、小さいとよいか

① 工程能力指数の計算

　与えられた数値を代入し、工程能力指数を計算する。

$$
\begin{aligned}
\text{工程能力指数} &= \dfrac{\text{規格の幅}}{6 \times \text{標準偏差}} \\[2mm]
&= \dfrac{2.3 - 1.8}{6 \times 0.05} \\[2mm]
&= \dfrac{0.5}{0.3} \\[2mm]
&= 1.66\cdots (> 1.33)
\end{aligned}
$$

工程能力指数は1.33を上回っているので、選択肢の**ア**、**イ**の２択が残される。

② 工程能力指数の評価

工程能力指数は、特性の規定された公差（本問の「規格の幅」）を工程能力（6σ、本問では6×標準偏差と表記）で除して求める。工程能力指数を算出する際に分母となる「工程能力」とは、評価対象となる品質特性のバラツキ度合いを示す値であり、小さいほど高く評価される。したがって、分母となる工程能力の値が小さいほど、すなわち**工程能力指数の値が大きいほど評価が高い**ことを示す。本問では、**工程能力指数（1.66…）が評価基準（1.33）を上回っているので、工程は満足な状態で管理されている**といえる。

よって、**イ**が正解である。

第21問

循環型社会形成に関する問題である。

ア ○：正しい。3Rはリデュース（Reduce）、リユース（Reuse）、リサイクル（Recycle）の総称である。リデュースは、製品をつくる時に使う資源の量を少なくすることや廃棄物の発生を少なくすることであり、取組例として、耐久性の高い製品の提供や製品寿命延長のためのメンテナンス体制の工夫などが挙げられる。リユースは、使用済製品やその部品等を繰り返し使用することであり、取組例として、再利用可能な製品の提供、修理・診断技術の開発、リマニュファクチャリングなどが挙げられる。リサイクルは、廃棄物等を原材料やエネルギー源として有効利用することである。本肢のとおり、これらの取組みは、エネルギー削減、CO_2削減に寄与するものである。

イ ✕：循環型社会形成推進基本法における一般原則「拡大生産者責任」とは、「生産者が、自ら生産する製品等について使用され**廃棄物となった後まで**一定の責任を負う」ことをいう。

ウ ○：正しい。使用済みの製品を回収し、それらを原料として再利用して生産された新しい製品は「再生品」といわれる。生産現場においては、このような循環型生産の導入が要請されている。

エ ○：正しい。グリーン調達とは、納入先企業が、サプライヤーから環境負荷の少ない製品や環境配慮等に積極的に取り組んでいる企業から優先的に調達するもののことをいう。企業の調達の取組みとして、グリーン調達の推進が求められる。

オ ○：正しい。販売・流通段階において不可欠な輸配送システムの環境負荷を低減することや、販売方法についても、再利用可能な容器の利用、エコバッグの利用など顧客も循環型社会形成に参加する形での仕組みづくりが求められている。

よって、**イ**が正解である。

一般社団法人日本ショッピングセンター協会が公表している『SC白書2021（デジタル版)』からの出題である。本白書により2020年の国内外のSC動向や各種基礎データの推移を確認することができる。2020年末現在の総SC数は、3,195であり、その概況は以下の通りである。

総 SC 数	3,195
総テナント数	163,613 店
1 SC 当りテナント数	51 店
総キーテナント数	2,927 店
総店舗面積	53,991,842 ㎡
1 SC 当り店舗面積	16,899 ㎡

＊SC数、面積は2020年末時点での営業中のSC

ア ✕：上記の通り1 SC当たりの平均テナント数は51店舗である。

イ ✕：上記の通り1 SC当たりの平均店舗面積は16,899㎡である。

ウ ✕：1核SCの中で最も数が多いキーテナントは、840のGMS（総合スーパー）である。次いで多いのは827のSM（食品スーパー）であり、百貨店は73となっている。

エ ✕：キーテナント別SC数では1核SCが1,957であり最も多く、全体の6割を占めている。

オ 〇：正しい。ディベロッパーの業種別SC数で最も多い業種は小売業であり、1,278と全体の4割を占めている。

よって、**オ**が正解である。

（出典：一般社団法人日本ショッピングセンター協会『SC白書2021（デジタル版)』)

都市再生特別措置法における立地適正化計画に関する問題である。立地適正化計画は、都市再生を図るために、都市再生特別措置法に基づき市町村が作成する。

ア ✕：居住誘導区域を定めることが考えられる区域として、都市機能や住居が集積している都市の**中心拠点及び生活拠点並びにその周辺区域**がある。居住誘導区域は、市町村の主要な中心部のみに設定されるわけではない。

イ ✕：市街化調整区域とは、**市街化を抑制する区域**であり都市計画法に基づき都道府県が指定する区域である。医療・福祉・商業等の都市機能を都市の中心拠点や生

活拠点に誘導し集約するのは都市機能誘導区域である。

ウ ✕：都市計画上の区域区分を行うのは市町村ではなく**都道府県**である。また区域区分を行っていない区域であっても、**都市計画区域内であれば立地適正化計画の対象**である。

エ ◯：正しい。下図のように原則として、居住誘導区域内の中に都市機能誘導区域を設定する必要がある。

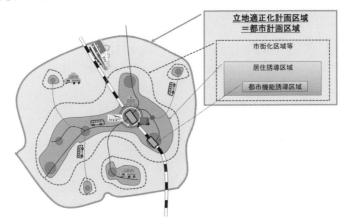

立地適正化計画区域
＝都市計画区域

市街化区域等

居住誘導区域

都市機能誘導区域

（出典：国土交通省「都市計画運用指針における立地適正化計画に係る概要」）

オ ✕：原則として、立地適正化計画の対象区域は、都市計画区域と**同じ区域**である。よって、**エ**が正解である。

第24問

商圏分析モデルの1つである修正ハフモデルに関する問題である。ある商圏内において、消費者がある店舗に買い物に出かける確率（吸引率）を算出するモデルであり、計算式は以下のとおりである。

$$\text{店舗Aの吸引率} = \cfrac{\cfrac{\text{店舗Aの売場面積}}{\text{居住地と店舗Aの距離}^\lambda}}{\cfrac{\text{店舗Aの売場面積}}{\text{居住地と店舗Aの距離}^\lambda} + \cfrac{\text{店舗Bの売場面積}}{\text{居住地と店舗Bの距離}^\lambda} + \cdots + \cfrac{\text{店舗nの売場面積}}{\text{居住地と店舗nの距離}^\lambda}}$$

λ：距離の抵抗係数

※修正ハフモデルでは、距離の抵抗係数を2として計算する。

本問の与えられた数値を上式に代入し、計算すると以下のようになる。

$$\text{店舗 A の吸引率} = \cfrac{\cfrac{1,000}{1,000^2}}{\cfrac{1,000}{1,000^2} + \cfrac{2,000}{2,000^2}}$$

$$= \cfrac{\cfrac{1}{1,000}}{\cfrac{1}{1,000} + \cfrac{1}{2,000}}$$

$$= \cfrac{\cfrac{2}{2,000}}{\cfrac{2}{2,000} + \cfrac{1}{2,000}}$$

$$= \frac{2}{3}$$

よって、**ウ**が正解である。

第25問

　食品リサイクル法に基づく新たな基本方針（「食品循環資源の再生利用等の促進に関する基本方針」令和元年7月）に関する問題である。基本方針では、食品循環資源の再生利用等を総合的かつ計画的に推進するために、必要な事項を定めている。

a　○：正しい。食品循環資源の再生利用等の促進に関する基本方針の基本理念に食品ロスの削減が明記された。また食品関連業者および消費者のみならず再生利用事業者および農林漁業者等についても食品ロス削減に係る役割が記載された。

b　✕：事業系食品ロスについては、**2030年度**を目標年次として、サプライチェーン全体で2000年度の半減とする目標が新たに設定された。

c　○：正しい。地域における食品廃棄物等の発生量及び食品循環資源の再生利用等の実施量をより細かく把握し、国と地方公共団体が連携して地域ごとの食品循環資源の再生利用等を促進するために、食品廃棄物等多量発生事業者は、国に食品廃棄物等の発生量及び食品循環資源の再生利用等の実施量を都道府県別及び市町村別にも報告することとし、国はこれらを整理した上で公表するものとされている。

　よって、**a**は正しく、**b**は誤り、**c**は正しいため、**イ**が正解である。

第26問

　照明に関する問題である。

空欄A 「照度」が入る。照度は、光を受ける面の明るさであり、単位面積あたりに
　　　どれだけの光が到達しているかを表す。単位はルクス（lx）である。
空欄B 「500」が入る。JIS Z 9110：2010ではスーパーマーケットにおける店内全般
　　　の維持ルクスとして、500を推奨している。
空欄C 「演色」が入る。演色は、光で照明された物体の色の見え方であり、数値化
　　　して評価できるようにした指標に平均演色評価数（アールエイ：Ra）がある。
　　　Raは100が最大であり、原則として数値が大きいほど演色性がよいとされる。
　なお、「光度」とは光源からある方向へ向かう光の強さのことであり、単位はカン
デラ（cd）である。また「光色」とは光源の色のことであり、白色光と有色光に分
けることができる。
　よって、**エ**が正解である。

第27問

　商品の売上と利益の管理に関する問題である。

ア ○：正しい。一定の利益幅を仕入原価に上乗せして販売価格を設定する方法をマ
ークアップ法という。

イ ✕：最初の販売価格で売れ残った商品を当初の値入率よりも**高い割引率**で特売す
ると粗利益額がマイナスになることがある。

ウ ✕：値入額は仕入時に設定した希望する利益の額であるのに対して、粗利益額は
実際に販売した時の利益の額である。仕入時に設定した値入率で商品を販売しても、
売れ行きが不振であれば売れ残り防止のため販売価格を割り引くことがある。本問
では仕入れた商品をすべて売り切ることが前提となっており、売り切るためには**値
入額を下回る粗利益額で販売することも必要となる場合がある**。

エ ✕：値入率が異なる複数商品を販売する場合、全体の値入率は下記の計算式によ
って求められる。

$$\text{全体の値入率} = \frac{（各商品の値入率 \times 各商品の仕入数量）の合計}{総商品仕入数量}$$

　上記の式より**全体の値入率を求めるには各商品の仕入数量が決まっていなければな**
らない。

　よって、**ア**が正解である。

第28問

　人時生産性に関する問題である。

解答・解説

3
年
度

$$人時生産性 = \frac{粗利益}{総労働時間}$$

人時生産性の改善には、「粗利益の向上」または「総労働時間の削減」が求められるが、本問では粗利益の金額は不明である（一定と考えてよい）。よって、**各改善策において、「労働時間の削減率＝人時生産性の改善率（改善効果）」と考えてよい。**

作業	発注	商品陳列	レジ接客	清掃	その他
1人当たりの作業時間	6時間	4時間	5時間	3時間	4時間
作業担当人数	2人	3人	4人	2人	4人
総労働時間	12時間	12時間	20時間	6時間	16時間

※労働時間合計：12＋12＋20＋6＋16＝66時間

【人時生産性の改善策】

A　自動発注システムを導入し、発注の担当人数を1人減らす

　　削減できる労働時間　**6×1＝6（時間）**

B　商品陳列に段ボール陳列やシェルフレディパッケージを導入して、1人当たりの作業時間を25％削減する

　　削減できる労働時間　**4×0.25×3＝3（時間）**

C　セルフレジを導入してレジ接客の担当人数を1人減らし、1人当たりの作業時間を20％削減する

　　削減できる労働時間　**5×4－{5×（1－0.2）×（4－1）}＝8（時間）**

D　清掃ロボットを導入して清掃の1人当たりの作業時間を50％削減する

　　削減できる労働時間　**3×0.5×2＝3（時間）**

ア　✕：AからDのすべての改善策を行った場合の改善効果は以下のとおりとなる。

　総削減時間　**6＋3＋8＋3＝20（時間）**

　改善後の総労働時間　**66－20＝46（時間）**

　改善効果　**66÷46＝1.43…**

　改善効果は、約1.43倍であり、**2倍以上は高まらない。**

イ　✕：本肢に示された組み合わせの改善効果を比較する。

　改善策Aと改善策Bを同時に行う場合の削減時間　　**6＋3＝9**

　改善策Cと改善策Dを同時に行う場合の削減時間　　**8＋3＝11**

　削減時間が異なるため、改善効果は同じではない。

ウ　○：正しい。改善策Bおよび改善策Dの削減時間はともに3時間であるため、改善効果は同じとなる。

エ　✕：改善策Bと改善策Dを同時に行う場合の削減時間（3＋3＝6）は、改善策

Cを単独で行う場合の削減時間（8）よりも小さいため、**改善効果も小さい。**

オ ✗：人時生産性の改善効果が最も高いのは、削減できる労働時間が最大であるC（8時間）である。

よって、**ウ**が正解である。

ビジュアルマーチャンダイジング（VMD）に関する問題である。ビジュアルマーチャンダイジングとは、小売業の販売戦略を実践する上で、自店のコンセプトを視覚表現を通じて消費者に訴求する仕組みや手法のことである。その表現方法としてVP（Visual Presentation）、PP（Point of Sales Presentation）、IP（Item Presentation）がある。

① IPとは、単品商品を分類・整理し、見やすく、わかりやすく、選びやすく配置・配列した陳列表現のことである。棚、ハンガーラック、ガラスケースなどの商品を陳列するための什器で展開される。**c**が該当する。

② PPとは、IPの中から特定の商品を選び商品の持つ魅力や特徴を視覚的に表現することである。棚の上や柱回り、マネキンなどが利用される。PPには来店客の回遊性を高め、店内滞在時間を長くする役割がある。**b**が該当する。

③ VPとは、企業・店舗のコンセプトやイメージ等を視覚的に表現することであり、店頭から店内に顧客を誘導する役目を担う。ショーウィンドウのディスプレイ、メインステージなどで展開される。**a**が該当する。

よって、①と**c**の組み合わせが正しく、**イ**が正解である。

ベーカリーを3店舗経営するX氏と中小企業診断士の会話から、品揃えの変更による売上改善策を解答する問題である。二人の会話を読み解くことにより解答は可能である。

設問1 ● ● ●

空欄A 「品揃えをする商品数を絞り込む」が入る。診断士は、3店舗とも同じ品揃えでは対応が難しくなっていることから店舗により品揃えを変えることを提案している。これに対してX氏は、いつも置いてある商品がなくなると困るお客さまがいるのではないか、と心配している。この会話から、品揃えの数を増やすことではなく絞り込んで減らすことを診断士が提案している、と読み取れる。

空欄B 「機会ロスを減らして」が入る。診断士は売れ筋商品が売り切れているとお客様が他の商品を買う、あるいは買うのをやめてしまうことを指摘している。このことから新規顧客ではなく、既存顧客の購買行動に着目していることが分かる。また売れ筋商品が品切れしないように、陳列量を増やすことを提案している。つまり売れ筋商品の機会ロスを減らすことを提案していると読み取れる。

よって、**ウ**が正解である。

設問2 ● ● ●

診断士は商品が売れ筋であるか否かで陳列量を増減させる売上改善策を提案している。この手法は商品単品ごとの売上を把握して陳列量を増減させる手法であり、単品管理と呼ばれる。

以下、他の選択肢の用語について説明する。

・カテゴリーアセスメント…カテゴリーマネジメントの実施において、カテゴリーの定義の決定、カテゴリーの役割の設定の次に行う、カテゴリーの情報収集・情報分析・対策案策定のことである。

・カテゴリーマネジメント…消費者視点に立ち、同一の売り場で展開するカテゴリー毎に商品を管理する手法である。

・ラインロビング…新しい商品カテゴリーや特定の品種を取り扱うことで、競合店の売上や市場シェアを奪うことである。

・ロイヤルティ・マーケティング…競合店を利用せず自店のみを利用するロイヤルティの高い顧客に景品や値引き、イベントへの招待等のベネフィットを与えていくマーケティング手法のことである。

よって、**ウ**が正解である。

第31問

令和3年4月1日以降、消費税転嫁対策特別措置法（平成25年10月1日施行）に定められている特例の適用がなくなった。本問は、その後の商品の価格表示に関する問題である。

平成16年4月1日から消費税法において、事業者が消費者に対して価格を表示する場合には消費税額及び地方消費税を含めた総額での価格を表示することが義務付けられている。この総額表示義務に対して、平成26年4月1日及び令和元年10月1日の二度の消費税率の引き上げに際し、消費税の円滑かつ適正な転嫁の確保及び事業者による値札の貼り替え等の事務負担に配慮する観点から消費税転嫁対策特別措置法におい

て一定の要件の下、税込価格を表示することを要しない特例が設けられていた。この特例の失効後の令和3年4月1日以降は、事業者は消費税法の規定に基づいて消費者に総額表示することが義務となっている。

ア ✕：商品の値札には、商品の本体価格と消費税率の記載ではなく、**本体価格と消費税額を合わせた総額を表示しなければならない**。

イ ✕：商品の値札には、商品の本体価格と消費税額の記載ではなく、**本体価格と消費税額を合わせた総額を表示しなければならない**。

ウ 〇：正しい。商品の値札には、商品の本体価格と消費税額を合わせた総額を表示しなければならない。

エ ✕：総額表示義務は、取引の相手方に対して行う価格表示であれば、店頭における表示、**チラシ広告、新聞・テレビの広告など、それがどのような表示媒体により行われるかを問わず適用される**。

オ ✕：量り売りであっても、その単位ごとに消費税を含む価格表示を行う必要がある。

よって、**ウ**が正解である。

第32問

最寄品を主に扱う小売店舗における在庫管理に関する問題である。

ア 〇：正しい。サイクル在庫とは、納品から次の納品までの需要に対する在庫である。サイクル在庫は次の式で求めることができ、1回当たりの発注量が一定の場合、サイクル在庫は一定になる。

$$サイクル在庫 = \frac{発注量}{2}$$

イ ✕：安全在庫とは、欠品を起こさないために保有しておく在庫である。必要な安全在庫量は、以下の式で算出する。

安全在庫（定量発注方式）$= a \times \sqrt{L} \times \sigma$

安全在庫（定期発注方式）$= a \times \sqrt{(T+L)} \times \sigma$

a：安全係数（品切れ許容率によって決まる係数）

L：調達期間

T：発注間隔

σ：需要量の標準偏差

したがって、**需要量の標準偏差が2倍になれば安全在庫量も2倍になる**。

ウ ✕：定期発注方式は、一定の期間（月、旬、週）ごとに一定期間の需要量を予測し、それに基づいて発注する方式である。販売量が一定の下で、定期発注方式を採

用した場合、発注から納品までの調達期間が長くなるほど、1回当たりの発注量を多くする必要がある。

エ ✕：発注間隔をあらかじめ決定しておくのは定期発注方式である。定量発注方式を採用した場合、あらかじめ設定した発注量を毎回発注するため、発注間隔はバラつくことになる。

オ ✕：発注点と補充点を設定する発注方式を発注点補充点方式という。発注点補充点方式では、在庫量があらかじめ定められた水準に減少したときに、補充点と現在の有効在庫との差を発注する。現在の有効在庫は、販売量の増減により変化する。**販売量が増減すれば、1回当たりの発注量も変化する。**

ある小売店の以下の例で検討する。

商品X

補充点　10個

発注点　5個

このとき、発注量が常に（補充点10個－発注点5個＝5個）になるとは限らない。仮に現時点の在庫が6個とすると、発注点に達していないため発注は行わない。次に商品Xを購入した顧客がまとめて3個購入したとすると、残りの在庫が3個となり発注点を下回るため発注を行う。この時の発注量は（補充点10個－有効在庫量3個＝7個）となる。このように、発注点と発注時の有効在庫量は常に一致するわけではなく、1回当たりの発注量は変化する。

よって、**ア**が正解である。

第33問

物品の輸送手段に関する問題である。

ア ✕：港湾でのコンテナの積み降ろしに専用のクレーンを必要とするのは、LOLO船（Lift-On Lift-Off ship、ロロ船）である。LOLO船は、コンテナのみをクレーンで積み降ろしして積み込むタイプの船である。RORO船（Roll-On Roll-Off ship、ローロー船）とは、貨物を積載したトラックなどの車両ごと輸送する船のことであるため、コンテナ積み降ろし用のクレーンを必要としない。

イ ◯：正しい。特別積合せ運送とは、1台のトラックに不特定多数の荷主の貨物をまとめて積載し、全国規模で輸送することを指す。一般的な宅配便は特別積合せ運送に該当する。特別積合せ運送は、出発時間や到着時間を特定の荷主の都合で指定することはできない。その場合は、貸切運送を選択した方がよい。

ウ ✕：宅配便は、消費者間のみならず、**企業間でも利用されている。**

エ ✕：鉄道輸送は、長距離および大量の物品を輸送する際に、費用削減効果を見込

むことができる。よって、短距離で少量の輸送の場合には、輸送量当たりの輸送料金がトラック輸送よりも**高い傾向がある**。

オ ✕：トラック輸送から鉄道輸送へのモーダルシフトを行った場合でも、積み替え時にパレットごとそのまま輸送することが可能であるため、**パレチゼーションを阻害することはない**。

よって、**イ**が正解である。

第34問

共同輸配送の取り組みおよび生産性指標に関する問題である。

【取組内容】

① 異なる荷主の貨物を同じトラックに積み合わせ、トラックの積載量を有効活用することで、積載率（指標**c**）が向上する。

② 帰り荷を確保して、空運搬を削減することで、実車率（指標**b**）が向上する。

③ 宿泊を伴う往復運行を、宿泊を伴わない往復運行として、トラックの非稼働時間を削減することで、実働率（指標**a**）が向上する。

よって、①と**c**、②と**b**、③と**a**が適切な組み合わせであるため、**オ**が正解である。

第35問

チェーン小売業の物流センターの機能に関する問題である。

ア ✕：仕入先から物流センターへの**納品頻度**は、一度に大量の在庫を納品、保管することができる**在庫型物流センターを利用することで、少なくしやすくなる**。

イ ✕：物流センターを介することなく、各仕入先から直接店舗に納品される場合、仕入先の数が多いほど、荷受回数が多くなり、荷受作業の負担も大きくなる。一方、通過型物流センターを利用すると、**当該店舗向けの商品をまとめて荷受けすること**ができる。

ウ ○：正しい。店舗での発注から納品までの流れは、通過型物流センターの場合は、「店舗からの発注→ベンダーから物流センターへの納品→物流センターから出荷→店舗への納品」となるが、在庫型物流センターの場合は、「店舗からの発注→物流センターから出荷→店舗への納品」となる。店舗での発注後に、ベンダーから物流センターに商品を取り寄せる必要がないため、リードタイムは短くしやすい。

エ ✕：物流センターから店舗へ多頻度小口配送を推進すると、一度に多くの商品を店舗に配送する必要がなくなり、必要に応じて都度適量を配送することとなるため、**店舗の平均在庫量は減少する**。

オ ✕：カテゴリー納品とは、同じ商品カテゴリーの商品をまとめて同梱して納品す

る形態である。カテゴリー納品の採否によって異なるのは、同じ商品カテゴリーの商品を同じ梱包とするか、別の梱包に分散してもよいかの違いであるため、**店舗への納品回数が変わることはない。**

よって、**ウ**が正解である。

第36問

　物流におけるユニットロードに関する問題である。ユニットロードとは、パレットやコンテナなどの機材を用いて貨物をある単位にまとめることである。またユニットロードシステムは、ユニットロードの状態で、輸送、保管、荷役を行う仕組みである。

空欄 A：「荷役」が入る。荷役とは、貨物の積み込み、荷おろし、仕分け等のことであり、従来、人力に依存する作業であった。貨物をユニットロードにすることにより、クレーンやコンベア等の荷役機械を活用できるようになる。

空欄 B：「寸法」が入る。ユニットロードシステムの構築には、物流のモジュール化が必要である。物流のモジュール化には、パレットやコンテナの寸法を標準化しなければならない。

空欄 C：「納品後の平パレットの回収などの管理が必要になったりする」が入る。ユニットロードの場合、平パレットの寸法は標準化されているが、一方、貨物の寸法は様々である。したがって、平パレットへ乗せる貨物の大きさによっては、その容量が有効活用されないケースが生じトラックの積載効率が低下することもある。また納品後、帰り便で平パレットが使用されないと、納品の場所での保管や発送場所までの回収などの管理が必要となる。

よって、**イ**が正解である。

第37問

　物流センターの運営に関する問題である。

ア ✕：ABC分析は、**ABC曲線（パレート曲線）**に基づいて在庫管理の重点を決めるのに用いる。ASN（事前出荷明細）は、送り先に対して商品を出荷する前に電子データで伝達する出荷案内データのことである。

イ ✕：固定ロケーション管理は、棚と商品を固定的に対応させる方式であり、商品がなくても場所はキープされてしまう。一方、フリーロケーション管理は、棚と商品の対応にルールを持たせない方法であり、入庫時に最適と判断する場所をシステムが決め、そこに格納する。したがって、固定ロケーション管理の方が、フリーロケーション管理より商品の保管効率が低い。

ウ 〇：正しい。棚卸とは、倉庫の中の実際の在庫（数量など）と在庫台帳の内容と

266

を照合する確認作業である。

エ ✕：摘み取り方式は、シングルピッキングともいい、顧客となる店舗や注文先別に商品を集荷して回るピッキング方式である。商品ごとの注文数量を一括してピッキングする方式は、種まき方式である。

オ ✕：デジタルピッキングは、棚にライトを取り付け、作業者はライトの点滅指示により必要数量をピッキングする仕組みである。適切な商品を適切な数だけコンテナ等に自動的に投入し梱包する装置はロボットピッキングである。

よって、**ウ**が正解である。

第38問

一般社団法人流通システム開発センターの定める「新しいGTINの設定が必要になる10の基準」に関する問題である。10の基準には、JANコードと集合包装用商品コードの両方を新たに設定する場合と集合包装用商品コードのみを新たに設定する場合とがある。

	内　容	JANコード	集合包装用商品コード
基準1	新商品を発売した場合	新たに設定	新たに設定
基準2	商品表示の変更を伴う成分・機能を変更した場合	新たに設定	新たに設定
基準3	商品表示の変更を伴う正味内容量を変更した場合	新たに設定	新たに設定
基準4	包装の外寸、または総重量の20％以上を変更した場合	新たに設定	新たに設定
基準5	認証マークを追加、または削除した場合	新たに設定	新たに設定
基準6	ブランドを変更した場合	新たに設定	新たに設定
基準7	販促のために期間限定で包装を変更、または景品・試供品をつけた場合	必要なし	新たに設定
基準8	集合包装の入数を変更した場合	必要なし	新たに設定
基準9	セット商品や詰め合わせ商品の中身を変更した場合	新たに設定	新たに設定
基準10	商品本体に表示された価格を変更した場合	新たに設定	新たに設定

（出典：一般社団法人流通システム開発センター　HP参照）

尚、上記は最低限の基準であり、より細かい商品の違いを区別するために新しいGTINの設定が必要になる場合もある。

上記の通り、選択肢**ア**は基準8に該当しJANコードの新たな設定は必要なく、集合

包装用商品コードの新たな設定だけでよい。ちなみに選択肢**イ**は基準4、選択肢**ウ**は基準3、選択肢**エ**は基準2、選択**オ**は基準6に該当する。

よって、**ア**が正解である。

第39問

小売業におけるCRM（Customer Rerationship Management）に関する問題である。CRMにおいては、顧客の属性データ、購買履歴データなどを用いて顧客との関係構築を図る。

ア　○：正しい。RFM分析は、顧客を「R：Recency（最終購買日）」「F：Frequency（購買頻度）」「M：Monetary（購買金額）」という3つの観点でそれぞれポイントを付け、その合計点により、顧客をランク付けして管理していく手法である。CRMにおいては、優良顧客層のような着目すべき顧客層を識別し、限られたマーケティング資源を優良顧客層に傾斜配分するなどの、重点管理を行うことが重要である。

イ　✕：FSP（Frequent Shoppers Program）は、ポイントカードのように、顧客の利用実績に応じて特典を付与するなどして優良顧客層の顧客との関係構築を図る**CRMの一手法**である。EDLP（Every Day Low Price）は低価格を最大の売りにした小売戦略であり、EDLPにおいてもFSPの活用は可能であるが、EDLP以外の小売店舗と比較した場合、特別に有効であるわけではない。

ウ　✕：RFM分析のFは購買頻度を表す。Fは、**評価期間における顧客の購買回数の値が大きいと高い評価値となる**。評価期間における顧客の総購買金額を表すのがMであるが、顧客の購買額の分散値が大きい（顧客の購買機会ごとの購買額のバラツキが大きい）と評価が高いわけではない。

エ　✕：「顧客の購買機会ごとの購買額と購買商品数の相関係数が大きい」という状況は「取扱商品の単価のバラツキが小さい」ことを意味している。たとえば、取扱商品の単価がすべて100円の店舗の場合、1個買えば100円、10個買えば1,000円の購買額となり、購買額と購買商品数は完全な正相関の関係となる。一方、RFM分析におけるR（最終購買日）は、最終購買日が評価時点と近い（つい最近に買い物に来ている）と高評価となる。**本肢前半の相関係数とRの指標は、無関係である。**

オ　✕：クラスター分析とは、異なる性質のものが混じり合った集団から、互いに似た性質を持つ者を集め、クラスター（集団）を作る手法である。顧客の年齢や性別などの属性データを用いてクラスター分析を行ったとしても、同年齢、同性別の集団の構成員が必ずしも同じ購買行動をするわけではないため、**優良顧客層の特定に有効とはいえない。**

よって、**ア**が正解である。

　食品衛生法等の一部を改正する法律（平成30年法律第46号）に関する問題である。この法律により、原則として、全ての食品等事業者はHACCPに沿った衛生管理に取り組むことが義務付けられた。HACCPに沿った衛生管理に取り組む食品等事業者の対象には下記の小規模な営業者も含まれる。

(ⅰ)　食品を製造し、又は加工する営業者であって、食品を製造し、又は加工する施設に併設され、又は隣接した店舗においてその施設で製造し、または加工した食品の全部又は大部分を小売販売するもの。（菓子の製造販売、豆腐の製造販売、食肉の販売等）

(ⅱ)　飲食店営業又は喫茶店営業を行う者その他の食品を調理する営業者（そうざい製造業、パン製造業（消費期限が概ね5日程度のもの）、学校・病院等の営業以外の集団給食施設、調理機能を有する自動販売機を含む）（選択肢②に該当）

(ⅲ)　容器包装に入れられ、又は容器包装で包まれた食品のみを貯蔵し、運搬し、又は販売する営業者

(ⅳ)　食品を分割して容器包装に入れ、又は容器包装で包み小売販売する営業者（八百屋、米屋、コーヒーの量り売り等）（選択肢④に該当）

(ⅴ)　食品を製造し、加工し、貯蔵し、販売し、又は処理する営業を行う者のうち、食品等の取扱いに従事する者の数が50人未満である事業場

なお、下記の営業者は公衆衛生に与える影響が少ない営業として衛生管理計画および手順書の作成は義務付けられていない。

・　食品又は添加物の輸入業（選択肢③に該当）

・　食品又は添加物の貯蔵又は運搬のみをする営業（冷凍・冷蔵倉庫業は除く）

・　常温で長期間保存しても腐敗、変敗その他品質の劣化による食品衛生上の危害の発生の恐れがない包装食品の販売業

・　器具容器包装の輸入又は販売業（選択肢①に該当）

よって、選択肢①と③の組み合わせである**イ**が正解である。

　特定非営利法人ITコーディネーター協会が公開している「中小企業共通EDI標準」に関する問題である。本問では、EDI標準の制定に至る過程に関して問われている。

空欄A　「個別EDI」が入る。専用線やISDNなどで接続するEDIは、WEB-EDIではなく発注者1対受注者1で接続する個別EDIである。

空欄B 「多端末」が入る。発注者と受注者の間でデータの交換を行う場合、発注者
が採用したデータ形式に合わせて受注者は専用の端末を用意しなければなら
ない。発注者が複数であり、それに伴いデータ形式も複数であれば端末も複
数台必要となる。これを多端末問題という。

空欄C 「WEB-EDI」が入る。2000年頃から発注者と受注者間でインターネット接続
環境を利用したWEB-EDIが普及し始めた。WEB-EDIにより発注者1対受注
者多数の接続が可能となった。

空欄D 「多画面」が入る。WEB-EDIは発注者が構築するシステムを受注者がインタ
ーネットを通じて利用する。複数の発注者と取引のある受注者は、発注者ご
とに異なるシステムと接続するために端末上のEDIの管理画面を変更する必
要が生じる。これを多画面問題という。

よって、**エ**が正解である。

第42問

電子タグやGS1標準コードに関する問題である。解答群にある用語の内容は、以
下のとおりである。

用　語	内　　　　容
EPC	Electronic Product Codeの略 GS1で標準化された電子タグに書き込むための識別コードの総称（空欄A）
GCN	Global Coupon Numberの略 GS1で標準化されたクーポン識別番号
GRAI	Global Returnable Asset Identifierの略 GS1で標準化されたリターナブル資産（パレットやカゴ台車など）の識別番号
GTIN	Global Trade Item Numberの略 GS1で標準化された商品識別コードの総称（空欄B）
SSCC	Serial Shipping Container Codeの略 GS1で標準化された物流用のコンテナなどに用いられる識別コード
SGTIN	Serial Global Trade Item Numberの略 GS1で標準化された商品識別コード（GTIN）に個別のシリアル番号を付すことができるコード（空欄C）

よって、空欄Aに「EPC」、空欄Bに「GTIN」、空欄Cに「SGTIN」が入るため、**イ**
が正解である。

令和 2 年度 問題

uestions

第1問　★重要★

管理目標に関する記述として、最も適切なものはどれか。

ア　産出された品物の量に対する投入された主原材料の量の比によって、歩留まりを求めた。

イ　産出量に対する投入量の比によって、生産性を求めた。

ウ　単位時間に処理される仕事量を測る尺度として、リードタイムを用いた。

エ　動作可能な状態にある作業者が作業を停止している時間を、遊休時間として求めた。

第2問

　ある工場では、下図に示すように、3つの配送センターを経由して6つの店舗に製品を配送している。工場、配送センター、店舗の上の数値は、それぞれの拠点にある現時点の在庫量を示し、矢印の上の数値は現時点における配送中の製品量を示している。

　配送センターBの現時点におけるエシェロン在庫量として、最も適切なものを下記の解答群から選べ。

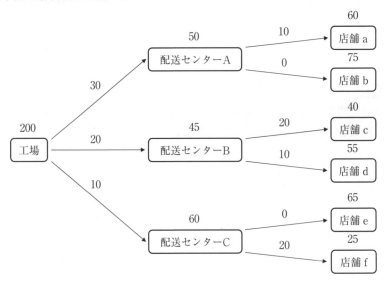

[解答群]

ア　45　　イ　75　　ウ　170　　エ　265　　オ　390

第3問　　★重要★

　工場レイアウトの設計における体系的な進め方として、システマティックレイアウトプランニング（SLP）が知られている。

　以下のa～dは、SLPの各ステップで実施する事項である。SLPの実施手順として、最も適切なものを下記の解答群から選べ。

a　必要スペースと使用可能スペースの調整を行う。

b　生産品目と生産数量との関係を分析する。

c　実施上の制約を考慮して調整を行い、複数のレイアウト案を作成する。

d　物の流れとアクティビティを分析し、各部門間の関連性を把握する。

[解答群]

　ア　a → b → d → c

　イ　a → c → b → d

　ウ　b → a → d → c

　エ　b → d → a → c

　オ　d → c → a → b

第4問

　品質表に関する以下の文章において、空欄A～Cに入る用語の組み合わせとして、最も適切なものを下記の解答群から選べ。

　下表は、スマートフォンについて作成した品質表である。この表において表側aは　　A　　、表頭bは　　B　　を表す。それらの対応関係は、◎と○で示される。

　新製品を開発する状況において、　　A　　に重要度を付けて　　B　　に変換する場合、◎を5点、○を3点とすると、最も重要な　　B　　は　　C　　となる。

a ＼ b	データ容量	充電性	形状寸法	質量	重要度
いろいろな用途に使える	○				1
操作しやすい			○		4
長時間楽しめる	○	◎		○	3
運びやすい			○	◎	2
頑丈である			◎	○	5

[解答群]

ア　A：品質特性　　B：要求品質　　C：形状寸法

イ　A：品質特性　　B：要求品質　　C：充電性

ウ　A：要求品質　　B：品質特性　　C：形状寸法

エ　A：要求品質　　B：品質特性　　C：質量

オ　A：要求品質　　B：品質特性　　C：充電性

第5問

　立体造形に係る技術に関する以下の文章において、空欄A～Cに入る用語の組み合わせとして、最も適切なものを下記の解答群から選べ。

　立体造形に係る技術は、金属、セラミックス、プラスチック、ガラス、ゴム等さまざまな材料を所要の強度や性質、経済性等を担保しつつ、例えば、高いエネルギー効率を実現するための複雑な翼形状や歯車形状等を高精度に作り出したり、高度化する医療機器等の用途に応じた任意の形状を高精度に作り出したりする技術全般を指す。

　これには、鋳型空間に溶融金属を流し込み凝固させることで形状を得る　A　技術や、金属粉末やセラミックス粉末の集合体を融点よりも低い温度で加熱し固化させることで目的物を得る　B　技術、三次元データを用いて任意の形状を金型等の専用工具を使わずに直接製造できる　C　技術も含まれる。

[解答群]

ア　A：融体加工　　B：射出成型　　C：研削加工

イ　A：融体加工　　B：粉体加工　　C：積層造形

ウ　A：溶接加工　　B：射出成型　　C：積層造形

エ　A：溶接加工　　B：粉体加工　　C：研削加工

問題

2年度

　工場での加工品の長さを測定して、そのヒストグラムを作成した結果、下図の①～③が得られた。その原因を調べたところ、おのおのについて以下のa～cの事実が明らかになった。

　【原因】と【結果】の組み合わせとして、最も適切なものを次ページの解答群から選べ。

【原因】

a　2つの機械で生産した加工品が混合していた。

b　規格を超えている加工品について手直しをしていた。

c　一部の工具に破損が見られた。

【結果】

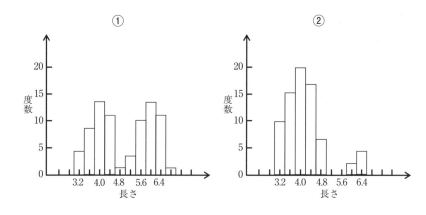

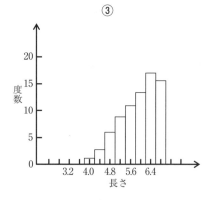

[解答群]

ア　aと①　　bと②　　cと③

イ　aと①　　bと③　　cと②

ウ　aと②　　bと③　　cと①

エ　aと③　　bと①　　cと②

オ　aと③　　bと②　　cと①

第7問　★重要★

　ある製品の生産の流れは、部品倉庫に保管された部品が第1工程に運ばれて切削をされ、その後、第2工程に運ばれて穴あけをされ、製品倉庫に運ばれる。各工程の後では、質の検査が行われる。

　この生産の流れに対して製品工程分析を行った場合の工程図として、最も適切なものはどれか。

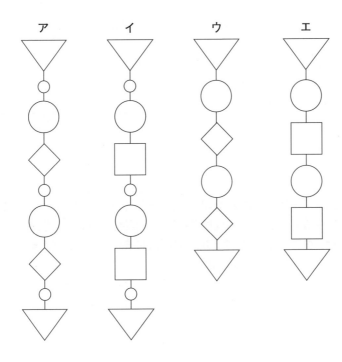

製番管理方式の特徴に関する記述として、最も適切なものの組み合わせを下記の解答群から選べ。

a　製品の組み立てを開始する時点で、すべての部品に製造番号を割り当てる。

b　ロット生産の工場でも利用可能であり、特にロットサイズが大きい場合に適している。

c　この方式を用いると、部品が1点でも遅延すると組み立てが開始できない。

d　品質保証を行う上で必要な情報のトレースが容易にできる。

[解答群]

ア　aとb　　イ　aとc　　ウ　bとc　　エ　bとd　　オ　cとd

第9問

需要量の予測に関する記述として、<u>最も不適切なもの</u>はどれか。

ア　季節変動を説明するモデルには回帰直線を利用する方法がある。

イ　景気変動などのように周期が固定されない変動は循環変動と呼ばれる。

ウ　傾向変動を説明するモデルにはロジスティック曲線を利用する方法がある。

エ　産業連関モデルでは、最終部門に生じた需要の変動が生産部門に及ぼす波及効果が表現される。

第10問

下表に示す7日間の需要量（個）に対する生産計画を考える。製品を生産する日には、生産に先立ち段取りが必要で、1回当たり段取り費3,000円が発生する。また、生産した製品は当日以降の需要に充当することが可能であり、当日の場合は在庫保管費は発生しないが、翌日以降に繰り越す場合は、繰越在庫量に比例して、1個1日当たり10円の在庫保管費が発生する。

生産計画の案0は1日目に7日間の総需要量900個を生産する計画で、総費用（段取り費と在庫保管費の合計）は31,300円になる。

案1～4は総需要量900個を複数回に分けて生産する計画である。これらの中で総費用を最小にする案として、最も適切なものを下記の解答群から選べ。

日	1	2	3	4	5	6	7	総費用 (円)
需要量	150	80	120	130	70	260	90	
案 0	900	0	0	0	0	0	0	31,300
案 1	350	0	0	550	0	0	0	
案 2	300	0	300	0	0	300	0	
案 3	230	0	320	0	0	350	0	
案 4	150	80	120	130	70	260	90	

[解答群]

ア　案1　　イ　案2　　ウ　案3　　エ　案4

第11問　　★重要★

　下表は、あるプロジェクト業務を行う際の各作業の要件を示している。CPM（Critical Path Method）を適用して、最短プロジェクト遂行期間となる条件を達成したときの最小費用として、最も適切なものを下記の解答群から選べ（単位：万円）。

作業名	先行作業	所要期間	最短所要期間	単位時間当たりの短縮費用 (万円)
A	–	5	4	10
B	A	6	2	50
C	B	7	3	90
D	A	9	7	30
E	C, D	5	3	40

[解答群]

ア　440　　イ　510　　ウ　530　　エ　610　　オ　710

　ある工場では、3台の機械を用いて2種類の製品X、Yの生産が可能である。下表には、製品を1単位生産するのに必要な各機械の工数と製品を1単位生産して得られる単位利益、および現状で使用可能な各機械の工数が示されている。また、下図は、下表に示した各機械における使用可能工数の制約を図示したものである。

　総利益が最も高くなる方策として、最も適切なものを下記の解答群から選べ。

	製品X	製品Y	使用可能工数
機械A	1	0	2
機械B	0	2	8
機械C	4	2	12
単位利益	3	5	

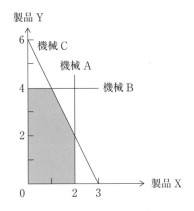

[解答群]

ア　機械Aの使用可能工数を現状から4引き上げて6とする。

イ　機械Bの使用可能工数を現状から4引き上げて12とする。

ウ　機械Cの使用可能工数を現状から4引き上げて16とする。

エ　機械Bの使用可能工数を現状から2引き上げて10、機械Cの使用可能工数を現状から2引き上げて14とする。

発注方式に関する記述として、最も適切なものはどれか。

ア　あらかじめ定めた一定量を発注する方式は定量発注方式と呼ばれる。

イ　定期的に発注する方式は適用が容易であり、ABC分析におけるC品目でよく用いられる。

ウ　毎回の発注量を2ロット（ビン）ずつに固定する発注方式はダブルビン方式と呼ばれる。

エ　毎月第1月曜日に発注するなど発注する時点が固定される発注方式は発注点方式と呼ばれる。

第14問

ある工場では、製品Aの加工精度のバラツキを抑制する目的で新設備を導入した。バラツキが抑制できたかどうかを仮説検定により確認するために、新設備を用いて生産した製品10個の加工精度を測定した。

このときに行う仮説検定の手順に関する記述として、最も適切なものはどれか。ただし、従来の設備では、加工精度の分散が23.5であった。

ア　10個のデータの分散が23.5よりも小さいかどうかを調べる。

イ　検定統計量がF分布に従うことを利用して検定を行う。

ウ　検定統計量は10個のデータから計算される偏差平方和である。

エ　対立仮説、有意水準、データ数に基づいて、帰無仮説の棄却域を設定する。

オ　対立仮説を $\sigma^2 \neq 23.5$ と設定する。

第15問　　★ 重要 ★

工場レイアウトを分析する手法の1つとして、DI（Distance-Intensity）分析がある。DI分析に関する記述として、最も適切なものはどれか。

ア　Distanceは工程間の運搬頻度を表す。

イ　Intensityはレイアウトを変更すれば、それに伴い変化する。

ウ　DI分析では、現状レイアウトの弱点を発見することができる。

エ　DI分析で右下にプロットされた工程間の運搬については、ベルトコンベアを利用する。

ある製品の梱包工程の作業内容は下表に示すとおりである。

この工程を3名の作業者で分担して作業を行う案として、単位時間当たりの生産量が最も多いものを下記の解答群から選べ。

ただし、各作業者間の移動・搬送の時間は無視でき、スペースの制約は考えない。

作業名	作業内容	優先作業	作業時間 （DM）
A	箱を組み立てる	−	10
B	品物にシールを貼る	−	10
C	箱に品物を入れる	A，B	30
D	箱に緩衝材を入れる	C	15
E	箱のふたをテープでとめる	D	10
F	箱にバンドを3本かける	E	50
G	製品置場に箱を運ぶ	F	25
合計			150

［解答群］

ア　作業者①がA・B・C・D、作業者②がE・F、作業者③がGを担当する。

イ　作業者①がA・B・C・Dを担当し、作業者②がEを実施したのち、作業者②と③が組作業によってFを実施（作業時間が25DMになる）したのち、作業者③がGを担当する。

ウ　作業者①がB・C・D、作業者②がE・F、作業者③がA・Gを担当する。
　　ただし、あらかじめいくつかの箱を組み立てておく。

エ　作業者①がC・D・E、作業者②がF、作業者③がA・B・Gを担当する。
　　ただし、あらかじめいくつかの箱を組み立てて、品物にシールを貼っておく。

　標準時間の設定に関する記述として、最も適切なものの組み合わせを下記の解答群から選べ。

a　作業を遂行するために必要と認められる遅れの時間が余裕時間で、観測時間に占める余裕時間の割合が余裕率である。

b　正常なペースと観測対象作業のペースを比較してレイティング係数を求め、ストップウオッチを用いて観測された観測時間の代表値をレイティング係数で割ることによって正味時間を求める。

c　PTS法では、人間の作業を基本動作に分解し、その基本動作の性質と条件に応じてあらかじめ決められた時間値を組み合わせて作業の標準時間を算出する。

d　その仕事に適性をもち習熟した作業者が、所定の作業条件のもとで、必要な余裕をもち、正常な作業ペースによって仕事を遂行するために必要とされる時間が標準時間である。

[解答群]
　ア　aとb　　イ　aとc　　ウ　aとd　　エ　bとc　　オ　cとd

第18問

　下表は、作業分析手法に対応した作業の分割区分に基づいて「旋盤を用いてワークを切削する」作業を展開したものである。
　この表に関する記述として、最も適切なものを下記の解答群から選べ。

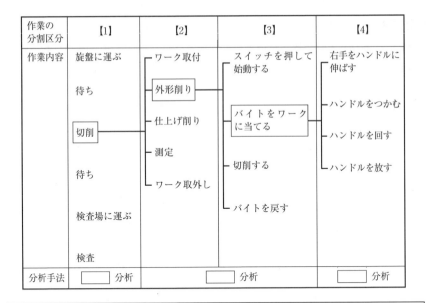

作業の 分割区分	【1】	【2】	【3】	【4】
作業内容	旋盤に運ぶ 待ち 切削 待ち 検査場に運ぶ 検査	├ ワーク取付 │ ├ 外形削り │ ├ 仕上げ削り │ ├ 測定 │ └ ワーク取外し	├ スイッチを押して │ 始動する │ ├ バイトをワーク │ に当てる │ ├ 切削する │ └ バイトを戻す	├ 右手をハンドルに │ 伸ばす │ ├ ハンドルをつかむ │ ├ ハンドルを回す │ └ ハンドルを放す
分析手法	[　] 分析	[　] 分析		[　] 分析

[解答群]

ア　工程分析の対象となるのは分割区分【1】で、各作業を加工・組立・検査・運搬の４つに大別して記号化する。

イ　時間分析の対象となるのは分割区分【3】や【4】で、各作業を遂行するのに要する時間を、ストップウオッチを用いて直接測定する。

ウ　動作要素は分割区分【4】で、作業を行う身体部位として手と腕を対象とし、その動きに着目して分析することで、より少ない無駄のない動きに改善することを目的としている。

エ　分割区分【1】に対応する分析手法には、対象が作業者の場合と物の場合があり、それによって図記号が表す意味が異なる。

第19問　★重要★

　保全体制と保全費に関する記述として、最も適切なものの組み合わせを下記の解答群から選べ。

a　故障が頻発しているような状況では費用の多くが故障の修復に使われるため、保全費のうちでは改良のための費用の比率が高い。

b　設備が安定稼働するようになると状態監視保全によって不具合の原因を事前に処置できるようになるため、事後保全費が下がる。

c 状態監視保全の結果の解析が進むと、時間計画保全の周期が短くなり、保全費全体は減少する。

d 設備保全活動に必要な費用で、設備の修理費、点検・検査にかかる保守費用、保全予備品の在庫費用等の総称が保全費である。

[解答群]
ア aとb　イ aとc　ウ aとd　エ bとc　オ bとd

第20問　★重要★

設備総合効率に関する記述として、最も適切なものはどれか。

ア 作業方法を変更して段取時間を短縮すると、性能稼働率が向上する。

イ 設備の立ち上げ時間を短縮すると、時間稼働率が低下する。

ウ チョコ停の総時間を削減すると、性能稼働率が向上する。

エ 不適合率を改善すると、性能稼働率が低下する。

第21問　★重要★

生産の合理化に関する記述として、最も適切なものはどれか。

ア ECRSの原則とは、作業を改善する際に、より良い案を得るための指針として用いられる問いかけの頭文字をつなげたもので、最後にする問いかけはStandardizationである。

イ 合理化の3Sとは、標準化、単純化、専門化で、これは企業活動を効率的に行うための基礎となる考え方である。

ウ 単純化とは、生産において分業化した各工程の生産速度や稼働時間、材料の供給時刻などを一致させる行為である。

エ 動作経済の原則とは、作業を行う際に最も合理的に作業を行うための経験則で、この原則を適用した結果としてフールプルーフの仕組みが構築できる。

環境保全に関する記述として、最も適切なものはどれか。

ア　ISO14001の基本的な構造は、環境マネジメントを継続的に改善していくための
　　PDCAサイクルで、トップが定めた方針に基づいた現場における取り組みを重視し、
　　ボトムアップ型のマネジメントを想定している。

イ　エコアクション21とは、環境マネジメントシステム、環境パフォーマンス評価お
　　よび環境報告を1つに統合したもので、中小事業者でも環境配慮に対する取り組み
　　が展開でき、その結果を「環境活動レポート」として取りまとめて公表できるよう
　　にするための仕組みである。

ウ　環境会計とは、物品等の調達に当たって価格や品質などとともに環境という視点
　　を加えて、環境負荷の低減に努めている事業者から購入する活動を促進するため、
　　各製品の環境負荷に対する影響を可能な限り定量的に測定し公表する仕組みであ
　　る。

エ　環境マネジメントシステムとは、環境保全に関する取り組みを進めるに当たり、
　　国が定めた環境に関する方針や目標の達成のために、工場や事業所内に構築された
　　組織の計画・体制・プロセスのことである。

　　★重要★

大規模小売店舗立地法に関する記述として、最も適切なものはどれか。

ア　この法律では、店舗に設置されている消火器具や火災報知設備などの機器点検は、
　　6か月に1回行わなければならないと定められている。

イ　この法律の主な目的は、大規模小売店舗における小売業の事業活動を調整するこ
　　とにより、その周辺の中小小売業の事業活動の機会を適正に確保することである。

ウ　この法律の対象は店舗面積が500m^{2}を超える小売業を営むための店舗であり、飲
　　食店は含まれない。

エ　市町村は、大規模小売店舗の設置者が正当な理由がなく勧告に従わない場合、そ
　　の旨を公表することができる。

オ　大規模小売店舗を設置するものが配慮すべき事項として、交通の渋滞や交通安全、
　　騒音、廃棄物などに関する事項が挙げられている。

市町村は、都市計画法に規定される区域について、都市再生基本方針に基づき、住宅および都市機能増進施設の立地適正化を図るための計画を作成することができる。

国土交通省が平成28年に公表している『都市計画運用指針における立地適正化計画に係る概要』における立地適正化計画に関する記述として、最も適切なものはどれか。

ア　居住調整区域とは、住宅地化を抑制するために定める地域地区であり、市街化調整区域に定める必要がある区域である。

イ　居住誘導区域とは、医療・福祉・商業等の都市機能を都市の中心拠点や生活拠点に誘導し集約することにより、これらの各種サービスの効率的な提供を図る区域である。

ウ　都市機能誘導区域における誘導施設とは、当該区域ごとに、立地を誘導すべき都市機能増進施設である。

エ　立地適正化計画では、原則として、市街化区域全域を居住誘導区域として設定する必要がある。

オ　立地適正化計画では、原則として、都市機能誘導区域の中に居住誘導区域を定める必要がある。

A市とB市との2つの市の商圏分岐点を求めたい。

下図で示す条件が与えられたとき、ライリー＆コンバースの法則を用いて、B市から見た商圏分岐点との距離を求める場合、最も適切なものを下記の解答群から選べ。

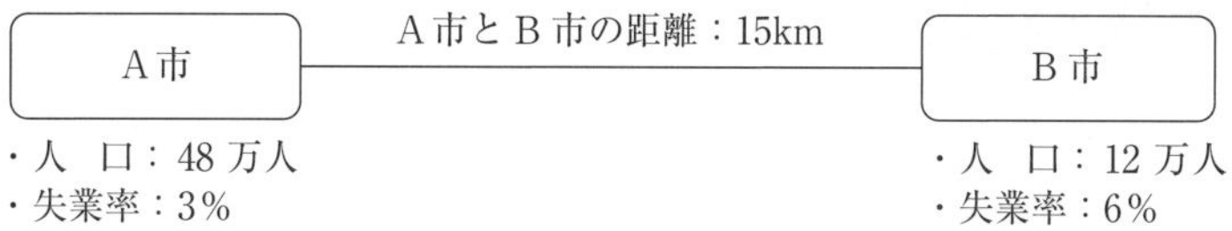

	A市とB市の距離：15km	
A市		B市
・人　口：48万人 ・失業率：3%		・人　口：12万人 ・失業率：6%

[解答群]

　ア　2.5km　　イ　3km　　ウ　5km　　エ　7.5km　　オ　10km

問題

2年度

287

中小企業庁『平成30年度商店街実態調査報告書』から確認できる記述として、最も適切なものはどれか。

ア　1商店街当たりのチェーン店舗数は、前回調査（平成27年度調査）よりも減少している。

イ　1商店街当たりの店舗数は、前回調査（平成27年度調査）よりも増加している。

ウ　外国人観光客の受け入れについては、過半数の商店街が取り組みを行っている。

エ　商店街組織の専従事務職員は、0名の商店街の割合が最も低い。

オ　商店街の業種別店舗数では、飲食店の割合が最も高い。

第27問

近年、空き家が増加傾向にある中で、住宅をそれ以外の用途（店舗等）に変更して活用することが求められている。また、木材を建築材料として活用することで、循環型社会の形成等が期待されている。そのため、建築物・市街地の安全性の確保および既存建築ストックの活用、木造建築を巡る多様なニーズへの対応を背景として、平成30年に建築基準法の一部が改正された（平成30年法律第67号）。

この改正された建築基準法に関する記述として、最も適切なものはどれか。

ア　維持保全計画の作成等が求められる建築物の範囲が縮小された。

イ　既存不適格建築物の所有者等に対する特定行政庁による指導および助言が条文から削除された。

ウ　戸建住宅を、一定の要件（延べ面積200m^{2}未満など）を満たす小売店舗に用途変更する場合に、耐火建築物とすることが不要になった。

エ　耐火構造等とすべき木造建築物の対象が見直され、高さ16m超または地上階数4以上が含まれなくなった。

　以下のグラフは、経済産業省の商業動態統計における小売業の業態別の販売額推移を示している。グラフ内の空欄A～Dには、百貨店、スーパー、コンビニエンスストア、ドラッグストアのいずれかが入る。

　空欄に入る語句の組み合わせとして、最も適切なものを下記の解答群から選べ。

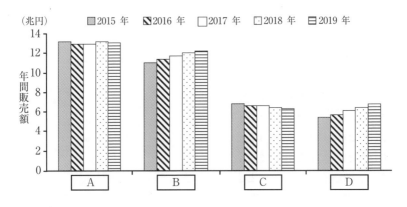

```
［解答群］
　ア　A：スーパー　　　　　　　　B：コンビニエンスストア
　　　C：百貨店　　　　　　　　　D：ドラッグストア
　イ　A：スーパー　　　　　　　　B：ドラッグストア
　　　C：百貨店　　　　　　　　　D：コンビニエンスストア
　ウ　A：スーパー　　　　　　　　B：百貨店
　　　C：ドラッグストア　　　　　D：コンビニエンスストア
　エ　A：百貨店　　　　　　　　　B：スーパー
　　　C：コンビニエンスストア　　D：ドラッグストア
　オ　A：百貨店　　　　　　　　　B：スーパー
　　　C：ドラッグストア　　　　　D：コンビニエンスストア
```

　店舗における売場づくりに関して、以下に示す【陳列手法】と【陳列の特徴】の組み合わせとして、最も適切なものを下記の解答群から選べ。

【陳列手法】

① レジ前陳列

② ジャンブル陳列

③ フック陳列

【陳列の特徴】

a　商品を見やすく取りやすく陳列でき、在庫量が把握しやすい。

b　非計画購買を誘発しやすく、少額商品の販売に適している。

c　陳列が容易で、低価格のイメージを演出できる。

［解答群］

ア　①とa　　②とb　　③とc

イ　①とa　　②とc　　③とb

ウ　①とb　　②とa　　③とc

エ　①とb　　②とc　　③とa

オ　①とc　　②とa　　③とb

第30問　　★重要★

　下表の5種類の商品を仕入れて販売することを計画している。

　商品A～Eの中で、同じ売価に設定される商品が2つある。この2つの商品について、仕入れた数量をすべて設定した売価で販売したときの粗利益額の合計として、最も適切なものを下記の解答群から選べ。なお、それぞれの商品の売価は、売価値入率により設定されるものとする。

	仕入単価	仕入数量	売価値入率
商品A	480円	50個	20%
商品B	300円	60個	40%
商品C	300円	100個	50%
商品D	800円	30個	20%
商品E	600円	40個	50%

[解答群]
ア 12,000円
イ 36,000円
ウ 42,000円
エ 60,000円
オ 90,000円

第31問

　店頭販促物に商品情報等を記載する場合、景品表示法を遵守しなければならない。小売店の店頭販促物の表示に関する記述として、最も適切なものはどれか。

ア　POPに通常価格と併記して「価格は店員に御相談ください」と価格交渉に応じる旨の表示をしても不当表示に該当しない。

イ　仕入先からの誤った情報に基づいて小売店が景品表示法に抵触する不当表示をしてしまった場合、表示規制の対象は仕入先であり、小売店ではない。

ウ　商品の効果、性能に関する表示を小売店がする場合、裏付けとなる合理的な根拠を示す資料があったとしても、小売店が自ら実証試験・調査等を行う必要がある。

エ　商品を値下げして販売する際、値下げ前の価格で1日でも販売していれば、その価格を値下げ後の価格の比較対象価格として二重価格表示をしても不当表示に該当しない。

第32問

　以下は、土産物店の店主X氏と中小企業診断士（以下、「診断士」という。）との間で行われた会話である。

　会話の中の空欄A～Cに入る語句の組み合わせとして、最も適切なものを下記の解答群から選べ。

X　氏：「私が経営する店舗の商品在庫は適切なのでしょうか。」

診断士：「商品在庫量を管理する指標はいくつかあります。売上と在庫の関係を表すものに　A　があります。数値が大きいほど在庫の効率が良いということになります。」

X　氏：「同じ売上で在庫が少なければ、　A　が高まるということですね。それでは、もっと在庫を減らすほうが良いですね。」

診断士：「単純に在庫を減らせば良いということではありません。在庫が少なすぎると欠品が起こりやすくなり、販売機会ロスが発生してしまいます。適度な商品在庫を維持することが必要です。」

X　氏：「　A　以外に、どのような指標を参考にすれば良いでしょうか。」

診断士：「商品に投下した資本がどれだけ効率的に粗利益を出すことができたかをみる指標に　B　があります。これは、期間中の粗利益額を原価の平均在庫高で除した数値で、Xさんの店の前期の数値を算出すると、業界として適正な水準にあると思います。また、期間中の粗利益額を売価の平均在庫高で除した数値を　C　といい、販売面での生産性を評価する指標です。」

［解答群］

ア　A：GMROI　　　　B：交差比率　　　　C：商品回転率

イ　A：交差比率　　　B：GMROI　　　　C：商品回転率

ウ　A：交差比率　　　B：商品回転率　　　C：GMROI

エ　A：商品回転率　　B：GMROI　　　　C：交差比率

オ　A：商品回転率　　B：交差比率　　　　C：GMROI

第33問

　下表は、同じ地域に立地するX商店、Y商店、Z商店の品ぞろえである。表中の○は販売中、×は取り扱いをしていないことを示したものである。

　各商店の品ぞろえに関する記述として、最も適切なものはどれか。

　なお、価格帯は、「低」が千円以上3千円以下、「中」が6千円以上8千円以下、「高」が1万円以上1万2千円以下の売価の商品を対象とする。

商品カテゴリー	対象性別	対象世代	価格帯	X商店	Y商店	Z商店
婦人服A	女性	ヤング	低	○	○	○
婦人服B	女性	ヤング	中	×	×	○
婦人服C	女性	ヤング	高	×	○	×
婦人服D	女性	シニア	低	○	○	×
婦人服E	女性	シニア	中	×	○	×
紳士服A	男性	ヤング	低	○	×	○
紳士服B	男性	ヤング	中	×	×	○
紳士服C	男性	シニア	低・中	○	×	×
服飾雑貨A	女性	ヤング	低・中	×	○	×
服飾雑貨B	女性	ヤング	高	×	○	×
服飾雑貨C	男性	ヤング	低・中	○	×	×

[解答群]

ア　3店舗の中で、最も総合的な品ぞろえをしているのはY商店である。

イ　3店舗の中で、プライスゾーンが最も広いと考えられるのはZ商店である。

ウ　X商店が品ぞろえを変えずにEDLP政策をとった場合、プライスラインは1つとなる。

エ　Y商店が婦人服Bを追加して取り扱うことは専門性を高めることになる。

オ　Z商店で紳士服Cを追加して取り扱うと、関連購買による来店客の買上点数増加が期待できる。

第34問　★ 重要 ★

　最寄品を主に取り扱う小売店舗における在庫管理に関する記述として、最も適切なものはどれか。

ア　ある商品の最大在庫量を2倍にした場合、販売量を一定とすると、安全在庫量も2倍必要になる。

イ　前日の販売量を発注量として毎日発注する商品の販売量が減少した場合、当該商品の在庫量は減少する。

ウ　定期発注方式を採用した場合、販売量を一定とすると、1回当たりの発注量は発注間隔を短くするほど少なくなる。

エ　定量発注方式を採用した場合、適正な在庫量を表す理論在庫は安全在庫に一致する。

オ　定量発注方式を採用した場合、販売量の減少が続くときに発注点を変更しなければ、発注間隔は短くなる。

第35問　★ 重要 ★

　需要予測に関する記述として、最も適切なものはどれか。

ア　これから発売する新商品の需要の予測を行う場合には、移動平均法が適している。

イ　指数平滑法を用いた需要予測は、当期の実績値と前期の実績値を加重平均して、次期の予測値を算出するものである。

ウ　重回帰分析による需要予測では、適切な変数を選択すれば、需要に影響を与える各変数の影響を回帰係数として推定できる。

エ　重回帰分析を行うに当たって説明変数を選定する際には、各説明変数の間に高い相関が認められるものを選ぶ方が良い。

オ　直前の需要の変化に対応した予測を行う場合には、指数平滑法を用いることができ
　ない。

第36問　★重要★

輸送手段等に関する記述として、最も適切なものはどれか。

ア　RORO（roll-on roll-off）船は、フェリーと同様に、トラックと運転者を一緒に輸
　送することができる船舶であり、いわゆる旅客船のことである。

イ　中継輸送とは、長距離あるいは長時間に及ぶトラック輸送のときに、1人の運転
　者が輸送途中で休憩しながら発地から着地まで一貫して輸送することをいう。

ウ　鉄道輸送には、トラック輸送に比べて、荷主が出発時間を自由に指定することが
　できるという長所がある一方で、輸送トンキロ当たりの二酸化炭素排出量が多いと
　いう短所もある。

エ　トラックの時間当たりの実車率を高める方策の1つは、納品先での納品待機時間
　など手待ち時間を削減することである。

オ　トラック輸送では、1台のトラックに荷主1社の荷物だけを積載する貸切運送し
　か認められていない。

第37問　★重要★

物流におけるユニットロードおよびその搬送機器に関する記述として、最も
適切なものはどれか。

ア　コンテナは、複合一貫輸送をする際には使用することができない。

イ　平パレットには、長さと幅についてさまざまな種類があり、日本産業規格（JIS）
　で規格化されているものはない。

ウ　平パレットを使用する場合は、使用しない場合に比べて、積み込みや取り卸しな
　どの荷役効率が高い。

エ　ユニットロード化を推進することにより、パレットやコンテナなどの機器を利用
　しないで済むようになる。

オ　ロールボックスパレットには、大きさが異なる荷物を積載することができない。

物流センターの運営に関する記述として、最も適切なものはどれか。

ア　ASN（Advanced Shipping Notice）は、荷受側が商品の入荷前に作成する入荷情報のことである。

イ　スーパーで主に利用されているプロセスセンターは、商品を加工し包装する物流施設である。

ウ　トラック運転者が集品先または納品先の荷主の倉庫内で付帯作業を行うことは、法律で禁止されており、契約で定めてはならない。

エ　ピッキングする商品品目数がオーダー数より多い場合には、摘み取り方式ではなく種まき方式で行うのが一般的である。

オ　複数の取引先へ同時に出荷する商品が一度に入荷した場合、入荷時に検品すれば、出荷時の検品を省略することができる。

GS1事業者コードおよびJANコード（GTIN）に関する記述として、最も適切なものはどれか。

ア　JANコードには、標準タイプ（13桁）と短縮タイプ（11桁）の2つの種類がある。

イ　JANコードは「どの事業者の、どの商品か」を表す、日本国内のみで通用する商品識別番号である。

ウ　JANコード標準タイプ（GTIN-13）は、① GS1事業者コード、② 商品アイテムコード、③ チェックデジットで構成されている。

エ　集合包装用商品コード（GTIN-14）は、JANコード標準タイプ（GTIN-13）の先頭に数字の0〜9、またはアルファベット小文字のa〜zのいずれかのコードを、インジケータとして1桁追加し、集合包装の入数や荷姿などを表現できるようにしたコードである。

オ　商品アイテム数が増えてコードが足りなくなったときは、JANコードの重複が発生したとしても、GS1事業者コードの追加登録申請は認められていない。

問
題

2
年
度

バーコードが普及し、その利便性が世界的に認識される一方で、商品コード以外にも表示文字やその種類を増やすことで、Webと連動した商品情報提供の実現などのニーズに対応するため、従来の１次元シンボルのJANコードに加えて２次元シンボルのGS１ QRコードが利用されている。

GS１ QRコードに関する記述の正誤の組み合わせとして、最も適切なものを下記の解答群から選べ。

a　GS１のデータキャリア標準として認められている２次元シンボルは、GS１ QRコードのみである。

b　１つのシンボルで比較すればGS１ QRコードの方がJANコードより情報量は大きいが、JANコードを複数表示することが可能であれば、GS１ QRコードと同様に商品情報サイトへの誘導も可能である。

c　GS１ QRコードを活用すれば、同じブランドや同じメーカーのキャンペーンであっても、消費者を商品個別のサイトに誘導することが可能である。

```
［解答群］
　ア　a：正　　b：正　　c：正
　イ　a：正　　b：正　　c：誤
　ウ　a：正　　b：誤　　c：誤
　エ　a：誤　　b：正　　c：正
　オ　a：誤　　b：誤　　c：正
```

平成30年６月１日に「割賦販売法の一部を改正する法律」（改正割賦販売法）が施行され、クレジットカード決済を可能にしている小売店などでは、カード番号等の適切な管理や不正利用対策を講じることが義務付けられた。

この改正に関する記述の正誤の組み合わせとして、最も適切なものを下記の解答群から選べ。

a　クレジットカード番号等取扱契約締結事業者は、契約する加盟店に対して、加盟店調査を行い、調査結果に基づいた必要な措置を行うこと等が義務付けられた。

b　クレジットカードをスワイプして磁気で読み取る方式のカード処理機能を持った

POSレジを設置している加盟店は、この改正に対応したカード情報保護対策が完了している。

[解答群]
　ア　a：正　　b：正
　イ　a：正　　b：誤
　ウ　a：誤　　b：正
　エ　a：誤　　b：誤

第42問

　流通システム標準普及推進協議会が公表している「流通ビジネスメッセージ標準運用ガイドライン（基本編）第2.0版（2018年12月）」では、預り在庫型センターにおける入庫、在庫報告、不良在庫の引取の3つの業務プロセスで使用する4種類の標準メッセージを定めている。

　このうち、預り在庫型センターから卸・メーカーに送られる3種類のメッセージの組み合わせとして、最も適切なものを下記の解答群から選べ。

　　＊預り在庫型センターとは、卸・メーカーが、小売のセンターあるいは、小売が卸や物流業者（3PL）に運営委託しているセンターにあらかじめ商品を卸・メーカー在庫として、保管しておくビジネスモデルのことを指す。

a　在庫補充勧告メッセージ
b　購入催促メッセージ
c　入庫予定メッセージ
d　入庫確定メッセージ
e　在庫報告メッセージ

[解答群]
　ア　aとbとc　　イ　aとdとe　　ウ　bとcとd
　エ　bとdとe　　オ　cとdとe

顧客属性データを活用する事業者は、個人情報保護法に基づいて、個人情報の取り扱いには細心の注意を払いながら活用する必要がある。

個人情報保護法に関する記述の正誤の組み合わせとして、最も適切なものを下記の解答群から選べ。

a　個人情報の定義の明確化を図るため、その情報単体でも個人情報に該当することとした「個人識別符号」の定義が設けられている。

b　匿名加工情報（特定の個人を識別することができないように個人情報を加工した情報）の利活用の規定が設けられている。

c　小規模事業者を保護するため、取り扱う個人情報の数が5,000以下である事業者を規制の対象外とする制度が設けられている。

[解答群]
ア　a：正　　b：正　　c：誤
イ　a：正　　b：誤　　c：正
ウ　a：誤　　b：正　　c：正
エ　a：誤　　b：正　　c：誤
オ　a：誤　　b：誤　　c：正

ある小売店のID-POSデータを使ったRFM分析を行う。この店舗においては、顧客1来店当たりの購買単価に大きな差がない。このため、販売戦略上、定期的に高頻度で顧客の来店を促すことが重要であると判断し、R（最近購入日）とF（平均来店間隔日数）で、以下の図のように顧客をa〜iの9つのグループに分ける場合を考える。

b、d、f、h、iの5つの顧客グループから、この店舗にとって優良顧客の離反の可能性が高まっていることを注意すべきグループを選ぶとき、最も適切なものはどれか。下記の解答群から選べ。

		F（平均来店間隔日数）		
		7日未満	7日以上30日未満	30日以上
R（最近購入日）	14日未満	a	b	c
	14日以上90日未満	d	e	f
	90日以上	g	h	i

［解答群］

 ア b イ d ウ f エ h オ i

令和 2 年度
解答・解説

nswers

問題	解答	配点	正答率※	問題	解答	配点	正答率※	問題	解答	配点	正答率※
第1問	エ	2	D	第16問	エ	3	C	第31問	ア	2	C
第2問	ウ	2	C	第17問	オ	2	C	第32問	エ	3	B
第3問	エ	2	B	第18問	エ	2	E	第33問	エ	2	B
第4問	ウ	3	D	第19問	オ	2	C	第34問	ウ	3	A
第5問	イ	2	A	第20問	ウ	3	B	第35問	ウ	2	C
第6問	イ	2	C	第21問	イ	2	B	第36問	エ	2	B
第7問	ア	2	B	第22問	イ	2	D	第37問	ウ	2	A
第8問	オ	2	D	第23問	オ	2	B	第38問	イ	2	C
第9問	ア	2	E	第24問	ウ	2	D	第39問	ウ	3	B
第10問	ウ	3	B	第25問	ウ	2	D	第40問	オ	2	C
第11問	ウ	2	C	第26問	オ	2	D	第41問	イ	2	C
第12問	イ	3	D	第27問	ウ	2	C	第42問	イ	3	B
第13問	ア	2	A	第28問	ア	2	B	第43問	ア	2	C
第14問	エ	3	D	第29問	エ	2	A	第44問	イ	2	C
第15問	ウ	2	C	第30問	イ	3	B				

※TACデータリサーチによる正答率
　正答率の高かったものから順に、A～Eの5段階で表示。
　A：正答率80%以上　　　　B：正答率60%以上80%未満　　　C：正答率40%以上60%未満
　D：正答率20%以上40%未満　　　E：正答率20%未満

解答・配点は一般社団法人日本中小企業診断士協会連合会の発表に基づくものです。

令和 **2** 年度 解説

第1問

管理目標に関する問題である。

ア ✕：歩留まり（歩留り）は「投入された主原材料の量に対する、その主原材料によって実際に産出された製品の量の比率」（JIS Z 8141-1204）と定義されている。

$$歩留まり = \frac{産出された品物の量}{投入された主原材料の量} \times 100（\%）$$

本肢は、「産出された品物の量」と「投入された主原材料の量」が逆になっているため、誤りである。

イ ✕：生産性は「投入量に対する、産出量の比率」（JIS Z 8141-1238）と定義されている。本肢は、「産出量」と「投入量」が逆になっているため、誤りである。

ウ ✕：本肢の内容は、スループットの定義である（JIS Z 8141-1208）。リードタイムは、「発注してから納入されるまでの時間、又は素材が準備されてから完成品になるまでの時間 注釈1 調達時間ともいう。」（JIS Z 8141-1206）のことである。

エ 〇：正しい。遊休時間は「動作可能な状態にある機械、又は作業者が所与の機能若しくは作業を停止している時間」（JIS Z 8141-1209）と定義されている。本肢は、この定義のうち、作業者について述べている。

よって、**エ**が正解である。

第2問

エシェロン在庫に関する問題である。エシェロン（Echelon）とは階層のことであり、ものの流れの各階層、製造業、卸売業、小売業それぞれで保管される在庫の総量をエシェロン在庫とよぶ。またエシェロン在庫にはトラックや船舶などで輸送途中にある輸送在庫も含まれる。ある在庫点（たとえば卸売業、物流倉庫など）からであれば、その**下流側**（小売店までのトラックに積まれている数量、小売店の倉庫の数量、店頭に出ている数量など）の在庫の総和によってエシェロン在庫は定義される。

本問における「配送センターBの現時点におけるエシェロン在庫量」は、以下のようになる。

【配送センターBの現時点におけるエシェロン在庫量】

配送センターBの在庫量	店舗cへの配送量	店舗cの在庫量	店舗dへの配送量	店舗dの在庫量	合　計
45	20	40	10	55	170

よって、**ウ**が正解である。

SLPの実施手順に関する問題である。

SLPとは、リチャード・ミューラーにより提唱された汎用的な工場レイアウトの計画法であり、レイアウトを構成する諸要素を「アクティビティ」として細分化のうえ分析し、アクティビティ相互の関連度に基づいてレイアウトを設計するという特色をもつ。SLPによる計画手順は以下のとおりである。

【SLPによる計画手順】

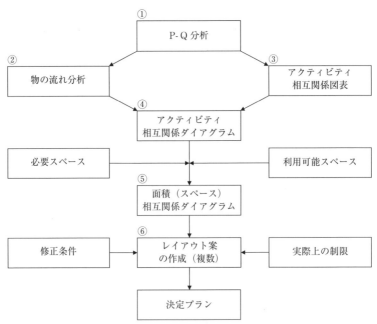

① P-Q分析：P（Product）は製品、Q（Quantity）は量を表し、何をどれだけ生産するかについて明らかにするために、横軸に製品の種類、縦軸に生産量をとり、左から生産量の多い順に並べたチャートを作成する。一般に、生産量の多い上位グループは製品別レイアウト、中位グループはグループ別レイアウト、下位グループは機能別レイアウトを採用する。

② 物の流れ分析：「どのように製品を生産するか」という観点から、単純工程分析（オペレーション・プロセス・チャート）や多品種工程分析（加工経路分析）、フロム

ツーチャート（流出流入図表）などを用い、物が移動する際の最も効率的な順序や工程経路を分析、決定する。

③　アクティビティ相互関係図表：生産に関わるさまざまなアクティビティの相互関係（互いに近接させて配置するのか、離して配置するのかなど）を近接性の重要度という指標で表した図表を用いて分析、検討する。

④　アクティビティ相互関係ダイアグラム：②「物の流れ分析」や③「アクティビティ相互関係図表」に基づいて、アクティビティの順序、近接性や工程経路を地理的配置に置き換えた線図を作成する。この線図をアクティビティ相互関係ダイアグラムという。

⑤　面積（スペース）相互関係ダイアグラム：④「アクティビティ相互関係ダイアグラム」の各アクティビティに必要な面積を見積り、面積の概念を組み入れた線図を作成する。

⑥　レイアウト案の作成：⑤「面積相互関係ダイアグラム」を用いてレイアウト案を作成する。通常、複数のレイアウト案を作成し、比較検討のうえ決定する。

本問にあげられた実施事項を上記のステップに当てはめると、以下のようになる。

a　必要スペースと使用可能スペースの調整を行う
　　→　④アクティビティ相互関係ダイアグラム、⑤面積（スペース）相互関係ダイアグラム

b　生産品目と生産数量との関係を分析する
　　→　①P-Q分析

c　実施上の制約を考慮して調整を行い、複数のレイアウト案を作成する
　　→　⑥レイアウト案の作成

d　物の流れとアクティビティを分析し、各部門間の関連性を把握する
　　→　②物の流れ分析、③アクティビティ相互関係図表

上記より、実施手順は「**b→d→a→c**」となるため、**エ**が正解である。

第4問

品質（機能）展開における品質表に関する問題である。品質（機能）展開とは、顧客・市場のニーズである**要求品質（空欄A）**を製品・サービスの**品質特性（空欄B）**を表す代用特性へ変換し、さらに構成品部品の特性や工程の要素・条件へと順次系統的に展開していく方法である。顧客・市場のニーズは日常用語によって表現されるものが少なくなく、これを設計者や技術者の言葉である工学的特性に置き直すことが必要である。このプロセスの中で、顧客の要求品質と、製品の設計品質を二元表にまとめたものが、品質表である。

要求品質に重要度を付けて品質特性に変換する場合の、各品質特性の重要度は以下のように算出される。

品質特性重要度＝（各要求品質の重要度×（◎５点、○３点））の総和

上式を用いて、各要求品質の重要度を算出すると、以下のようになる。

・データ容量：$1 \times 3 + 3 \times 3 = 12$
・充電性　　：$3 \times 5 = 15$
・形状寸法　：$4 \times 3 + 2 \times 3 + 5 \times 5 = 43$
・質量　　　：$3 \times 3 + 2 \times 5 + 5 \times 3 = 34$

	データ容量	充電性	形状寸法	質量	重要度
いろいろな用途に使える	○				1
操作しやすい			○		4
長時間楽しめる	○	◎		○	3
運びやすい			○	◎	2
頑丈である			◎	○	5
品質特性重要度	12	15	㊸	34	

以上より、最も重要な品質特性は「形状寸法」（空欄C）である。

よって、**ウ**が正解である。

第5問

立体造形に係る技術に関する問題である。

空欄A：融体加工 … 一定の空間に流し込みやすい液体の特性を利用して、鋳型空間に溶融金属を流し込み凝固させることで形状を得る技術。金属加工の中でも用いられることが多く、多様な製品に用いられている加工法である。

空欄B：粉体加工 … 粉末が一定の条件において固化する特性を利用して、金属やセラミックなどの粉末を低温で加熱して形状を得る技術である。

空欄C：積層造形 … いわゆる３Ｄプリンターを用いた造形方法である。３次元ＣＡＤデータに基づき、材料を層状に重ねて形状を得る技術である。

よって、**イ**が正解である。

　ヒストグラムの特徴を問う問題である。ヒストグラムとは、QC 7つ道具のひとつであり、データの分布状態を把握するために用いる図である。データの範囲を適当な間隔に分割し、データを集計した度数分布表を棒グラフ化したものである。中心値から左右対称の釣鐘を伏せた形状になれば安定した正常な姿といえる。

【結果①】

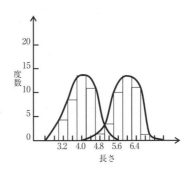

　①は、2つの山が混在している状態である。これは、【原因】**a**の「2つの機械で生産した加工品が混合していた」ことによるものと考えられる。この場合、それぞれの機械で生産した加工品を分離して、改めてそれぞれでヒストグラムを作成すると、正常な左右対称の形状となりうる。

【結果②】

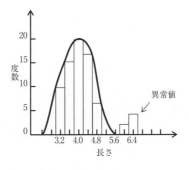

　②は、1つの山と、一部かけ離れた異常値が出現している状態である。これは、【原因】**c**の「一部の工具に破損が見られた」ことによるものと考えられる。工具破損後の不安定な状態で生産された加工品が異常値を示したと考えられる。

【結果③】

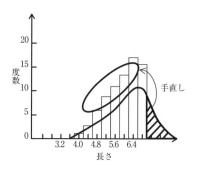

　③は、一定の長さを超えた加工品が除外されている状態である。これは、【原因】**b**の「規格を超えている加工品について手直しをしていた」ことによるものと考えられる。

　よって、**イ**が正解である。

第7問

　工程分析の基本図記号に関する問題である。

【基本図記号】

要素工程	記号の名称	記　号	意　味
加　工	加　工	○	原料、材料、部品または製品の形状、性質に変化を与える過程を表す。
運　搬	運　搬	○（小）	原料、材料、部品または製品の位置に変化を与える過程を表す。※ 運搬記号の直径は、加工記号の直径の1／2〜1／3とする。○のかわりに⇨を用いてもよい。
停　滞	貯　蔵	▽	原料、材料、部品または製品を計画により貯えている過程を表す。
	滞　留	Ｄ	原料、材料、部品または製品が計画に反して滞っている状態を表す。
検　査	数量検査	□	原料、材料、部品または製品の量または個数を測って、その結果を基準と比較して差異を知る過程を表す。
	品質検査	◇	原料、材料、部品または製品の品質特性を試験し、その結果を基準と比較してロットの合格、不合格または個品の良、不良を判定する過程を表す。

308

本問で示された生産の流れを、以下に整理する。

① 部品倉庫に保管（貯蔵）

② 第1工程に運ぶ（運搬）

③ 切削（加工）

④ 工程後に質の検査（品質検査）

⑤ 第2工程に運ぶ（運搬）

⑥ 穴あけ（加工）

⑦ 工程後に質の検査（品質検査）

⑧ 製品倉庫に運ぶ（運搬）

⑨ 製品倉庫に保管（貯蔵）

※⑨は問題の文章には書かれていないが、全選択肢の最後の図記号は「貯蔵」となっている。

　上記の生産の流れを示しているのは、選択肢**ア**の図記号である。

　よって、**ア**が正解である。

第8問

　製番管理方式に関する問題である。製番管理方式とは「製造命令書において、対象製品に関する全ての加工及び組立の指示書を準備し、同一の製造番号をそれぞれにつけて管理する方式 注釈1　個別生産のほか、ロットサイズの小さい、つまり品種ごとの月間生産量が少ない場合のロット生産で用いられることが多い。」（JIS Z 8141-3212）と定義されている。製番とは、オーダーごとに付される番号である。製番管理方式では、すべての生産管理業務をこの製番単位で行う。

a ✕：製造番号を割り当てるタイミングは、製品の組み立てを開始する時点ではなく、**製造命令書を発行する時点**である。

b ✕：本肢前半の、「ロット生産の工場でも利用可能」であることは正しい。しかし、1つの製造命令書で生産するロットサイズが大きい場合には、ロットサイズが小さい場合と比較して、製造命令書の数も少なくなり（少品種多量生産となり）、製番ごとに管理する有用性が高いとはいえない。ロット生産の工場における製番管理方式は、**ロットサイズが小さい場合に適している**。

c ○：正しい。製番管理方式を用いた場合、製番ごとに部品が管理される。仮に部品の供給が遅延すると、他の製番用に用意された部品を流用することもできずに、組み立てを開始することはできなくなる。

d ○：正しい。製番管理方式では、製番ごとに管理を行うため、製品に関するすべての情報を紐づけやすい。それにより、部品の調達や製造など品質保証を行ううえ

で必要な情報のトレース（追跡）が容易になる。

よって、**c**と**d**が適切であるため、**オ**が正解である。

第9問

需要予測に関する問題である。

ア ✕：回帰直線は、散布図を用いて2つのデータ（特性）の相関関係を確認する際に、各データの中心的な分布傾向を示した直線のことをいう。2つのデータの相関関係に大きな変動がない場合には有効な分析となるが、季節変動などによりデータの相関関係が変化する場合には、回帰直線を用いた分析は有効ではない。季節変動を踏まえた分析手法としては、時系列分析などがある。

イ ◯：正しい。景気変動のように、上昇局面と下降局面を繰り返すがその期間は一定ではない変動を、循環変動という。

ウ ◯：正しい。ロジスティック曲線とは、初期段階では徐々に増加し，ある時点から急激に増加し，その後、増加ペースが逓減して、上限を迎えるようなS字型の曲線のことをいう。長期にわたる人口の増加傾向などを表すことがある。

エ ◯：正しい。産業連関モデルとは、経済学・経済政策でも学習する「産業連関表」のように、各産業間の需要量と供給量および最終部門の需要量との関係を示すモデルである。最終部門の需要変動により各部門の供給量などがどの程度影響するか、といった分析を行うことができる。

よって、**ア**が正解である。

第10問

所与の条件から、総費用が最小になる生産計画案を選択する問題である。本問は、正解の導出に多くの時間を費やすことが想像されるため、本試験においては、当初は着手せず、時間が余れば最後に対応するといった取り組みが求められる。

当解説では、大まかに状況をとらえ、正確な検証は行わずとも短時間で正解を検討する手順と、正確に検証した場合の解答を示す。

【正確な検証は行わずとも短時間で正解を検討した場合】

まず、問題で与えられている条件を整理する。条件は、以下のとおりである。

条件①　製品を生産する日に、1回当たり3,000円の段取り費が発生

条件②　生産した製品を翌日以降に繰り越す場合、繰越在庫量に比例して1個1日当たり10円の在庫保管費が発生

段取り回数（生産回数）と繰越在庫量の関係は「トレードオフ（一方が増えればもう一方が減る）」の関係にあるが、段取り回数が多すぎても、繰越在庫量が多すぎて

も総費用が過大になることは想像できるであろう。

　案4は、毎日当日の需要量を生産するので繰越在庫量はゼロとなるが、段取り回数が7回となり、多すぎるであろうことは想像したい（選択肢にはないが、案0は案4とは逆に、段取り回数は少ないが、繰越在庫量が多すぎるであろうことは想像したい）。

　案2と案3は、段取り回数が共に3回である。両案のうち、総費用が少なくなるのは繰越在庫量が少ないほうの案となる。計画の初期に生産量を多くしている案2のほうが、繰越在庫量が多そうであるため、案2は総費用最小とは考えにくい。

　上記の条件①②より、1回当たり段取り費（3,000円）は、300個の繰越在庫の在庫保管費（10円×300＝3,000円）に相当する。案1の段取り回数は2回、案3の段取り回数は3回である。段取り回数の差は1回であるため、案1の方が案3よりも繰越在庫量が300個を超えて多くなった場合には、案1は総費用最小とならない。案1の4日目の生産量550から、7日目までの繰越在庫量は案3より相当に大きくなると思われるため、案1も総費用最小になる可能性は低そうである。

　このように、消去法で案3が残ることになる。

【正確に検証した場合】

　条件にしたがって各案、各日の繰越在庫量とその合計を算出すると、以下の表のようになる。

日	1	2	3	4	5	6	7	述べ繰越在庫量の合計
需要量	150	80	120	130	70	260	90	
案0	900−150 =750	750−80 =670	670−120 =550	550−130 =420	420−70 =350	350−260 =90	90−90 =0	750＋670＋550 ＋420＋350 ＋90＋0 ＝2,830
案1	350−150 =200	200−80 =120	120−120 =0	550−130 =420	420−70 =350	350−260 =90	90−90 =0	200＋120＋0 ＋420＋350 ＋90＋0 ＝1,180
案2	300−150 =150	150−80 =70	70＋300 −120 =250	250−130 =120	120−70 =50	50＋300 −260 =90	90−90 =0	150＋70＋250 ＋120＋50 ＋90＋0 ＝730
案3	230−150 =80	80−80 =0	320−120 =200	200−130 =70	70−70 =0	350−260 =90	90−90 =0	80＋0＋200 ＋70＋0＋90 ＋0 ＝440
案4	0	0	0	0	0	0	0	0

解答・解説

2年度

総費用＝段取り費の合計＋在庫保管費の合計

　　　＝１回当たり段取り費×段取り回数＋１個１日当たり在庫保管費×述べ繰越

　　　　在庫数

　　　＝3,000×段取り回数＋10×述べ繰越在庫数

案０の総費用：3,000× 1 ＋10×2,830＝31,300

案１の総費用：3,000× 2 ＋10×1,180＝17,800

案２の総費用：3,000× 3 ＋10×730＝16,300

案３の総費用：3,000× 3 ＋10×440＝**13,400**（**総費用最小**）

案４の総費用：3,000× 7 ＋10× 0 ＝21,000

上記より、総費用が最小になる生産計画案は、案３であることがわかる。

よって、**ウ**が正解である。

第11問

　PERTに関する問題である。本問は、アローダイアグラムの作成から、クリティカルパスの導出、最短プロジェクト日数達成のための最小費用の算出（CPM）まで求められており、PERTに関する問題の中でも、比較的難易度が高い。

　正解を導くための手順は以下のとおりである。

手順①：最短所要期間を用いてクリティカルパスを導出し、最短プロジェクト遂行
　　　　期間を確認する。

手順②：手順①の最短プロジェクト遂行期間を実現するために必要な短縮時間を確
　　　　認する

手順③：手順②の必要な短縮時間を、最小費用で実現する方法を確認する

【手順①：最短プロジェクト遂行期間の確認】

　まず、「現在の所要期間」および「最短所要期間」におけるアローダイアグラムを作図すると、以下のようになる。

【図１　現在の所要期間に基づくアローダイアグラム】

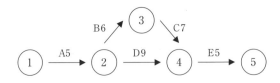

【図2　最短所要期間に基づくアローダイアグラム】

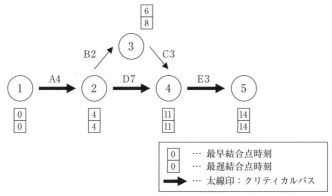

図2より、クリティカルパス（最短プロジェクト遂行期間）は、14（＝A4＋D7＋E3）であることがわかる。

【手順②：必要短縮時間の確認】

図1および図2より、時間短縮に関する以下の点が確認、検証できる。

・作業Aは、現在の所要期間5から最短所要期間の4に短縮することが必要となる。

・同様に、作業Dは9から7に、作業Eは5から3に短縮が必要となる。

・作業B（所要期間6）および作業C（所要期間7）は、現状のままでは、短縮後の作業Dの所要期間7よりも長くなり、最短期間の達成は不可能である（図3参照）。

【図3　作業B、作業C、作業Dの関係図】

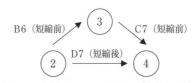

作業Bと作業Cの所要期間の合計を、短縮後の作業Dの所要期間と同様に7まで短縮する必要がある（短縮には費用がかかるので、最低限の短縮で済ませたい）。

【手順③：最小費用の確認】

費用面を考慮して、作業Bと作業Cの短縮を図る。

・作業Bと作業Cでは、単位時間当たりの短縮費用が小さい作業Bを優先して短縮する。

・作業Bは、現在の所要期間6から最短所要期間の2まで短縮する。

・作業Cは、Dの最短所要期間7からBの最短所要期間2を除いた所要期間5まで短

縮する。

これらをもとに、最小費用を実現した最短プロジェクト遂行期間に基づくアローダイアグラムを作成すると、以下のようになる。

【図4　最小費用を実現した最短プロジェクト遂行期間に基づくアローダイアグラム】

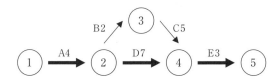

これらをもとに、各作業の短縮期間および短縮費用をまとめると、以下のようになる。

作業名	現在の所要期間（①）	短縮後の所要期間（②）	必要短縮日数（③＝①−②）	単位時間当たりの短縮費用（万円）（④）	短縮費用合計（③×④）
A	5	4	1	10	10
B	6	2	4	50	200
C	7	5	2	90	180
D	9	7	2	30	60
E	5	3	2	40	80
合計	—	—	—	—	⑤530

最短プロジェクト遂行期間となる条件を達成したときの最小費用は 530 となる。

よって、**ウ**が正解である。

第12問

線形計画法による利益向上のための方策を問う問題である。線形計画法とは、目的関数と制約条件を数式で表し、その条件下で目的関数を最大化（または最小化）する解を求める方法である。

本問は3台の機械について検討が必要となり、計算も伴うため、当初は着手せず、時間が余れば最後に対応するといった取り組みが求められる。

まず、概観として、単位利益が大きい製品Yの生産に注力したほうが利益を上げやすいことは読み取ることができる。

【図1　問題に与えられた図】

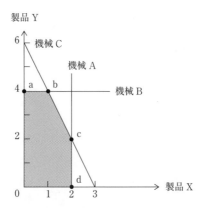

図1のグレーの部分の組み合わせが、制約条件下における生産可能な組み合わせである。生産量は多いほど利益が向上するため、グレーの部分の中よりも、可能な限り外側の組み合わせで生産したい。図1の各点の生産量および総利益は以下のとおりである。

	製品Xの生産量 （単位利益3）	製品Yの生産量 （単位利益5）	総利益	
点a	0	4	20	（生産量を見れば点bより利益が少ないのは明らか）
点b	1	4	23	（最大）
点c	2	2	16	
点d	2	0	6	（生産量を見れば点cより利益が少ないのは明らか）

以下は、各選択肢の方策を実施した後の生産量および総利益である。

【図2　選択肢**ア**】

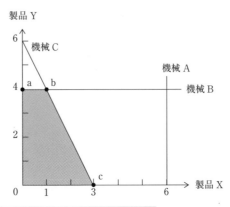

	製品Xの生産量 （単位利益3）	製品Yの生産量 （単位利益5）	総利益	
点a	0	4	20	（生産量を見れば点bより利益が少ないのは明らか）
点b	1	4	23	（最大）
点c	3	0	9	

【図3　選択肢**イ**】

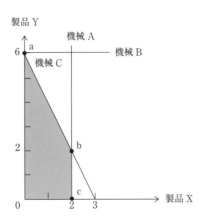

	製品Xの生産量 （単位利益3）	製品Yの生産量 （単位利益5）	総利益	
点a	0	6	30	（最大）
点b	2	2	16	
点c	2	0	6	（生産量を見れば点bより利益が少な いのは明らか）

【図4　選択肢**ウ**】

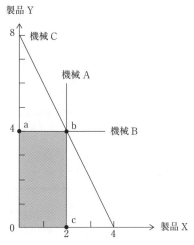

	製品Xの生産量 （単位利益3）	製品Yの生産量 （単位利益5）	総利益	
点a	0	4	20	（生産量を見れば点bより利益が少な いのは明らか）
点b	2	4	26	（最大）
点c	2	0	6	（生産量を見れば点bより利益が少な いのは明らか）

【図5　選択肢**エ**】

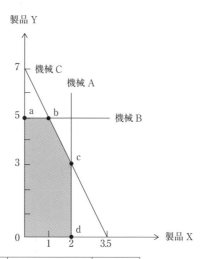

	製品Xの生産量 （単位利益3）	製品Yの生産量 （単位利益5）	総利益	
点a	0	5	25	（生産量を見れば点bより利益が少ないのは明らか）
点b	1	5	28	（最大）
点c	2	3	21	
点d	2	0	6	（生産量を見れば点cより利益が少ないのは明らか）

上記より、図3（選択肢**イ**）の点aが総利益30で最大となる。

よって、**イ**が正解である。

第13問

代表的な発注方式に関する問題である。

ア　○：正しい。本肢の内容のとおり、定量発注方式は、「発注時期になるとあらかじめ定められた一定量を発注する在庫管理方式　注釈1　一般には、発注点方式を指す」（JIS Z 8141-7312）と定義されている。

イ　✕：「定期的に発注する方式」とは、定期発注方式を指している。定期発注方式は、在庫調査間隔をあらかじめ定めておき、定期的な在庫調査の都度、発注量を決めて発注する方式である。**定期発注方式は、発注する度に需要予測を行い、発注量を算**

出する必要があるため、適用には熟練を要する（定量発注方式の方が、適用が容易である）。また、ABC分析とは、「多くの在庫品目を取り扱うときそれを品目の取扱い金額又は量の大きい順に並べて、管理の重要度が高い品目から順にA、B、Cの3種類に区分し、重要度に沿った管理の仕方を決めるための分析」（JIS Z 8141-7302）のことである。取り扱い金額または量の大きい品目はA品目と称され、需要予測に基づいた精度の高い在庫管理を行うために定期発注方式を適用することが多い。（取り扱い金額または量の小さいC品目には、適用が容易な定量発注方式などを適用することが多い）。

ウ ✕：ダブルビン方式は、定量発注方式の簡易版である。同容量の在庫が入った容器（ビン）を2つ用意しておき、一方の容器が空になり、他方の在庫を使用し始めたときに1つの容器の容量を発注する方式である（毎回の発注量を2ロットずつに固定することを意味するものではない）。

エ ✕：選択肢**イ**の解説にあるとおり、発注する時点が固定される発注方式は、定期発注方式である。なお、発注点方式とは、選択肢**ア**の解説にあるとおり、定量発注方式を意味する。

よって、**ア**が正解である。

第14問

仮説検定に関する問題である。本問では、1つの製品に対する母集団の分散（母分散）に関する検定を行っているため、「カイ2乗検定」を用いて仮説検定を行う。

ア ✕：新設備で製造した10個の標本の分散（標本分散）を求めて母分散（23.5）と比較しているだけでは、仮説検定（カイ2乗検定）とはいえない。

イ ✕：上記のとおり、標本は1つ（製品Aのみ）であるため、カイ二乗検定を用いる。なお、2つの標本（製品Aと製品Bなど）の分散を比較する場合には、F検定を用いる。

ウ ✕：検定統計量は、偏差平方和÷母分散（$\sigma^2 = 23.5$）である。偏差平方和は、検定統計量の分子に該当する。

エ 〇：正しい。対立仮説の内容によって「両側検定か片側検定」が決まるので帰無仮説の棄却域に影響を与える。また、有意水準以下を帰無仮説の棄却域に設定するため影響を与える。さらに、データ数によって、有意差の判定に影響が出る場合がある。データの数が少なすぎる場合には、実質的には差があっても有意差がないと検定されやすくなるため、有意水準を多少大きく設定したほうがよいと考えられる。よって、データ数も帰無仮説の棄却域に影響を与える。

オ ✕：バラツキが抑制できたかを仮説検定で知りたいので対立仮説は「$\sigma^2 <$

23.5」と設定する。

よって、**エ**が正解である。

DI分析に関する問題である。DI分析とは、生産現場における生産設備などの間の距離（Distance）と関係強度（Intensity）を図示し、レイアウト案の評価を行うときなどに用いられる分析手法である。

【DI分析図】

（『生産と経営の管理』吉本一穂・伊呂原隆著　日本規格協会　P.115をもとに作成）

ア　**×**：Distanceは、工程間の**運搬距離**を表す。

イ　**×**：Intensityは、生産設備などの間の物流量を表す。レイアウトを変更することによって、特定の生産設備の間の運搬距離（Distance）は変化する。一方、**生産設備などの間の運搬量（Intensity）は、生産量や生産方法によって決まるものであり、レイアウトによって変化するものではない。**

ウ　**○**：正しい。DI分析を行うことにより、たとえば、物流量が多い生産設備間の距離が長いレイアウトになっている、などの現状レイアウトの弱点を発見することができる。

エ　**×**：上図のように、DI分析の右下にプロットされた工程間の運搬は、**物流量が少なく、運搬距離は長く設定されている。**このような場合の運搬には、**台車や運搬車両などが用いられる。**一般的に、ベルトコンベアは、工程間の運搬量が多く、運搬距離が短い（DI分析の左上にプロットされた工程間）の運搬に用いられる。

よって、**ウ**が正解である。

ライン生産のサイクルタイムおよび生産量に関する問題である。問題文の「3名の作業者で分担して作業を行う」という表現や、表内の「優先作業（当該作業の前に行

う必要がある作業）」などの表現から、ライン生産の設定であることを確認したい。また、問題文の「単位時間当たりの生産量が最も多いもの」という表現や、各選択肢で作業配分について問われていることから、サイクルタイムについて問われていることを確認したい。

サイクルタイムは「生産ラインに資材を投入する時間間隔 注釈1 通常、製品が産出される時間間隔に等しい。ピッチタイムともいう。」（JIS Z 8141-3409）と定義されている。また、サイクルタイムは、要素作業時間の最長時間と同じもしくはそれよりも長く設定する必要がある。サイクルタイムは、以下の計算式で算出する考え方がある。

$$サイクルタイム = \frac{生産期間}{（生産期間中の）生産量}$$

上式より、（分子の）生産期間を一定とした場合、（分母の）生産量を最大にするためには、サイクルタイムを最短にする必要がある。サイクルタイムは、上記のとおり、要素作業時間の最長時間の影響を受ける。

以上より、本問で問われているのは、

① 各選択肢の作業配分案について、各作業者の作業時間を算出し、そのうち「最大となる作業者の作業時間（ボトルネック）」を特定する。

② ①の各選択肢の「最大となる作業者の作業時間」のうち、最短の案を選ぶの2点であることが読み取れる。

各選択肢における作業者ごとの作業時間は以下のとおりである。

【選択肢**ア**の作業配分】

作業者	担当作業	作業時間	
作業者①	A（10）＋B（10）＋C（30）＋D（15）	65	（最大）
作業者②	E（10）＋F（50）	60	
作業者③	G（25）	25	

【選択肢**イ**の作業配分】

作業者	担当作業	作業時間	
作業者①	A（10）＋B（10）＋C（30）＋D（15）	65	（最大）
作業者②	E（10）＋Fの半分（25）	35	
作業者③	Fの半分（25）＋G（25）	50	

【選択肢**ウ**の作業配分】

作業者	担当作業	作業時間	
作業者①	B（10）＋C（30）＋D（15）	55	
作業者②	E（10）＋F（50）	60	（最大）
作業者③	G（25）（※）	25	

※作業A（箱を組み立てる）について、あらかじめ行っておく旨が示されているため、要素作業時間には含めなくてよい。

【選択肢**エ**の作業配分】

作業者	担当作業	作業時間	
作業者①	C（30）＋D（15）＋E（10）	55	（最大）
作業者②	F（50）	50	
作業者③	G（25）（※）	25	

※作業A（箱を組み立てる）および作業B（品物にシールを貼る）について、あらかじめ行っておく旨が示されているため、要素作業時間には含めなくてよい。

各選択肢の最大作業時間のうち、最短となるのは選択肢**エ**の作業者①（55）となる。よって、**エ**が正解である。

第17問

標準時間の設定に関する問題である。

a ✕：前半の「作業を遂行するために必要と認められる遅れの時間」は余裕時間の定義そのものである（JIS Z 8141-5504）ため、正しい。しかし、後半の余裕率は、「**標準時間（あるいは正味時間）に占める余裕時間の割合**」のことであるため、不適切である。

b ✕：前半のレイティング係数の求め方は正しい。しかし、後半の記述は、「ストップウォッチを用いて観測された**観測時間の代表値にレイティング係数を掛ける**ことによって正味時間を求める」となるため、不適切である。

c 〇：正しい。PTS法は「人間の作業を、それを構成する基本動作にまで分解し、その基本動作の性質と条件とに応じて、あらかじめ決められた基本となる時間値から、その作業時間を見積もる方法」（JIS Z 8141-5205）と定義されている。本肢の内容は、ほぼPTS法の定義どおりである。

d 〇：正しい。本肢の内容は、標準時間の定義（JIS Z 8141-5502）どおりである。よって、**c**と**d**が適切であるため、**オ**が正解である。

第18問

IEの作業分析に関する問題である。作業の区分、および分析手法とその順序が問われており、IEの体系に関する理解が問われる問題となっている。

ア ✕：分割区分【1】は全体の工程の流れを分析しており、工程分析の対象となることは正しい。工程分析では、各作業を加工・**停滞**・検査・運搬の4つに大別して記号化する。

イ ✕：ストップウォッチを用いて直接作業時間を測定するストップウォッチ法は、「時間研究」の手法のひとつである。時間研究とは「作業を**要素作業又は単位作業**に分割し、その分割した作業を遂行するのに要する時間を測定する手法」（JIS Z 8141-5204）と定義される。「作業」は、大まかな工程からそれを分割した細かい動素に至るまで、段階的に分けてとらえることができる。

【作業の区分】

段階	作業の名称	内容	例
第1段階	動素 （動作要素）	微動作ともよばれ、 サーブリッグ分析の対象となる。	「伸ばす」 「つかむ」
第2段階	動作	「動素」の集合体	「材料を置く」 「位置を決める」
第3段階	**要素作業**	「動作」の集合体	「部品を機械に取り付ける」 「部品を作業台に置く」
第4段階	**単位作業**	「要素作業」の集合体	「材料点検」 「測定」
第5段階	工程	「単位作業」の集合体	「切削」 「検査」

　問題の分割区分に当てはめると、分割区分【1】が第5段階「工程」、【2】が第4段階「単位作業」、【3】が第3段階「要素作業」（もしくは第2段階「動作」）、【4】が第1段階「動素」となる。本肢の内容に戻ると、時間分析の対象となるのは、分割区分【2】や【3】となり、分割区分【4】はストップウォッチ法の対象とはならない。問題に与えられた表の分析手法の区分では、【2】と【3】が同じグループとなっていることからも、【3】と【4】を同じグループとする本肢の内容は、不適切と判断したい。

ウ ✕：「動作要素」という表現や分割区分【4】の各作業の表現から、サーブリッグ分析を行っているものと考えられる。**サーブリッグ分析は、作業自体を無駄のない動きに改善すること（ECRSの原則のS（簡素化））を目的とするものではなく、無駄な作業を削減すること（ECRSの原則のE（排除））を目的とするものである。**

エ ○：正しい。工程分析には、作業者を対象とした「作業者工程分析」と、物を対象とした「製品工程分析」がある。作業者工程分析では、各作業が「作業・移動・手待ち・検査」と表現され、製品工程分析では、各工程が「加工・運搬・停滞（貯蔵・滞留）、検査（数量検査・品質検査）」と表現される。たとえば、製品工程分析における図記号「○」は、加工を表すが、作業者工程分析においては作業を表すなど、意味が異なる。

よって、**エ**が正解である。

解答・解説

2年度

保全体制と保全費に関する問題である。

【生産保全の分類】

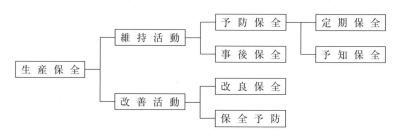

（出所：中央職業能力開発協会編『ビジネス・キャリア検定試験　標準テキスト【専門知識】生産管理プランニング（生産システム・生産計画）２級』社会保険研究所をもとに作成）

なお、定期保全は時間計画保全とも呼ばれ、予知保全は状態監視保全とも呼ばれる。

a　✕：故障が頻発しているような状況で費用の多くが故障の修復に使われているのであれば、**機械設備の性能を維持するための「維持費用（会計上は修理費）」の比率が高くなる**。一方、保全費のうち、**機械設備の性能を向上するための「改良費用」の比率は低くなる**。

b　〇：正しい。寿命特性曲線（バスタブ曲線）の初期故障期から偶発故障期に移行し、設備が安定稼働するようになると、使用中の動作状態の確認、劣化傾向の検出などを目的とした状態監視保全によって不具合の原因を事前に処置できるようになる。そのため、不具合が発生してから処置を行う事後保全の頻度は低くなり、事後保全費を低減することができる。

c　✕：状態監視保全の結果の解析が進むと、スケジュールに基づいて行う予防保全である**時間計画保全の保全周期を長くする（保全の頻度を少なくする）ことができ、保全費全体は減少する**。

d　〇：正しい。保全費とは、設備保全活動に必要な費用で、設備の新増設などの固定資産に繰り入れるべき支出を除いたものである。会計上の修理費のほかに、保全予備品の在庫費用などを含む。

よって、**b**と**d**が適切であるため、**オ**が正解である。

（出典：日本経営工学会編『生産管理用語辞典』日本規格協会）

設備総合効率に関する問題である。

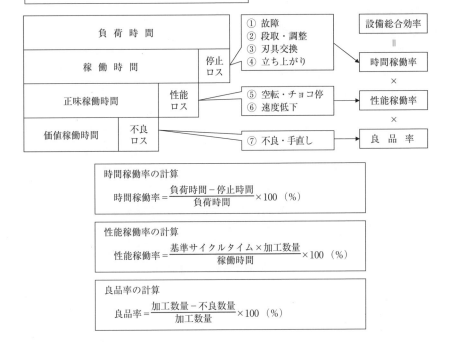

設備総合効率＝時間稼働率×性能稼働率×良品率

負　荷　時　間				設備総合効率
稼　働　時　間		停止ロス	① 故障 ② 段取・調整 ③ 刃具交換 ④ 立ち上がり	＝
				時間稼働率
正味稼働時間		性能ロス	⑤ 空転・チョコ停 ⑥ 速度低下	× 性能稼働率
価値稼働時間	不良ロス		⑦ 不良・手直し	× 良　品　率

時間稼働率の計算

$$時間稼働率 = \frac{負荷時間 - 停止時間}{負荷時間} \times 100 \quad （\%）$$

性能稼働率の計算

$$性能稼働率 = \frac{基準サイクルタイム \times 加工数量}{稼働時間} \times 100 \quad （\%）$$

良品率の計算

$$良品率 = \frac{加工数量 - 不良数量}{加工数量} \times 100 \quad （\%）$$

ア　✕：作業方法を変更して段取時間を短縮すると、停止時間（停止ロス）が短くなるため、**時間稼働率**が向上する。

イ　✕：設備の立ち上げ時間を短縮すると、停止時間（停止ロス）が短くなるため、**時間稼働率が向上する。**

ウ　〇：正しい。チョコ停（設備のトラブルにより、一時的に設備が停止・空転する現象）の総時間を削減すると、性能稼働率が向上する。

エ　✕：不適合率を改善すると、**良品率が向上する。**

よって、**ウ**が正解である。

第21問

生産の合理化に関する問題である。

ア　✕：ECRSの原則は、作業を改善する際に、より良い案を得るための指針として用いられる問いかけの頭文字をつなげたものであることは、正しい。問いかけは、E（Eliminate：なくせないか）、C（Combine：一緒にできないか）、R（Rearrange：

順序の変更はできないか）、S（**Simplify**：単純化できないか）の順に行われる。
本肢に、最後にする問いかけとして示されたStandardizationは「標準化」であり、
これは選択肢**イ**の３Ｓに含まれるものである。

イ ○：正しい。３Ｓとは、合理化の基本原則であり、標準化（Standardization）、
単純化（Simplification）、専門化（Specialization）の頭文字を並べたものである。
これらは、生産活動のみならず、企業活動全般に適用することが可能である。

ウ ✕：本肢の内容は、**同期化**の説明である。同期化は、「生産において分業化した
各工程（作業）の生産速度（作業時間、移動時間など）、稼働時間（生産開始・終
了時刻など）や、それに対する材料の供給時刻などを全て一致させ、仕掛品の滞留、
工程の遊休などが生じないようにする行為」（JIS Z 8141-1212）と定義されている。
単純化は、選択肢**イ**の３Ｓのひとつであり、製品や仕事の種類を減らして生産を簡
略化することである。

エ ✕：動作経済の原則が、作業を行う際に最も合理的に作業を行うための経験則で
あることは、正しい。一方で、フールプルーフは、人間（作業者）がミスをした場
合でも、そのミスによって生産上のエラーが発生しないように組み込まれる仕組み
のことをいう。**両者は、直接的に関連するものではない。**
よって、**イ**が正解である。

第22問

環境保全に関する問題である。

ア ✕：ISO14001の基本的構造が、環境マネジメントを継続的に改善していくため
のPDCAサイクルであることは正しい。しかし、ISO14001は、ボトムアップ型の
マネジメントを想定しているのではなく、**ISOの要求事項に基づいたトップダウン
型のマネジメント**を想定している。

イ ○：正しい。エコアクション21とは、環境省が策定した日本独自の環境マネジメ
ントシステム（EMS）である。ISO14001を参考としつつ、中小事業者にとっても
取り組みやすい環境経営システムのあり方を想定している。エコアクション21のガ
イドラインに沿って取り組む事業者は第三者機関である中央事務局の認証・登録を
受けることができ、登録事業者は「環境経営レポート」の作成と公表が必須となっ
ている。

ウ ✕：環境会計とは、環境省により「企業等が、持続可能な発展を目指して、社会
との良好な関係を保ちつつ、環境保全への取組を効率的かつ効果的に推進していく
ことを目的として、事業活動における環境保全のためのコストとその活動により得
られた効果を認識し、可能な限り定量的（貨幣単位または物量単位）に測定し伝達

する仕組み」と定義されている。本肢の内容は、「物品等の調達」に焦点を当てた活動となっているが、環境会計は、調達のみならずすべての経営活動が対象となる。

エ ✕：環境マネジメントシステムとは、環境省により「組織や事業者が、その運営や経営の中で自主的に環境保全に関する取組を進めるにあたり、**環境に関する方針や目標を自ら設定し、**これらの達成に向けて取り組んでいくための工場や事業所内の体制・手続き等の仕組み」と定義されている。**方針や目標は個々の企業が定めるものであり、国が定めるものではない。**なお、環境マネジメントシステムの認定の仕組みとして、選択肢**ア**のISO14001や、選択肢**イ**のエコアクション21がある。

よって、**イ**が正解である。

第23問

大規模小売店舗立地法に関する問題である。2000年6月に施行された大規模小売店舗立地法は、中心市街地活性化法と都市計画法とあわせて、まちづくり三法とよばれている。

ア ✕：大規模小売店舗立地法において、店舗に設置されている消火器具や火災報知設備などの機器点検に関する規定はない。消火器具や火災報知設備などの消防用設備等の点検について定めているのは消防法である。

イ ✕：大規模小売店舗立地法の目的は、大規模小売店舗の立地に関し、その周辺地域の生活環境の保持のため、大規模小売店舗を設置する者によりその施設の配置および運営方法について適正な配慮がなされることを確保することにより、小売業の健全な発展を図り、もって国民経済および地域社会の健全な発展ならびに国民生活の向上に寄与することにある。本肢の目的は、2000年6月に廃止された大規模小売店舗法の目的である。

ウ ✕：大規模小売店舗立地法の対象は、店舗面積が1,000㎡を超える小売業を営む店舗である。対象に飲食店が含まれないのは正しい。

エ ✕：大規模小売店舗の設置者が正当な理由なく勧告に従わない場合、その旨を公表できるのは、都道府県である。

オ 〇：正しい。大規模小売店舗を設置するものが配慮すべき施設の配置および運営方法に関する事項として、交通の渋滞や交通安全、騒音、廃棄物などに関する事項があげられている。

よって、**オ**が正解である。

第24問

『都市計画運用指針における立地適正化計画に係る概要』における立地適正化計画

に関する問題である。立地適正化計画制度は、行政と住民や民間事業者が一体となったコンパクトなまちづくりを促進するために創設された。

ア ✕：居住調整区域とは、住宅化を抑制するために定める地域地区であり、**市街化調整区域には定めることはできない。**

イ ✕：居住誘導区域とは、人口減少の中にあっても一定のエリアにおいて人口密度を維持することにより、生活サービスやコミュニティが持続的に確保されるよう、**居住を誘導すべき区域**である。医療・福祉・商業等の都市機能を誘導するのは都市機能誘導区域である。

ウ 〇：正しい。都市機能誘導区域における誘導施設とは、医療施設、福祉施設、教育文化施設、商業施設等であり、当該区域ごとに立地を誘導すべき都市機能増進施設である。

エ ✕：下図のように、居住誘導区域は**市街化区域等の内部に設定**される必要がある。

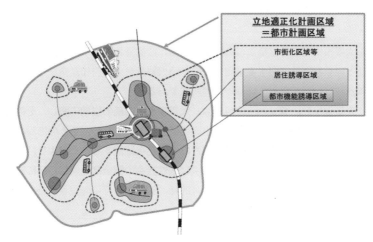

（出典：国土交通省「都市計画運用指針における立地適正化計画に係る概要」）

オ ✕：立地適正化計画では、原則として、**居住誘導区域の中に都市機能誘導区域を定めなければならない。**

よって、**ウ**が正解である。

第25問

商圏分析手法のひとつであるライリー＆コンバースの法則に関する問題である。この法則はコンバースが考えたもので、ライリーの法則を使って、2つの都市の商圏分岐点を算出する。商圏分岐点とは、2つの都市の中間都市が有する購買力を同量ずつ吸引し合う地点のことであり、「2つの都市の人口に比例し、2つの都市間の距離に

反比例する」とされる。商圏分岐点は、次のように表される。

$$Da = \frac{Dab}{1 + \sqrt{\dfrac{Pb}{Pa}}} \quad あるいは \quad Db = \frac{Dab}{1 + \sqrt{\dfrac{Pa}{Pb}}}$$

Da ：都市Aと商圏分岐点間の距離

Db ：都市Bと商圏分岐点間の距離

Dab：都市Aと都市B間の距離

Pa ：都市Aの人口

Pb ：都市Bの人口

本問を解く際、A市からの距離かB市からの距離かのどちらを求められているかに注意しなければならない。本問ではB市からの距離を求められているので、下記の計算式で求める。

$$B市と商圏分岐点の距離 = \frac{15}{1 + \sqrt{\dfrac{48}{12}}} = \frac{15}{3} = 5 \ （km）$$

なお、問題文では失業率が示されているが、本問においては考慮する必要はない。よって、**ウ**が正解である。

第26問

平成31年4月に中小企業庁が公表した「平成30年度商店街実態調査報告書」からの出題である。この調査は、商店街の最近の景況や空き店舗の状況、商店街が抱える課題などを明らかにし、今後の商店街活性化施策の基礎資料とすることを目的に3年に1度、実施されている。

平成30年度の調査結果の概況は、以下のとおりである。

1商店街あたりの店舗数	50.7店（前回調査※よりも減少）
1商店街あたりのチェーン店舗数	5.7店（前回調査※より増加）
商店街の業種別店舗数	飲食店（32.2%）が最も多い
商店街組織の専従事務職員	0名の商店街74.8%
外国人観光客の受け入れ	取り組んでいない商店街が77.6%

※前回調査は平成27年度調査

ア ✕：上記のとおり、1商店街あたりのチェーン店数は5.7店であり、前回調査（平成27年度調査）は4.1店であったため、**前回調査よりも増加している**。

イ ✕：上記のとおり、1商店街あたりの店舗数は50.7店であり、前回調査（平成27年度調査）は54.3店であったため、**前回調査よりも減少している**。

ウ ✗：上記のとおり、過半数の商店街が外国人観光客の受け入れに取り組んでいない。

エ ✗：上記のとおり、7割超の商店街には専従事務職員はいない。

オ ○：正しい。飲食店が32.2％で最も多く、次いで衣料品・身の回り品店等（20.1％）、最寄品小売店（15.8％）が多い。

よって、**オ**が正解である。

（出典：中小企業庁「平成30年度商店街実態調査報告書」（平成31年4月））

■ **第27問**

平成30年6月に公布された建築基準法の一部を改正する法律からの出題である。今回の改正は、「老朽化した木造建築物の建て替えによる市街地の安全性の向上（建築物・市街地の安全性の確保）」や「住宅を他の用途に変更活用しやすくし、空き家対策を行うこと（既存建築ストックの活用）」、「木材を建築材料として推進し、循環型社会を形成すること（木造建築物の整備推進）」が主な目的である。今回の改正の主な点は下記のとおりである。

建築基準法の一部を改正する法律（平成30年法律第67号）の概要

(1) 建築物・市街地の安全性の確保

　　維持保全計画の作成などが求められる建築物の範囲を拡大

　　既存不適格建築物の所有者等に対する特定行政庁による指導及び助言の創設　等

(2) 既存建築ストックの活用

　　戸建住宅等を他の用途にする場合、条件付きで耐火建築物にすることを不要　等

(3) 木造建築物の整備推進

　　耐火構造等とすべき木造建築物の対象の見直し　等

(4) その他

　　老人ホーム等に係る容積率制限の緩和　等

ア ✗：上記の(1)のように、維持保全計画の作成などが求められる建築物の範囲は拡大された。

イ ✗：上記(1)のように、既存不適格建築物の所有者等に対する特定行政庁による指導及び助言は創設された。

ウ ○：正しい。上記の(2)のように、戸建住宅は、延べ面積200㎡未満かつ3階建て以下の場合は、在館者が迅速に避難できる措置を講じることを前提に、耐火建築物とすることが不要となった。

エ ✗：上記の(3)のように、耐火構造等とすべき木造建築の対象は、「高さ13m・軒高9m超」であったが、それが「高さ16m超・階数4以上」に見直しされた。選択

肢にあるように、高さ16m超または地上階数4以上が含まれなくなったわけではない。

よって、**ウ**が正解である。

経済産業省が公表する「商業動態統計」からの出題である。この調査は全国の商業を営む事業所及び企業の販売活動などの動向を明らかにすることを目的として、百貨店、スーパー、コンビニエンスストア、ドラッグストア、ホームセンターなどの業態別の販売額とその推移等を公表している。

本問は、百貨店、スーパー、コンビニエンスストア、ドラッグストアの4つの業態の年間販売額と5年間の推移のグラフから、グラフに合う業態を選ぶ問題である。2019年商業動態統計年報によると、この4つの業種の2019年の販売額とその推移は下記のとおりである。

業態名	2019年の年間販売額	販売額の推移の特徴
百貨店	約6.3兆円	2017年から減少傾向
スーパー	約19.4兆円	2018年から2019年は減少
コンビニエンスストア	約12.2兆円	全体的に増加傾向
ドラッグストア	約6.8兆円	全体的に増加傾向

空欄Aは、最も年間販売額が大きいため「スーパー」が入る。

空欄Bは、2番目に年間販売額が大きく、毎年順調に伸びているのが特徴である。その特徴から「コンビニエンスストア」が入る。

空欄Cと空欄Dの年間販売額の差はあまりない。特徴は空欄Cが減少傾向にあり、空欄Dは順調に伸びているところである。その特徴から、空欄Cは「百貨店」が入り、空欄Dには「ドラッグストア」が入る。

よって、**ア**が正解である。

（出典：経済産業省「商業動態統計　2019年商業動態統計年報」（令和2年6月））

陳列手法に関する問題である。基本的な問題であり、ぜひ正解したい。今回出題された陳列方法の特徴は以下のとおりである。

解答・解説

2年度

331

分類	特　徴
レジ前陳列	購買顧客が必ず通過するレジ前に陳列することから、顧客の目に触れやすく、ついで買いを誘発する効果がある。
ジャンブル陳列	投げ込み陳列のことであり、特売品の陳列に向いている。投げ込みであるため陳列の手間は少なく、移動も簡単である。ただし、高額商品には不向き。
フック陳列	フックに引っかけて陳列する手法。文房具など小型で軽量の商品に利用される。商品が見やすく、在庫量を把握しやすい。

a ：本肢の記述内容は、フック陳列の特徴そのものであるため、フック陳列と判断できる。

b ：本肢の記述内の「非計画購買を誘発しやすく」は、レジ前陳列のついで買いに相当する。そのため、本肢の記述は、レジ前陳列である。

c ：本肢の記述は、ジャンブル陳列の特徴そのものであるため、ジャンブル陳列である。

よって、**エ**が正解である。

第30問

　商品の販売における売価値入率による売価設定及び粗利益額に関する問題である。まず商品A〜Eについて売価値入率による売価を計算し、売価が同じ商品を選ぶ必要がある。仕入単価と売価値入率から、下記の式で売価を求めることができる。

$$売価 = \frac{仕入単価}{1 - 売価値入率}（円）$$

商品A〜Eの売価は以下のようになる。

	仕入単価	売価値入率	売　価
商品A	480円	20％	600円
商品B	300円	40％	500円
商品C	300円	50％	600円
商品D	800円	20％	1,000円
商品E	600円	50％	1,200円

　表より商品Aと商品Cの売価が同じであることがわかる。次に商品Aと商品Cにおいて、仕入れた数量をすべて設定した売価で販売したときの粗利益額を求めて合計する。各商品の粗利益額を求めるには粗利益率が必要であるが、本問では「すべて設定した売価で販売した」との条件があるため、粗利益率は売価値入率で代用できる。

　商品Aの仕入れた全数を販売した粗利益額　　600円×50個×20％＝6,000円

商品Cの仕入れた全数を販売した粗利益額　　　600円×100個×50％＝30,000円

商品Aと商品Cの粗利益額の合計額　　　　　　　6,000円＋30,000円＝36,000円

よって、**イ**が正解である。

第31問

景品表示法における小売店の店頭販促物の表示に関する問題である。景品表示法では、商品・サービスの品質、規格、その他の内容についての不当表示である優良誤認表示、商品・サービスの価格、その他の取引条件についての有利誤認表示、その他誤認される恐れのある表示が禁止されている。

ア　○：正しい。POPに通常価格と併記して「価格は店員にご相談ください」と価格交渉に応じる旨の表示をしても、記載されている価格が価格交渉の出発点を示す価格と認められ、当該価格よりも安い価格で販売されることは来店者も認識していることから不当表示には該当しない。

イ　✕：仕入先からの誤った情報に基づいて小売店が景品表示法に抵触する不当表示をしてしまった場合、**表示の内容を決定したのが小売店であれば、過失があるかどうかにかかわらず、小売店は表示規制の対象となる。**

ウ　✕：商品の効果、性能に関する表示を小売店がする場合、製造業者等が行った実証試験・調査等の裏付けとなる合理的な資料があれば**小売店が自ら実証試験・調査等を行う必要はない。**

エ　✕：二重価格表示とは、小売業者が実売価格とともにメーカー希望小売価格や自店の旧価格などを併せて表示することで来店客の購買意欲を刺激する価格表示である。この場合、実売価格と比較される価格を比較対照価格とよび、一般的には①二重価格表示を行う時点からさかのぼった8週間において、当該価格で販売された期間が過半を占め、②当該価格で販売期間が通算で2週間以上であり、③当該価格で販売された最後の日から2週間経過していないことが条件となる。したがって、値下げして販売する際、**値下げ前の価格での販売が1日しかなければ比較対象価格にならず、不当表示に該当する。**

よって、**ア**が正解である。

第32問

商品予算計画の指標についての問題である。基本的な問題であり、ぜひ正解したい。

空欄A「商品回転率」が入る。商品回転率とは一定期間内に、商品が何回転したかを示す指標である。その計算式は次のとおりである。

$$商品回転率 = \frac{売上高}{平均在庫高}$$

問題文のように売上と在庫の関係から管理する指標としては適している。

空欄B「GMROI」が入る。GMROIは小売経営におけるマーチャンダイジング管理の財務的な側面として、商品投下資本の効率を測定し、在庫投資の回収を管理するための指標として用いられる。その計算式は次のとおりである。

$$GMROI = \frac{売上総利益（粗利益）}{平均商品在庫高（原価）} \times 100\%$$

問題文中の「期間中の粗利益額を原価の平均在庫高で除した数値で」という表記から、GMROIが適していると判断できる。

空欄C「交差比率」が入る。GMROIと似た指標であるが、GMROIと違い、商品在庫投資を売価基準で考える。その計算式は次のとおりである。

$$交差比率 = \frac{売上総利益（粗利益）}{平均商品在庫高（売価）} \times 100\%$$

問題文中の「期間中の粗利益額を売価の平均在庫高で除した数値で」という表記から、交差比率が適していると判断できる。

よって、**エ**が正解である。

第33問

小売店舗における品揃えに関する問題である。基本的な用語の知識があれば、解答は可能である。

ア ✕：総合的な品揃えを、幅の広い顧客を対象にした品揃えと解釈して商品カテゴリーを区分する。各区分に3店舗が品揃えしているカテゴリーを確認する。

区　分	商品カテゴリー	X商店	Y商店	Z商店
ヤング向け婦人服	婦人服A〜C	A	A・C	A・B
シニア向け婦人服	婦人服D・E	D	D・E	—
紳士服	紳士服A〜C	A・C	—	A・B
服飾雑貨	服飾雑貨A〜C	C	A・B	—

X商店は全ての区分で品揃えをしているのに対し、Y商店では紳士服の品揃えをしておらず、Z商店ではシニア向け婦人服と服飾雑貨の品揃えをしていない。したがって、最も総合的な品揃えをしているのは**X商店**である。

イ ✕：プライスゾーンとは、品揃えにおける価格の上限と下限の幅のことである。本問では価格帯を「低」「中」「高」と区分しており、これに従い3店舗の各価格帯での品揃えの有無を確認する。なお、「低・中」は便宜上、「低」と「中」の両方に

計上する。

価格帯	X商店	Y商店	Z商店
低	有	有	有
中	有	有	有
高	無	有	無

Y商店のみ「低」「中」「高」と全ての価格帯で品揃えを行っており、プライスゾーンが最も広い。

ウ ✕：EDLPとは、「Every Day Low Price」の略であり、すべての商品を、毎日いつでも同業他社よりも低価格で販売することで、恒常的な低価格販売を実現する仕組みである。またプライスラインはそれぞれの品目をいくつかの「よく売れる値頃」に段階的に整理し決定した価格である。本問では「低」「中」「高」の3つの価格帯が示されており、X商店がEDLP政策をとっても、品揃えを変えないのであればプライスラインは「低」と「中」の2つとなる。

エ 〇：正しい。専門性の高い品揃えを行うということは、特定のターゲットや特定の商品カテゴリーに絞った品揃えを行うことである。Y商店では、紳士服や男性向けの服飾雑貨を扱っておらず、ターゲットを婦人に絞った品揃えを行っている。したがって、Y商店が婦人服Bを追加して取り扱えば、専門性を高めることになる。

オ ✕：関連購買とは、来店客がある商品を購入する際、関連する商品も同時に購買することであり、ターゲットが同じでありながら異なる商品カテゴリー間で生じやすい。Z商店はヤング向けの婦人服と紳士服を品揃えしており、シニア向けの紳士服Cを追加してもターゲットが異なるため関連購買による来店客の買上点数の増加は期待できない。

よって、**エ**が正解である。

第34問

最寄品を主に取り扱う小売店舗における在庫管理に関する問題である。最寄品とは、消費者の購買頻度が高く、購買に関する意思決定時間が短い消費財である。したがって、常に店舗では欠品を起こさない程度の在庫を保有しておくことが望ましい。

ア ✕：安全在庫とは、欠品を起こさないために保有しておく在庫である。必要な安全在庫量は、以下の式で算出する。

安全在庫（定量発注方式）＝ $a \times \sqrt{L} \times \sigma$

安全在庫（定期発注方式）＝ $a \times \sqrt{(T+L)} \times \sigma$

a：安全係数（品切れ許容率によって決まる係数）

L：調達期間

T：発注間隔

σ：需要量の標準偏差

したがって、ある商品の最大在庫量を2倍にしても、**販売量が一定ならば必要となる安全在庫量は変化しない。**

イ ✕：たとえば前日の販売量が10個、当日の販売量が8個に減少したとする。発注量が即納されると仮定すれば、前日の販売量の10個を発注した場合、8個しか販売できないため2個が売れ残りとなり在庫量が増加する。したがって、当日の販売量が前日より減少すれば、当該商品の**在庫量は増加する。**

ウ ◯：正しい。定期発注方式とは、あらかじめ発注する時期を決めておき、発注の都度、現在の在庫量や需要量に応じて発注量を決める発注方式である。その発注量は、下記の式で求めることができる。

発注量＝（発注間隔＋調達期間）中の推定需要量－発注残－手持在庫量＋安全在庫量

手持在庫量：現品が手元にある在庫量

発注残：発注済みだがまだ手元に届いていない在庫量

上記の式より販売量が一定であれば、発注間隔を短くするほど推定需要量が少なくなり、1回あたりの発注量は少なくなる。

エ ✕：定量発注方式とは、在庫量が設定された在庫量（発注点）まで減少した時、あらかじめ決められた一定量を発注する方式である。適正な在庫量を表す理論在庫は、安全在庫にサイクル在庫を加えた在庫である。サイクル在庫とは、発注してから次に発注するまでの消費量の半分の在庫である。**適正な在庫量を表す理論在庫には安全在庫が含まれているため、両者は一致しない。**

オ ✕：定量発注方式では、発注点まで在庫量が下がった時に、あらかじめ決めた発注量を発注する。販売量の減少が続いているのであれば、発注点まで在庫量が下がる期間が長くなる。そのため発注点を変更しなければ**発注間隔は長くなる。**

よって、**ウ**が正解である。

第35問

需要予測に関する問題である。

ア ✕：移動平均法は、直近数か月など、直近の複数の実績データの平均をもとに、需要予測を行う方法であるため、**これから発売する（実績データがない）新商品の需要の予測を行うことはできない。**

イ ✕：指数平滑法における需要量の計算式は、以下のとおりである。

次期予測値＝当期予測値＋a（当期実績値－当期予測値）

a：平滑化定数

当期の実績値と前期の実績値を加重平均するのではなく、**当期予測値に、当期実績値と当期予測値の差に平滑化定数を乗じた値を加えて、次期の予測値を算出する**ものである。

ウ　○：正しい。重回帰分析では、2つ以上の要因（説明変数）と、それらによって得られる結果（目的変数）との関係を回帰係数として推定することができる。

重回帰分析における回帰係数のモデル：$y = a_1x_1 + a_2x_2 + \cdots\cdots + a_nx_n + b$

※　y：目的関数、x_1、$x_2\cdots\cdots x_n$：説明変数、a_1、$a_2\cdots\cdots a_n$：偏回帰係数

（偏回帰係数とは、回帰係数を求める際に、各説明変数に付する係数のことである）

エ　✕：重回帰分析では、**各説明変数の間に高い相関が認められるものを選ぶと、適切な分析結果が得られないことがある**。これを多重共線性の問題という。多重共線性の例として、たとえば売上高予測の分析において、本来はマイナス要因である説明変数がプラス要因になるなどの問題が生じることがある。

オ　✕：選択肢**イ**の解説にある式の、平滑化定数（$0 < a < 1$）の値を大きくすると、当期実績値の影響をより濃くした時期予測値が算出される。このように、平滑化定数の値を大きくすることにより、**直前の需要の変化に対応した予測を行うことができる**。

よって、**ウ**が正解である。

第36問

輸送手段等に関する問題である。初見の用語があるかも知れないが、丁寧に問題文を読むと解答できると思われる。

ア　✕：RORO（roll-on roll-off）船とは、貨物を積んだトラックや荷台ごと貨物を輸送する船のことである。荷台ごと貨物を輸送する場合、発地でトレーラーが乗船し貨物を積んだ荷台を切り離して船に置き（roll-on）、トレーラーは下船する。着地では、トレーラーが乗船し、荷台を連結して下船（roll-off）する。RORO船は、フェリーと異なり**貨物船**であり、基本的に客室はない。

イ　✕：中継輸送とは、長距離あるいは長時間に及ぶトラック輸送のときに、**複数人のドライバーが中継地で交代しながら輸送を行う**方法である。ほかに荷台につなぐトラクターを交換する方法や荷台の貨物を積み替える方法がある。

ウ　✕：鉄道輸送よりも**トラック輸送の方が、荷主は出発時間を自由に指定しやすい**。また二酸化炭素排出量の削減のため、トラックから鉄道や船舶に輸送手段を転換することをモーダルシフトという。モーダルシフトの効果として、貨物鉄道の二酸化炭素排出量は、貨物車の二酸化炭素排出量の1/11に抑えることができる。したがって、輸送トンキロ当たりの二酸化炭素排出量は、鉄道輸送よりもトラック輸送の

方が多い。

【輸送機関別のCO 2排出量原単位】

モーダルシフトの効果

（輸送機関別のCO 2排出量原単位（1トンの貨物を1km輸送したときのCO 2排出量）：2017年度実績）

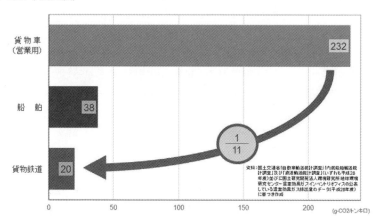

（出所：国土交通省　https://www.mlit.go.jp/tetudo/tetudo_tk2_000016.html）

エ ○：正しい。トラックの時間当たりの実車率とは、稼働時間に対する実車走行時間の割合のことである。納品先での納品待機時間などの手待ち時間は稼働時間に含まれる。そのため手待ち時間の削減は、時間当たりの実車率を高める効果がある。なお、時間当たりの実車率は、実車率（トラックの走行距離に占める、実際に貨物を積載して走行した距離の割合）とは異なる指標である。

オ ✕：トラック輸送では、貸切輸送以外にも効率化を目的として複数の荷主の荷物を1台のトラックで運ぶ混載輸送も行われている。

　　　よって、**エ**が正解である。

第37問

物流におけるユニットロードおよびその運搬機器に関する問題である。ユニットロードとは、輸送貨物をばらばらではなく、ある単位（ユニット）にまとめることである。

ア ✕：複合一貫輸送とは、船舶、鉄道、トラック、航空等の複数の輸送手段を組み合わせて行う輸送方法である。現在、最も多く利用されているのは、海上コンテナを利用した海陸の複合一貫輸送である。**複合一貫輸送においては広くコンテナが使用されている。**

338

イ ✕：平パレットとは、上部に構造物のない差込口のみを持つパレットであり、最も一般的に使用されているパレットである。業種により様々なサイズがあるが、日本産業規格（JIS）においても一貫輸送用平パレットとして1100×1100×144mmのT11型パレットが規格化されている。

ウ ◯：正しい。パレットを使用しなければ、大きさや形状の違う荷物にあわせて積み込みや取り卸しをしなければならない。パレットを使用すれば荷姿を安定させることができ、また複数の荷物をまとめて処理できるため、積み込みや取り卸しなどの荷役効率が高くなる。

エ ✕：ユニットロードにおいては、パレットやコンテナなどを使用してユニット化することで輸送効率を高めて輸送する。したがって、ユニットロード化を推進することは、パレットやコンテナの利用が進むことになる。

オ ✕：ロールボックスパレットは、「かご台車」ともよばれ、かご状に三方を柵で覆い一方が開口されたキャスター付きの台車である。柵で囲まれた範囲内であれば大きさが異なる荷物でも積載することができる。

よって、**ウ**が正解である。

第38問

物流センターの運営に関する問題である。流通情報システムから検品まで幅広い知識が問われている。

ア ✕：ASN（Advanced Shipping Notice）とは、事前出荷明細のことであり、送り先に対して商品を出荷する前に電子データで伝達する出荷案内である。出荷側が商品の出荷情報を作り、荷受側に伝達する。

イ ◯：正しい。プロセスセンターとは、生鮮食品などの商品の加工や値札付け、包装などを行う物流センターのことである。プロセスセンターを利用することで、店の調理場や冷蔵庫などが不要となりスペースの有効活用が図れる。

ウ ✕：トラック運転手が集品先または納品先の荷主の倉庫内で荷作り、仕分け等の付帯作業を行うことは、法律では禁止されていない。ただし、トラックドライバーの長時間労働の是正の観点から、車両総重量が8トン以上または総積載量が5トン以上の車両に乗務した場合、付帯作業を行えば乗務記録に記載しなければならない。

エ ✕：ピッキングする商品品目数がオーダーより多い場合には、摘み取り方式で行うのが一般的である。摘み取り方式は、シングルピッキングとよばれ、店単位にピッキングする方法である。

オ ✕：複数の取引先へ同時に出荷する商品が一度に入荷した場合、入荷時に検品し

ても、どの取引先にいくつ送るのか**出荷時にも検品する必要がある**。

よって、**イ**が正解である。

GS1事業者コードおよびJANコード（GTIN）に関する問題である。JANコードは、国際的にはEAN（European Article Number）コードとよばれ、アメリカやカナダにおけるUPC（Universal Product Coad）と互換性のある国際的な共通商品コードである。

ア　✕：JANコードには、**標準タイプ（13桁）**と**短縮タイプ（8桁）**の2つの種類がある。

イ　✕：JANコードは、「どの事業者コードなのか、どの商品か」を表わす**世界共通の商品識別番号**である。

ウ　〇：正しい。JANコード標準タイプ（GTIN-13）は、①GS1事業者コード、②商品アイテムコード、③チェックデジットで構成されている。

標準タイプ（13桁）

9桁事業者コード

4 569951 116179
① ② ③

10桁事業者コード

4 595007 798990
① ② ③

7桁事業者コード

4 912345 678904
① ② ③

①…GS1事業者コード
②…商品アイテムコード
③…チェックデジット

エ　✕：集合包装用商品コード（GTIN-14）は、企業間の取引単位である集合包装に対して設定される商品識別コードである。先頭の1桁目はインジケーターであり1〜8の数字を使う。次にJANコード標準タイプ（GTIN-13）の先頭12桁を表記し、最後の1桁に改めて計算しなおしたチェックデジットを付けることで合計14桁になる。

オ　✕：商品アイテム数が増えてコードが足りなくなったときは、まずは未使用の商品コードがあればそれを使用し、**コードの空きが少なくなった場合はGS1事業者コードの追加登録申請が行える**。

よって、**ウ**が正解である。

2次元シンボルのGS1 QRコードに関する問題である。GS1 QRコードは、商品のパッケージ上に表示されたQRコードを携帯電話やスマートフォンで読み取ることで商品情報サイトへ誘導するために作成された。

a ✕：GS1のキャリア標準として認められている2次元シンボルは、**GS1 QRコードとGS1データマトリックスの2種類**がある。どちらのコードを使用するかは、事業者が選ぶことができる。

GS1 QR コード　　　　GS1 データマトリックス

（出所：（一財）流通システム開発センター　https://www.gs1jp.org/standard/barcode/）

b ✕：JANコードは、POSレジ等で事業者名や商品名を読み取るためのコードである。JANコードを複数表示しても**商品情報サイトへの誘導は行えない**。1つのシンボルで比較すればGS1 QRコードの方がJANコードよりも情報量が大きいことは正しい。

c ○：正しい。GS1 QRコードを利用して商品から商品個別サイトに誘導する手法は、オフラインtoオンライン施策とよばれる。GS1 QRコードをスキャンすると同じブランドや同じメーカーのキャンペーンであっても、消費者を商品個別のサイトに誘導することができる。

よって、**a**と**b**は誤りであり**c**は正しいため、**オ**が正解である。

平成30年6月1日に施行された「割賦販売法の一部を改正する法律」（改正割賦販売法）に関する問題である。近年、クレジットカードを取り扱う加盟店におけるクレジットカード番号等の漏洩事件や不正使用被害が増加していることから、安全・安心なクレジットカード利用環境を実現するために改正された。この改正により加盟店の管理の強化やクレジットカード情報の適切な管理等が求められている。

a ○：正しい。今回の改正により、クレジットカード番号等取扱契約締結事業者に登録制が導入された。またクレジットカード番号等取扱契約締結事業者に契約する加盟店の調査を行い、調査結果に基づいて必要な措置を行うことが義務付けられた。

b ✕：クレジットカードの磁気テープ部分をスワイプして読み取る方式のカード処

理機能をもつPOSレジを設置している加盟店は、ICカードに対応したPOSレジに置き換えを行うか、またはICカードに対応した決済端末を導入してPOSレジに接続しなければならない。

よって、**a**は正しく**b**は誤りであるため、**イ**が正解である。

流通システム標準普及推進協議会が公表している「流通ビジネスメッセージ標準運用ガイドライン（基本編）第2.0版（2018年12月）」に関する問題である。経済産業省の事業の成果として、消費財流通における企業間のEDI取引を促進することによる業務の効率化と高度化、サプライチェーン全体の最適化を図るために「流通システム標準」が制定されている。この標準の維持管理と普及促進のため、流通システム標準普及推進協議会が2009年4月に発足した。

本ガイドラインでは、小売企業と卸売企業・メーカーとの間で使用されるメッセージや預り在庫型センターと卸売企業・メーカーとの間で使用されるメッセージが定められている。

このうち預り在庫型センター納品プロセスで使用されるメッセージは次の4つである。

メッセージ名称	定　義
在庫補充勧告メッセージ	・センターはセンター内の適正在庫を維持するために、卸・メーカに対して在庫補充依頼を勧告する。
入庫予定メッセージ	・卸・メーカは、センターに入庫する商品、入庫する予定日、入庫する予定数量などをセンターに連絡する。 ・卸・メーカは不良在庫となった商品、数量、引き取り予定日などをセンターに連絡する。
入庫確定メッセージ	・センターは卸・メーカから納品されてきた商品を検品し、検品した数量を卸・メーカに連絡する。 ・不良在庫の引取り後、センターは引き取りが確定した旨を卸・メーカに連絡する。
在庫報告メッセージ	・良品在庫、不良在庫などのストック情報を卸・メーカ、小売企業に報告する。 ・良品在庫の入出庫、不良在庫などの引取や精算といった、センター内の総在庫が日々変動する情報を卸・メーカ・小売企業に報告する。 ・在庫管理に関わる指標等結果を報告する。 ・センター内で卸・メーカ責の不良在庫が発生した場合、センターは不良在庫の引き取りを卸・メーカに勧告する。

(出典：(一財)流通システム開発センター「メッセージ別定義一覧表」)

　このうち預り在庫型センターから卸・メーカーに送られる3種類のメッセージは、在庫補充勧告メッセージ、入庫確定メッセージ、在庫報告メッセージである。入庫予定メッセージは卸・メーカーから預り在庫型センターに送られるメッセージである。また選択肢**b**の購入催促メッセージは、「メッセージ別定義一覧表」では定義されていない。

　よって、**a**在庫補充勧告メッセージ、**d**入庫確定メッセージ、**e**在庫報告メッセージの組み合わせである**イ**が正解である。

第43問

　個人情報保護法に関する問題である。個人情報保護法は、2003年5月23日に成立し一部即日施行、2005年4月1日に全面施行された法律であり、個人情報を取り扱う事業者の順守すべき義務等を定めることにより、個人情報の有用性に配慮しつつ、個人の権利利益を保護することを目的としている。本問では、2017年5月に施行された改正法について問われている。なお、令和4年度の本試験では、2022年4月に施行された改正法について出題された。

a　○：正しい。2017年5月に施行された改正法において、個人情報の定義の明確化

を図るため、その情報単体でも特定の個人が識別できる文字、番号、記号、符号等について、「個人識別符号」という定義を設けた。個人識別符号は①生体情報を変換した符号として、DNA、顔、虹彩、声紋、歩行の態様、手指の静脈、指紋・掌紋、②公的な番号として、パスポート番号、基礎年金番号、免許証番号、住民票コード、マイナンバー、各種保険証等が該当する。

b ○：正しい。2017年5月に施行された改正法において、匿名加工情報の利活用の規定が設けられた。匿名加工情報とは、個人情報を本人が特定できないように加工し、個人情報に復元できないようにした情報である。匿名加工情報を第三者に提供する場合、あらかじめ第三者に提供される匿名加工情報に含まれる個人情報の項目及びその提供方法を公表するとともに、提供する情報が匿名加工情報である旨を明示する必要がある。

c ✕：改正前の個人情報保護法では、取り扱う個人情報の数が5,000以下の中小企業・小規模事業者は適用除外であったが、2017年5月に施行された法改正によりこの規定は廃止された。これにより、個人情報を扱う**すべての事業者に個人情報保護法が適用される**こととなった。

よって、**a**と**b**は正しく、**c**は誤りであるため、**ア**が正解である。

第44問

RFM分析に関する問題である。問題では、「優良顧客の離反の可能性が高まっていることを注意すべきグループ」について、問われており、①優良顧客の判定、②離反の可能性、についての読み取りが求められる。

① 優良顧客の判定

　問題文に、「定期的に高頻度で顧客の来店を促すことが重要」と示されているため、F（平均来店間隔日数）が短いa、d、gのグループが優良顧客であると考えられる。

② 離反の可能性

　高頻度で（平均来店間隔日数が短く）来店している顧客が、しばらく来店しなくなった場合に、離反の可能性が感じられる。優良顧客については、以下のとおりに考えられる。

　　グループa：平均7日未満で来店する顧客が、最近14日未満に来店しているため、引き続き優良顧客であると考えられる。

　　グループd：平均7日未満で来店する顧客が、最近14日以上90日未満来店していないため、離反の可能性があると考えられる。

　　グループg：平均7日未満で来店する顧客が、最近90日以上来店していないた

め、離反してしまったと考えられる。

よって、**イ**が正解である。

参考資料 出題傾向分析表

参考資料 出題傾向分析表

第1編　生産管理

		R2	R3
第1章	生産管理の基礎	管理目標 **1** 生産の合理化 **21**	5S **1** 生産形態 **2** 多工程持ち作業 **16**
第2章	工場の設備配置 （レイアウト）	SLP（実施手順）**3** DI分析 **15**	生産現場のレイアウト分析 **3** 工場レイアウト **7**
	生産方式	製番管理方式 **8** ライン生産方式 **16**	同期化 **2** ライン生産方式 **5** ジャストインタイム **6**
	製品の開発・設計とVE		実験計画 **4**
	生産技術	立体造形 **5**	
	生産計画と生産統制	需要予測 **9** PERT（CPM）**11** 線形計画法 **12** 需要予測 **35**	需要予測 **8** PERT **10** ディスパッチングルール **11** 現品管理 **13** 流動数分析 **14**
	資材管理		ストラクチャ型部品表 **9**
	在庫管理・購買管理	エシェロン在庫 **2** 最適生産量の決定 **10** 発注方式 **13** 小売店舗における在庫管理 **34**	発注方式 **12** 在庫管理 **32**
第3章	IE (Industrial Engineering)	工程分析（基本図記号）**7** 標準時間設定 **17** 作業分析 **18** 生産の合理化 **21**	流れ線図 **3** 標準時間 **15** 職務設計 **16** 作業測定 **17** サーブリッグ分析 **18**
	品質管理	品質表 **4** ヒストグラム **6** 仮説検定 **14**	工程能力指数 **20** HACCP **40**
	設備管理	保全体制と保全費 **19** 設備総合効率 **20**	設備の信頼性 **19**
	廃棄物等の管理	環境保全 **22**	循環型社会形成 **21** 食品リサイクル法 **25**
第4章	生産情報システム		
	製造業における情報システム		

※出題領域の区分は、弊社「2025年度版　最速合格のためのスピードテキスト」に準拠したものです。
※表中の項目名とともに付されている白抜き数字は、本試験における問題番号となります。

R 4	R 5	R 6
管理指標 **1** 作業改善 **20**	評価指標 **1** 生産職場の管理指標 **21**	生産形態 **1**
	工場レイアウト **2**	設備レイアウト **11** DI分析 **12**
ライン生産方式 **2** 生産管理方式 **4** TOC（制約理論） **9**	ライン生産方式 **6** 生産ラインの改善活動 **18**	ライン生産方式 **4** 生産管理方式 **10**
製品設計 **3**	VE **3** 製品開発・製品設計 **4**	
PERT **7** ジョンソン法 **8** 流動数分析 **14**	PERT **8** ディスパッチングルール **9** 工数管理、余力管理 **10** 進捗管理 **13** 需要予測 **32**	PERT **2** 進捗管理と現品管理 **3** 需要予測 **34**
資材所要量計画 **6**	ストラクチャ型部品表 **7**	ストラクチャ型部品表 **5** 資材管理 **13**
発注方式 **10** 在庫管理 **12** 発注方式 **31**	経済的発注量 **11** 在庫管理 **31**	外注管理 **14** 在庫管理 **15** 在庫管理 **33**
製品工程分析（基本図記号） **13** 作業標準 **15** ストップウォッチ法 **16** 作業改善 **20**	運搬活性示数 **14** 標準時間 **15** 作業者工程分析 **16**	標準時間設定法 **6** 製品工程分析図 **16** マテリアルハンドリング **17** 経済性分析 **18**
統計的検定 **5** QC7つ道具、新QC7つ道具 **11**	QC7つ道具、新QC7つ道具 **12** 解析用管理図 **18** HACCP **39**	工程能力指数 **7**
生産保全 **17** 設備総合効率 **18** TPM **19**	設備投資案の評価 **17** TPM **19**	設備管理 **8** 優劣分岐点 **9** 統計検定 **19**
環境問題 **21**	循環型社会形成推進基本法 **5** 省エネ法 **20** 食品リサイクル法 **24**	環境配慮型生産 **20** 廃棄物処理法 **21** 食品リサイクル法 **25**

第2編　店舗・販売管理

		R 2	R 3
第1章	店舗施設に関する法律知識	大規模小売店舗立地法㉓ 都市計画法（立地適正化計画）㉔ 建築基準法㉗	都市再生特別措置法（立地適正化計画）㉓
	店舗立地と出店	商圏分析（ライリー＆コンバースの法則）㉕	商圏分析㉔ （修正ハフモデル）
	商業集積	商店街実態調査報告書㉖ 商業動態統計㉘	ショッピングセンターの現況㉒
第2章	商品販売計画	売価と売価値入率㉚ 在庫管理指標㉜	売上と利益㉗ 人時生産性㉘ 品揃え政策㉚
	商品調達・取引条件		
	売場構成・陳列	陳列手法㉙	照明㉖ ビジュアル・マーチャンダイジング㉙
	価格設定	景表表示法㉛ 商品政策・価格政策㉝	消費税転嫁対策特別措置法㉛
第3章	物流機能		物流機能㊱
	物流戦略	輸送手段の特徴㊱ ユニットロード㊲ 物流センターの運営㊳	物品の輸送手段㉝ 物流の生産性指標㉞ 物流センターの機能㉟ ユニットロード㊱ 物流センターの運営㊲
第4章	店舗システム	割賦販売法㊶ 個人情報保護法㊸ RFM 分析㊹	CRM ㊴
	取引・物流情報システム	GS1 事業者コードと JAN コード㊴ GS1 QR コード㊵ 流通ビジネスメッセージ標準㊷	GTIN ㊳ 中小企業共通 EDI 標準㊶ 電子タグ㊷

※出題領域の区分は、弊社「2025 年度版　最速合格のためのスピードテキスト」に準拠したものです。
※表中の項目名とともに付されている白抜き数字は、本試験における問題番号となります。

R 4	R 5	R 6
中心市街地活性化法㉓ 都市計画法㉔ 屋外広告物㉖	大規模小売店舗立地法㉕ 防火管理㉖ 都市再生特別措置法（立地適正化計画）㉗	都市計画法㉓ 屋外広告物法㉔ 古物商許可㉚
商圏分析（ライリーの法則）㉕ 商業動態統計㉒		
	ショッピングセンターの現況㉒ 商店街実態調査報告書㉓	商業動態統計㉒ 電子商取引に関する市場調査報告書㉖
販売計画㉗ 品揃え政策㉘	粗利益率と相乗積㉘	人時生産性㉗ 交差比率㉛
売場づくり㉙	売場づくり㉙	非計画購買㉙ VMD㉜
価格政策㉚	食品表示法㉚	価格政策㉘
物品の輸送手段㉜ ユニットロード㉝ 物流センターの機能㉞ 積載率の改善㉟ 物流センターの運営㊱	輸送手段と輸送ネットワーク㉝ 中継輸送における実車率、積載率㉞ 物流センターの運営㉟	輸送手段㉟ ユニットロード㊱ 物流センターの機能㊲ 物流センターの運営㊳
マーケットバスケット分析㊴ POSデータ分析（相関分析）㊵ 個人情報保護法㊶	マーケットバスケット分析㊳ 顧客セグメント分析㊵	資金決済法㊶ 個人情報保護法㊷ RFM分析㊸
GTIN㊲ AI㊳	JANシンボル㊱ GTIN㊲	GTIN-13㊴ AI㊵

351

ちゅうしょう き ぎょうしんだん し　　　　　　　　　　　ねんどばん
中小企業診断士　2025年度版

さいそくごうかく　　　　　　　　　だい　じ　し　けん　か　こ　もんだいしゅう　　　　　　　　　うんえいかんり
最速合格のための第1次試験過去問題集　③　運営管理

（2005年度版　2005年3月15日　初版　第1刷発行）
2024年12月2日　初　版　第1刷発行

編　著　者　　Ｔ　Ａ　Ｃ　株　式　会　社
　　　　　　　　　（中小企業診断士講座）
発　行　者　　多　　田　　敏　　男
発　行　所　　ＴＡＣ株式会社　出版事業部
　　　　　　　　　　　　　（TAC出版）

〒101-8383
東京都千代田区神田三崎町3-2-18
電話　03（5276）9492（営業）
FAX　03（5276）9674
https://shuppan.tac-school.co.jp

印　　　刷　　株式会社　ワ　コ　ー
製　　　本　　株式会社　常　川　製　本

© TAC 2024　　　Printed in Japan　　　　ISBN 978-4-300-11417-9
　　　　　　　　　　　　　　　　　　　　　　　N.D.C. 335

本書は，「著作権法」によって，著作権等の権利が保護されている著作物です。本書の全部または一部につき，無断で転載，複写されると，著作権等の権利侵害となります。上記のような使い方をされる場合，および本書を使用して講義・セミナー等を実施する場合には，小社宛許諾を求めてください。

乱丁・落丁による交換，および正誤のお問合せ対応は，該当書籍の改訂版刊行月末日までといたします。なお，交換につきましては，書籍の在庫状況等により，お受けできない場合もございます。
また，各種本試験の実施の延期，中止を理由とした本書の返品はお受けいたしません。返金もいたしかねますので，あらかじめご了承くださいますようお願い申し上げます。

中小企業診断士講座のご案内

合格する人は使ってる。TACの

まずは、試験の概要を知る
（無料セミナー・ガイダンス）

中小企業診断士の魅力とその将来性や、試験概要を把握したうえでの効率的・効果的な学習法等を紹介します。ご自身の学習計画の参考として、ぜひご覧ください。

TAC 診断士 動画　 検索

https://www.tac-school.co.jp/kouza_chusho/tacchannel.html

試験問題を詳しく理解する
（本試験分析会）

試験を熟知したTAC講師陣が試験の出題傾向を分かり易く解説。受験生では把握しづらい試験のポイントを効率的に理解することができます。

TAC 診断士 分析　 検索

https://www.tac-school.co.jp/kouza_chusho/tacchannel.html

試験問題に挑戦してみる
（TAC動画チャンネル）

試験問題の出題の仕方や内容を知ったうえで学習することが効果的な学習へ繋がります。
TACの講師が前回の試験問題を分かり易く解説します。

TAC 診断士 挑戦　 検索

https://www.tac-school.co.jp/kouza_chusho/tacchannel.html

効果的な学習法を学ぶ
（TAC特別セミナー）

TACでは、どの時期にどのような学習をしなければいけないのかを丁寧に解説したセミナー・イベントをTACの校舎やWebで適時開催しています。

TAC 診断士 セミナー　 検索

https://www.tac-school.co.jp/kouza_chusho/tacchannel.html

資料請求は
こちらから!!

詳しい資料をお送りいたします。
右記電話番号もしくはTACホームページ
(https://www.tac-school.co.jp/)にてご請求ください。

通話無料 **0120-509-117**
コウカク　イイナ
受付時間　9:30〜19:00(月〜金) 9:30〜18:00(土・日・祝)
営業時間短縮の場合がございます。詳細はHPでご確認ください。

サポートサービスを活用しよう！

モチベーションを高める
（将来の選択肢　〜合格者のその後〜）

将来、中小企業診断士に合格して何ができるのか？合格者のその後を取材した記事を読んで合格後の夢を広げてモチベーションを高めましょう！

 TAC 診断士とは　 検索

https://www.tac-school.co.jp/kouza_chusho/chusho_sk_idx.html

TACのYoutube動画
（得する情報を提供中）

TACでは、Youtubeでも学習法や試験解説、実務家インタビュー等の動画を配信しています。是非、チャンネル登録してチェックしてみてください。

 TAC 診断士 youtube　 検索

https://www.youtube.com/@tac3644/videos

TAC中小企業診断士講座「第1回目講義」オンライン無料体験！
各コースの「第1回目」の講義が体験できます！

「体験Web受講」では、既にご入会されている受講生と同じWeb学習環境（TAC WEB SCHOOL）にて講義をご視聴いただけます。サンプルテキストを用意していますので、講義とあわせて教材の内容も確認してみてください。

**独学では理解しづらかったり
時間がかかる内容もポイントを押さえて
スムーズに理解できるから短期合格できる**

 TAC 診断士 体験　 検索

https://www.tac-school.co.jp/kouza_chusho/web_taiken_form.html

中小企業診断士講座のご案内

ストレート合格を目指す!
TACを選ぶメリット。それは"効率性"!

学習効果が高まるよう編成された質の高いカリキュラム・講師・教材で構成されるTACの
コースを受講することで、無理なく実力をつけることができ、効率的に1・2次試験の
ストレート合格を狙えます。

戦略的カリキュラム
INPUT&OUTPUTの連動・繰返し学習が効果的!
ムリ・ムダを省いた必要十分な学習量!

**専門校を
利用する
メリット!**

2次試験合格の秘訣
スケールメリットが合格の可能性を高める!
新作演習問題・添削指導も充実!

充実のフォロー体制
安心して学習できる環境を整備!
学習メディア別に充実したサポート!

全科目のINPUT（知識習得）とOUTPUT（問題演習）を組み合わせたオールインワンコース
「1・2次ストレート本科生」「1・2次速修本科生」を開講しています。

2025年合格目標コース ～豊富なコース設定で効率学習をサポート～

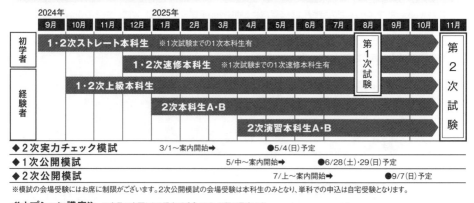

	2024年				2025年										
	9月	10月	11月	12月	1月	2月	3月	4月	5月	6月	7月	8月	9月	10月	11月

初学者
- 1・2次ストレート本科生　※1次試験までの1次本科生有
- 1・2次速修本科生　※1次試験までの1次速修本科生有

経験者
- 1・2次上級本科生
- 2次本科生A・B
- 2次演習本科生A・B

第1次試験（8月）
第2次試験（11月）

◆ 2次実力チェック模試　3/1～案内開始➡　●5/4(日)予定
◆ 1次公開模試　5/中～案内開始➡　●6/28(土)・29(日)予定
◆ 2次公開模試　7/上～案内開始➡　●9/7(日)予定

※模試の会場受験にはお席に制限がございます。2次公開模試の会場受験は本科生のみとなり、単科での申込は自宅受験となります。

≪オプション講座≫　※名称は変更となる場合がございます。日程は予定です。
- ●1次重要過去問チェックゼミ（経営・財務・運営・経済）‥‥➡3/中旬案内開始
- ●1次「財務・会計」特訓ゼミ‥‥‥‥‥‥‥‥‥‥➡3/中旬案内開始
- ●1次「経済学」解法テクニックゼミ‥‥‥‥‥‥‥➡3/中旬案内開始
- ●2次事例IV特訓‥‥‥‥‥‥‥‥‥‥‥➡8/上旬案内開始
- ●2次事例別過去問対策講義‥‥➡8/上旬案内開始

※詳細は、案内開始時期にTACホームページおよび資料をご請求ください。

資料請求はこちらから!!

詳しい資料をお送りいたします。
右記電話番号もしくはTACホームページ
(https://www.tac-school.co.jp/)にてご請求ください。

通話無料 0120-509-117
ゴウカク イイナ

受付時間 9:30〜19:00(月〜金) 9:30〜18:00(土・日・祝)
営業時間短縮の場合がございます。詳細はHPでご確認ください。

TAC中小企業診断士パンフレット

- ・戦略的カリキュラム
- ・学習メディア・
  フォロー制度
- ・開講コース・受講料
- ・無料体験入学のご案内
  など

資格&試験ガイド

- ・中小企業診断士の魅了
- ・実務家インタビュー
- ・試験ガイド
- ・学習プラン
  など

祝賀会・東京会場

TAC合格者の声

表面的な理解ではなく、根本から理解をすることができた

「財務・会計」が苦手で1年目に独学で勉強していた際には理解しないまま試験を受けておりました。そこでTACに通学し、わからない箇所を講師の方に聞くことで、表面的な理解ではなく、根本から理解をすることができました。また、講義の中で効率的な勉強方法をご教示いただき、勉強への取り組み方を身につけることができました。TACを選んだ理由は、①生徒数が多く、合格ノウハウが集まっている、②一次試験から二次口述試験までのカリキュラムが組まれているため、試験ごとの情報収集や模試の検討などの手間が省けると感じたからです。

長山 萌音さん

TACを活用し本来行うべき学習に集中して労力を割く

学習開始が12月上旬だったため、1,000時間の逆算が成り立たず、合格の為に効率を求めたこと、初回の受験で全体像を把握しながら学習ができるガイドラインや合格の為のノウハウを徹底的に仕入れたかったため、TACのWeb通信講座を受講しました。講義動画がリリースされるタイミングや、各科目のまとめテストの「養成答練」の提出期限も含め、すべてTACのノウハウに基づいてスケジュール化されています。その為、進度管理には労力をかけず、TACが敷いてくれた時間軸のレールの上で本来行うべき学習に集中して労力を割くことができました。

中尾 文哉さん

中小企業診断士講座のご案内

学習したい科目のみのお申込みができる、学習経験者向けカリキュラム
1次上級単科生（応用＋直前編）

- □ 必ず押さえておきたい論点や合否の分かれ目となる論点をピックアップ！
- □ 実際に問題を解きながら、解法テクニックを身につける！
- □ 習得した解法テクニックを実践する答案練習！

カリキュラム ※講義の回数は科目により異なります。

1次応用編 2024年10月〜2025年4月

1次上級講義
[財務5回／経済5回／中小3回／その他科目各4回]

| 講義140分/回 |

過去の試験傾向を分析し、頻出論点や重要論点を取り上げ、実際に問題を解きながら知識の再確認をするとともに、解法テクニックも身につけていきます。

[使用教材]
1次上級テキスト
（上・下巻）
（デジタル教材付）

➡INPUT⬅

1次上級答練
[各科目1回]

| 答練60分＋解説80分 |

1次上級講義で学んだ知識を確認・整理し、習得した解法テクニックを実践する答案練習です。

[使用教材]
1次上級答練

⬅OUTPUT➡

1次直前編 2025年5月〜

1次完成答練
[各科目2回]

| 答練60分＋解説80分/回 |

重要論点を網羅した、TAC厳選の本試験予想問題による答案練習です。

[使用教材]
1次完成答練

⬅OUTPUT➡

1次最終講義
[各科目1回]

| 講義140分/回 |

1次対策の最後の総まとめです。法改正などのトピックを交えた最新情報をお伝えします。

[使用教材]
1次最終講義レジュメ

➡INPUT⬅

1次試験【2025年8月】

1次養成答練 [各科目1回] ※講義回数には含まず。
基礎知識の確認を図るための1次試験対策の答案練習です。

(配布のみ・解説講義なし・採点あり)

⬅OUTPUT➡

さらに！ 「1次基本単科生」の教材付き！（配付のみ・解説講義なし）

◇基本テキスト（デジタル教材付）	◇講義サポートレジュメ	◇1次養成答練	◇トレーニング	◇1次過去問題集

開講予定月
◎企業経営理論／10月　　◎財務・会計／10月　　◎運営管理／10月　　◎経済学・経済政策／10月
◎経営情報システム／10月　　◎経営法務／11月　　◎中小企業経営・政策／11月

学習メディア
🖊 教室講座　　📺 ビデオブース講座　　💻 Web通信講座

1科目から申込できます！ ※詳細はホームページまたは資料をご請求ください。（右上参照）

資料請求はこちらから!!

詳しい資料をお送りいたします。
右記電話番号もしくはTACホームページ
(http://www.tac-school.co.jp/)にてご請求ください。

通話無料 **0120-509-117** ゴウカク イイナ
受付時間 9:30～19:00(月～金) 9:30～18:00(土・日・祝)
営業時間短縮の場合がございます。詳細はHPでご確認ください。

本試験を体感できる!実力がわかる!
2025(令和7)年合格目標　公開模試

受験者数の多さが信頼の証。全国最大級の公開模試!

中小企業診断士試験、特に2次試験においては、自分の実力が全体の中で相対的にどの位置にあるのかを把握することが非常に大切です。独学や規模の小さい受験指導校では把握することが非常に困難ですが、TACは違います。規模が大きいTACだからこそ得られる成績結果は極めて信頼性が高く、自分の実力を相対的に把握することができます。

1次公開模試
2024年度受験者数
2,504名

2次公開模試
2024年度受験者数
1,708名

TACだから得られるスケールメリット!

規模が大きいから正確な順位を把握し効率的な学習ができる!

TACの成績は全国19の直営校舎にて講座を展開し、多くの方々に選ばれていますので、受験生全体の成績に近似しており、**本試験に近い成績・順位を把握**することができます。
さらに、他のライバルたちに差をつけられている、自分にとって本当に克服しなければいけない苦手分野を自覚することができ、より効率的かつ効果的な学習計画を立てられます。

はたして今の成績は良いの?悪いの?

規模の小さい受験指導校で
得られる成績・順位よりも…

この母集団で
今の成績なら大丈夫!

規模の大きい**TAC**なら、
本試験に近い成績が分かる!

実施予定

1次公開模試:2025年6/28(土)・29(日)実施予定
2次公開模試:2025年9/7(日)実施予定

詳しくは公開模試パンフレットまたはTACホームページをご覧ください。

1次公開模試:2025年5月上旬完成予定　2次公開模試:2025年7月上旬完成予定

https://www.tac-school.co.jp/ 　TAC　診断士　　検索

TAC出版 書籍のご案内

TAC出版では、資格の学校TAC各講座の定評ある執筆陣による資格試験の参考書をはじめ、資格取得者の開業法や仕事術、実務書、ビジネス書、一般書などを発行しています!

TAC出版の書籍

*一部書籍は、早稲田経営出版のブランドにて刊行しております。

資格・検定試験の受験対策書籍

- ✪ 日商簿記検定
- ✪ 建設業経理士
- ✪ 全経簿記上級
- ✪ 税 理 士
- ✪ 公認会計士
- ✪ 社会保険労務士
- ✪ 中小企業診断士
- ✪ 証券アナリスト

- ✪ ファイナンシャルプランナー(FP)
- ✪ 証券外務員
- ✪ 貸金業務取扱主任者
- ✪ 不動産鑑定士
- ✪ 宅地建物取引士
- ✪ 賃貸不動産経営管理士
- ✪ マンション管理士
- ✪ 管理業務主任者

- ✪ 司法書士
- ✪ 行政書士
- ✪ 司法試験
- ✪ 弁理士
- ✪ 公務員試験(大卒程度・高卒者)
- ✪ 情報処理試験
- ✪ 介護福祉士
- ✪ ケアマネジャー
- ✪ 電験三種　ほか

実務書・ビジネス書

- ✪ 会計実務、税法、税務、経理
- ✪ 総務、労務、人事
- ✪ ビジネススキル、マナー、就職、自己啓発
- ✪ 資格取得者の開業法、仕事術、営業術

一般書・エンタメ書

- ✪ ファッション
- ✪ エッセイ、レシピ
- ✪ スポーツ
- ✪ 旅行ガイド (おとな旅プレミアム/旅コン)

TAC出版

(2024年2月現在)

書籍のご購入は

1 全国の書店、大学生協、ネット書店で

2 TAC各校の書籍コーナーで

資格の学校TACの校舎は全国に展開！
校舎のご確認はホームページにて

資格の学校TAC ホームページ
https://www.tac-school.co.jp

3 TAC出版書籍販売サイトで

CYBER TAC出版書籍販売サイト
BOOK STORE

24時間
ご注文
受付中

TAC 出版 で 検索

https://bookstore.tac-school.co.jp/

- 新刊情報を いち早くチェック！
- たっぷり読める 立ち読み機能
- 学習お役立ちの 特設ページも充実！

TAC出版書籍販売サイト「サイバーブックストア」では、TAC出版および早稲田経営出版から刊行されている、すべての最新書籍をお取り扱いしています。

また、会員登録（無料）をしていただくことで、会員様限定キャンペーンのほか、送料無料サービス、メールマガジン配信サービス、マイページのご利用など、うれしい特典がたくさん受けられます。

サイバーブックストア会員は、特典がいっぱい！(一部抜粋)

通常、1万円（税込）未満のご注文につきましては、送料・手数料として500円（全国一律・税込）頂戴しておりますが、1冊から無料となります。

専用の「マイページ」は、「購入履歴・配送状況の確認」のほか、「ほしいものリスト」や「マイフォルダ」など、便利な機能が満載です。

メールマガジンでは、キャンペーンやおすすめ書籍、新刊情報のほか、「電子ブック版TACNEWS（ダイジェスト版）」をお届けします。

書籍の発売を、販売開始当日にメールにてお知らせします。これなら買い忘れの心配もありません。

2025年度 中小企業診断士試験 （第1次試験・第2次試験）

TAC出版では、中小企業診断士試験（第1次試験・第2次試験）にスピード合格を目指す方のために、科目別、用途別の書籍を刊行しております。資格の学校TAC中小企業診断士講座とTAC出版が強力なタッグを組んで完成させた、自信作です。ぜひご活用いただき、スピード合格を目指してください。

※刊行内容・刊行月・装丁等は変更になる場合がございます。

基礎知識を固める

▶ みんなが欲しかった!シリーズ

みんなが欲しかった!
中小企業診断士　合格へのはじめの一歩
A5判　8月刊行

● フルカラーでよくわかる、「本気でやさしい入門書」!
● 試験の概要、学習プランなどのオリエンテーションと、科目別の主要論点の入門講義を収載。

みんなが欲しかった!
中小企業診断士の教科書
上:企業経営理論、財務・会計、運営管理
下:経済学・経済政策、経営情報システム、経営法務、中小企業経営・政策
A5判　10〜11月刊行　全2巻

● フルカラーでおもいっきりわかりやすいテキスト
● 科目別の分冊で持ち運びラクラク
● 赤シートつき

みんなが欲しかった!
中小企業診断士の問題集
上:企業経営理論、財務・会計、運営管理
下:経済学・経済政策、経営情報システム、経営法務、中小企業経営・政策
A5判　10〜11月刊行　全2巻

● 診断士の教科書に完全準拠した論点別問題集
● 各科目とも必ずマスターしたい重要過去問を約50問収載
● 科目別の分冊で持ち運びラクラク

▶ 最速合格シリーズ

科目別 全7巻
① 企業経営理論
② 財務・会計
③ 運営管理
④ 経済学・経済政策
⑤ 経営情報システム
⑥ 経営法務
⑦ 中小企業経営・中小企業政策

最速合格のための
スピードテキスト
A5判　9月〜12月刊行

● 試験に合格するために必要な知識のみを集約。初めて学習する方はもちろん、学習経験者も安心して使える基本書です。

科目別 全7巻
① 企業経営理論
② 財務・会計
③ 運営管理
④ 経済学・経済政策
⑤ 経営情報システム
⑥ 経営法務
⑦ 中小企業経営・中小企業政策

最速合格のための
スピード問題集
A5判　9月〜12月刊行

● 『スピードテキスト』に準拠したトレーニング問題集。テキストと反復学習していただくことで学習効果を飛躍的に向上させることができます。

受験対策書籍のご案内 　TAC出版

1次試験への総仕上げ

科目別 全7巻
① 企業経営理論
② 財務・会計
③ 運営管理
④ 経済学・経済政策
⑤ 経営情報システム
⑥ 経営法務
⑦ 中小企業経営・中小企業政策

最速合格のための
第1次試験過去問題集
A5判　12月刊行

● 過去問は本試験攻略の上で、絶対に欠かせないトレーニングツールです。また、出題論点や出題パターンを知ることで、効率的な学習が可能となります。

全2巻
1日目
（経済学・経済政策、財務・会計、企業経営理論、運営管理）
2日目
（経営法務、経営情報システム、中小企業経営・中小企業政策）

最速合格のための
要点整理ポケットブック
B6変形判　1月刊行

● 第1次試験の日程と同じ科目構成の「要点まとめテキスト」です。コンパクトサイズで、いつでもどこでも手軽に確認できます。買ったその日から本試験当日の会場まで、フル活用してください！

2次試験への総仕上げ

最速合格のための
第2次試験過去問題集
B5判　2月刊行

● 問題の読み取りから解答作成の流れを丁寧に解説しています。抜き取り式の解答用紙付きで実践的な演習ができる1冊です。

第2次試験 事例Ⅳの解き方
B5判　好評発売中

● テーマ別に基本問題・応用問題・過去問を収載。TAC現役講師による解き方を紹介しているので、自身の解答プロセスの構築に役立ちます。

第2次試験 外さない答案への攻略ロードマップ
B5判　好評発売中

● 演習に加えて、テーマ設定、プロセス確認、出題者の意図の確認、出題者の立場での採点などを行うことにより、2次試験への対応力を高め不合格を回避できる力を身につけることができます。

TACの書籍はこちらの方法でご購入いただけます

1 全国の書店・大学生協　**2** TAC各校 書籍コーナー　**3** インターネット

CYBER TAC出版書籍販売サイト BOOK STORE　アドレス https://bookstore.tac-school.co.jp/

・2024年7月現在　・価格等詳細は、決定しだい上記のサイバーブックストアに掲載されますのでご参照ください

書籍の正誤に関するご確認とお問合せについて

書籍の記載内容に誤りではないかと思われる箇所がございましたら、以下の手順にてご確認とお問合せをしてくださいますよう、お願い申し上げます。

なお、正誤のお問合せ以外の**書籍内容に関する解説および受験指導などは、一切行っておりません。**
そのようなお問合せにつきましては、お答えいたしかねますので、あらかじめご了承ください。

1 「Cyber Book Store」にて正誤表を確認する

TAC出版書籍販売サイト「Cyber Book Store」の
トップページ内「正誤表」コーナーにて、正誤表をご確認ください。

CYBER TAC出版書籍販売サイト
BOOK STORE

URL：https://bookstore.tac-school.co.jp/

2 **1**の正誤表がない、あるいは正誤表に該当箇所の記載がない ⇒ 下記①、②のどちらかの方法で文書にて問合せをする

★ご注意ください★

お電話でのお問合せは、お受けいたしません。
①、②のどちらの方法でも、お問合せの際には、「お名前」とともに、
「対象の書籍名（○級・第○回対策も含む）およびその版数（第○版・○○年度版など）」
「お問合せ該当箇所の頁数と行数」
「誤りと思われる記載」
「正しいとお考えになる記載とその根拠」
を明記してください。
なお、回答までに1週間前後を要する場合もございます。あらかじめご了承ください。

① ウェブページ「Cyber Book Store」内の「お問合せフォーム」より問合せをする
【お問合せフォームアドレス】
https://bookstore.tac-school.co.jp/inquiry/

② メールにより問合せをする
【メール宛先　TAC出版】
syuppan-h@tac-school.co.jp

※土日祝日はお問合せ対応をおこなっておりません。
※正誤のお問合せ対応は、該当書籍の改訂版刊行月末日までといたします。

乱丁・落丁による交換は、該当書籍の改訂版刊行月末日までといたします。なお、書籍の在庫状況等により、お受けできない場合もございます。
また、各種本試験の実施の延期、中止を理由とした本書の返品はお受けいたしません。返金もいたしかねますので、あらかじめご了承くださいますようお願い申し上げます。

TACにおける個人情報の取り扱いについて
■お預かりした個人情報は、TAC（株）で管理させていただき、お問合せへの対応、当社の記録保管にのみ利用いたします。お客様の同意なしに業務委託先以外の第三者に開示、提供することはございません（法令等により開示を求められた場合を除く）。その他、個人情報保護管理者、お預かりした個人情報の開示等及びTAC（株）への個人情報の提供の任意性については、当社ホームページ（https://www.tac-school.co.jp）をご覧いただくか、個人情報に関するお問い合わせ窓口（E-mail：privacy@tac-school.co.jp）までお問合せください。

（2022年7月現在）